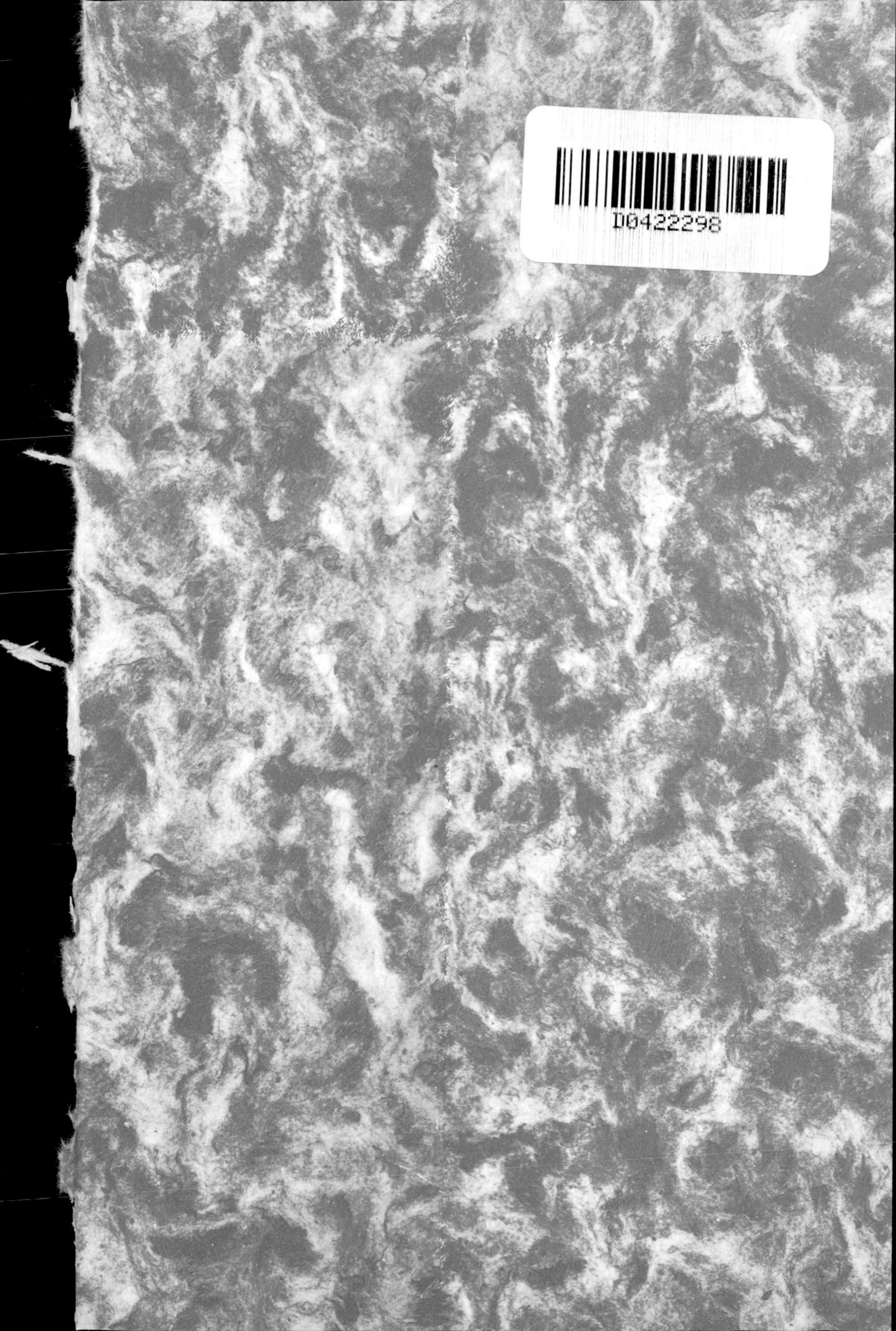
D0422298

LE THÉATRE
DE
GIRAUDOUX

Étude psychocritique

DU MEME AUTEUR :

POEMES

Poèmes en prose, publiés par les soins de Charles VILDRAC et Claude AVELINE, avec une eau-forte de DUNOYER DE SEGONZAC, 1930.

ESSAIS

Beauty in Art and Literature, Hogarth Press, Londres, 1927.
Aesthetics and Psychology, Hogarth Press, Londres, 1935.
Sagesse de l'eau, Laffont, Paris, 1945.
L'Homme triple, Laffont, Paris, 1947.

PSYCHOCRITIQUE

Mallarmé l'obscur, rééd. J. Corti, 1968.
Introduction à la psychanalyse de Mallarmé, rééd. La Baconnière, 1968.
Some poems of Mallarmé, en collaboration avec Roger FRY, rééd. New Directions, New York, 1951.
L'Inconscient dans l'œuvre et la vie de Racine, rééd. J. Corti, 1969.
Estùdi Mistralen (psychocritique de l'œuvre de Frédéric MISTRAL), Saint-Rémy-de-Provence, 1953.
Des Métaphores obsédantes au Mythe personnel, introduction à la psychocritique (Baudelaire, Nerval, Mallarmé, Valéry, Corneille, Molière), J. Corti, 1963.
Psychocritique du genre comique, essai de psychocritique comparée, J. Corti, 1964.
Mallarmé par lui-même, Ed. du Seuil, 1964.
Le Dernier Baudelaire, J. Corti, 1966.
Les personnages de Victor Hugo, vol. II, Club Français du Livre, 1967.
Phèdre — La situation dramatique, J. Corti, 1968.

TRADUCTIONS de STERNE, E.M. FORSTER, T.E. LAWRENCE, D.H. LAWRENCE, Virginia WOOLF, K. MANSFIELD, etc.

CHARLES MAURON

LE THÉATRE DE GIRAUDOUX

Etude psychocritique

LIBRAIRIE JOSÉ CORTI
11, RUE DE MÉDICIS — PARIS
1971

10

Dépôt légal : 1er trimestre 1971

N° d'édition : 440

Chapitre I

INTRODUCTION

Le théâtre de Giraudoux. Pourquoi ce choix ? D'abord parce que cette œuvre demeure vivante ; on joue encore *La Guerre de Troie, Electre* ou *Amphitryon 38.* Cependant, vingt années après la mort de l'auteur, nous éprouvons le besoin de mieux situer telle pièce ou telle autre dans l'ensemble d'une création dont l'éclat nous surprend moins et dont nous percevons mieux les contours. Autant que goûter, nous voulons comprendre. S'il est encore trop tôt pour étudier la vie de l'écrivain, ses textes ont déjà fait l'objet d'études approfondies en France et à l'étranger. Une synthèse n'a pourtant pas été réalisée entre les diverses visions critiques. Je n'y prétends pas dans cet ouvrage. Plus simplement, ici comme ailleurs, j'ai pensé que l'intelligence de l'œuvre totale pouvait être accrue par l'application de la méthode psychocritique. De ce point de vue, qui reste le mien, au surplus, le théâtre de Giraudoux offre un intérêt singulier parce que l'imagination y règne en maîtresse. Actualité vivante, caractère problématique, puissance de la fantaisie : voilà donc les motifs de mon choix.

Nous cernerons tout d'abord le champ de notre étude. Je l'ai déjà fait en isolant le théâtre de l'œuvre entière. Giraudoux, né en 1882, mort en 1944, n'a écrit sa première pièce — *Siegfried* — qu'après avoir rencontré Jouvet. Toute sa création théâtrale s'inscrit entre 1928 et 1944, dans les seize dernières années de sa vie. Un homme mûr, puis déjà vieillissant l'élabore, traduisant ainsi, sur un instrument pour lui nouveau, une longue expérience d'homme, d'intellectuel, de styliste. Voilà qui invite à la prudence : nous restreindrons notre analyse, mais non sans jeter des coups d'œil vers le contexte, c'est-à-dire sur les romans ou les essais. Dans le chapitre suivant, nous prendrons ainsi de l'œuvre totale une vue cavalière qui nous fournira des repères et des orientations. Pour l'heure, faisant davantage appel à l'intuition et presque au sentiment, nous poserons une question : quelles chances avons-nous de réussir une psychocritique de Giraudoux ?

Courtois avec tous, l'homme ne se livrait à personne. De même, il est difficile de feuilleter les œuvres complètes ou de parcourir les biographies sans se heurter à une suite d'énigmes. Nous en retiendrons deux, qui serviront d'exemples. Comme ceux-ci nous fourniront une première vision de notre sujet, nous leur consacrerons quelque développement.

A. Giraudoux publia en 1927 une préface à l'*Aurélia* de Gérard de Nerval. Ce faisant, il a pu céder à une vogue. La même année voit paraître trois éditions des œuvres complètes de Nerval ; l'ouvrage important de Pierre Audiat sur *Aurélia* date de 1926 ; enfin, tout le monde lit, à cette époque, la monumentale biographie d'Aristide Marie, parue en 1914. Cependant, de façon beaucoup plus profonde, Giraudoux aimait sincèrement Gérard et par identification. Nous sommes en effet frappé par le nombre étonnant d'analogies objectives qui unissent les deux auteurs. Tous deux ont une enfance provinciale dont ils resteront hantés. Bellac et le Limousin obsèdent Giraudoux comme Mortefontaine et l'Ile-de-France, Nerval. D'où leur amour commun pour les beaux paysages français, les arbres, les bêtes, les eaux, surtout, rivières et lacs, les atmosphères provinciales, les jeux enfantins, enfin les figures de jeunes filles. Le poète qui créa Sylvie, Angélique, Octavie, Aurélia eût aimé Suzanne, Bella, Eglantine, Isabelle, Ondine. Or ces deux esprits si français s'éprennent à vingt ans de la même

Allemagne, celle de Goethe, mais aussi de Heine, Hoffmann, Jean-Paul Richter, Novalis, l'Allemagne de la fantaisie et du rêve romantiques. Tous deux s'attachent aux doctrines occultistes, lisent Swedenborg, croient ou feignent de croire à l'harmonie cosmique et aux correspondances mystérieuses. Tous deux tenteront d'exprimer ces mystères dans une langue transparente, mêlant la désinvolture à un sens tragique de l'existence. Le théâtre les attira également. L'un et l'autre furent de grands voyageurs et virent une existence facile et brillante s'assombrir peu à peu. Voilà des traits communs, dont certains — l'enfance, le romantisme allemand — paraissent profonds, déterminants. Cependant, si nous interrogeons notre intuition et notre sens du style, comme Giraudoux demeure loin de Nerval ! Nous éprouvons soudain toute la faiblesse de ces déterminations trop faciles, trop vagues, auxquelles nous nous complaisons parfois. Dans la pesée, les différences l'emportent. L'évolution historique du milieu de 1830 à 1930 doit les expliquer en partie. Mais nous sentons que des différences psychiques profondes ne sont pas moins en cause : Giraudoux n'eût jamais écrit *Aurélia*. Dans l'état actuel de nos connaissances, seule la psychocritique peut nous laisser espérer non pas résoudre cette énigme, mais en rechercher la solution d'une façon un peu méthodique.

B. Passons maintenant à un second point qui ne peut manquer de nous intéresser. Giraudoux, d'ordinaire très discret, a réagi avec une violence exceptionnelle au freudisme. Ici encore, il peut avoir obéi à un courant collectif. Sa condamnation rejoint celle de Valéry et de presque tous les critiques français contemporains. Mais la résistance, chez lui, prend une forme qui retient l'attention du psychanalyste parce qu'elle est outrée (surtout chez un être courtois) et ambivalente.

Dans une des nouvelles de *La France sentimentale* — *Mirage de Bessines* — l'écrivain étudie un cas pathologique. Le peintre Rémy Grand est obsédé par l'image de son village natal, Bessines — traduisons Bellac — et se délivre lui-même de cette hantise par un examen de conscience et une confrontation avec le site réel. Il lance alors triomphalement à l'écho, à la psychologie, puis à la physiologie, puis à la psycho-physiologie, puis à Freud Sigmund, puis à la psychiatrie, puis aux hallucinés eux-mêmes, l'injure vigoureuse que le général Michel — et non le comte Cambronne — prononça, paraît-il, sur le champ de bataille de Waterloo.

Cependant, en contradiction avec ce refus superbe, il emprunte à la psychanalyse non seulement des explications (par exemple l'idée qu'une culpabilité inconsciente peut être la source d'une angoisse apparemment sans motif), mais encore une méthode d'investigation. C'est ce mélange de refus passionné et d'adhésion secrète que je nommais « ambivalence ». Sur l'objectivité de ce jugement, une citation de R.M. Albérès apportera un témoignage :

> ... A l'époque où il écrivait *Mirage de Bessines,* en 1931 (et cette vogue [du freudisme] était encore plus sensible en Allemagne où il était allé peu auparavant), il admet une sorte de pensée freudienne au sens très large. Mais la « psychose » n'est plus comme chez Freud déposée dans un moi ou un inconscient qui demeurent la propriété de l'individu, elle concerne les rapports de cet individu et de l'univers. Elle devient un péché réel contre un objet réel, et non comme chez Freud le souvenir subjectif d'un rapport traumatique avec un objet symbolique. Certes, Rémy rejette la méthode freudienne, mais il lui emprunte tout en la refusant...

Et à propos du *Signe :*

> Cette nouvelle est extrêmement révélatrice de la tendance de Giraudoux à projeter sa vie intérieure sur le monde, à ne pas connaître de limites du moi mais une complexité où le moi est en liaison avec le Tout. Ainsi s'objective la difficulté intérieure ; l'obsession intime est remplacée par un désaccord et un silence de l'univers. La théorie psychanalytique est retournée, et projetée du subconscient sur le monde [1].

---

1. René Marill Albérès, *Esthétique et Morale chez Jean Giraudoux,* Nizet éd., Paris, 1962, pp. 428 et 429.

Or cette projection, cette attribution au monde ou à autrui d'intentions, de pensées qui sont profondément les nôtres n'est, elle-même, rien d'autre qu'un mécanisme psychique très connu que l'on retrouve partout. Le persécuté attribue à autrui des intentions agressives qu'il refoule ; l'érotomane se croit l'objet d'invites amoureuses. L'animisme primitif illustre le même mécanisme. Je ne cite que pour mémoire ces traits normaux ou primitifs. La projection naïve est fréquente dans la vie quotidienne. C.G. Jung, qui l'a particulièrement étudiée dans *L'homme à la découverte de son âme,* l'a résumée ainsi : Si tu ne veux pas connaître ton anima, tu la rencontreras un jour et tu te marieras avec elle. Les héros de Giraudoux épousent ainsi souvent un univers qui n'est que la projection de leur âme profonde. Ils croient, en cas de crise, interroger les étoiles, les arbres, les meubles et ils n'interrogent que leur propre inconscient.

La question, toute naturelle, surgit aussitôt : pour se guider ou se guérir, est-il efficace ou dangereux de croire à l'objectivité, à l'origine extérieure des réponses ainsi recueillies ? Jung, comme Freud, comme Bachelard jugent dangereuse cette foi naïve. Dans l'existence pratique, nous serions nombreux à partager leur avis. Cependant, ne doit-on pas éviter de confondre action et littérature ? En poésie, ces modes primitifs de la pensée que l'on nomme animisme, magie, correspondance, projection de soi sur le monde, participation affective, participation mystique deviennent non seulement permis comme jeux, mais obligés et efficaces. Nous ne croyons pas à la vérité scientifique des correspondances baudelairiennes, mais nous devons croire à leur vérité poétique ou renoncer à la poésie. Giraudoux fait-il clairement cette distinction ? Il le fait plus qu'on ne le dit ; il ne me semble pas assez naïf pour accorder au jeu littéraire cette objectivité qui, précisément, serait nécessaire pour en déduire une morale. En revanche, il apparaît peu enclin à voir la réalité et à discerner clairement ce qui revient à la science et ce qui revient à la poésie. Les subreptices emprunts à Freud nous en fournissent une preuve parmi d'autres. Il a d'ailleurs probablement emprunté plus à Jung. Par exemple, au sommaire des livres du psychologue zürichois parus en 1931 en France, nous trouvons une étude sur les âges de l'homme, une autre sur la femme en Europe [2]. Or Giraudoux a publié en 1932 *Palais de glace* [3] qui traite des âges de la vie, et prononce en 1934 une conférence aux Annales sur *La Française et la France.* Remarquons encore que Jung était aussi fort intéressé par l'occultisme. Enfin, une partie des reproches adressés par Giraudoux au freudisme, au nom de conceptions plus vastes, furent d'abord exprimés par Jung dans des écrits déjà fameux en Allemagne avant 1930. Tout cela accentue l'impression d'ambiguïté que nous donnait la réaction de Giraudoux à la psychanalye. Or cette ambiguïté, loin de nous détourner d'une psychocritique, nous y incite plutôt.

***

De ces deux regards sur un Giraudoux énigmatique, retenons simplement une impression : l'écrivain fleuretait volontiers avec l'idée d'être halluciné comme Nerval, ou thérapeute comme Jung. Mais des forces puissantes lui interdisaient également ces deux attitudes. En quoi nous le dirons normal : car notre conscience n'aime ni les hantises, ni l'effort pour s'en guérir. Pourtant, comme Giraudoux n'est pas moins créateur que normal, il doit tout de même consentir quelque chose au rêve et quelque chose à la psychologie.

Mais laissons cette première impression et, nous approchant de l'œuvre elle-même, examinons si, sur quelques points, la psychocritique risque de nous être d'un secours quelconque.

L'inconscient obéit à une logique affective. Sa grande loi est d'osciller entre l'angoisse et l'extase, la dépression et le triomphe. Il est naturel que la psychocritique retrouve cette oscillation dans celle qui sépare, ou mêle, les genres

---

2. C.G. Jung, *Essais de psychologie analytique* (trad. par Y. Le Lay), Stock, Paris, 1931.
3. In *La France sentimentale,* Grasset, Paris, 1932.

tragique et comique. Or, de ce point de vue, le théâtre de Giraudoux présente un intérêt certain. Nous y trouvons plusieurs tragédies : *Judith, Electre, Sodome et Gomorrhe, Pour Lucrèce.* En revanche, *Amphitryon 38, Intermezzo, Cantique des Cantiques, L'Apollon de Bellac* et *La Folle de Chaillot* offrent des dénouements heureux. Pourtant, l'on découvre partout l'alternance ou la superposition, ou le mélange du comique et du tragique. Des pièces qui évoquent Aristophane — *La Guerre de Troie* et *La Folle de Chaillot* — la première conduit une intrigue souvent bouffonne jusqu'à un dénouement tragique, la seconde est une satire dont la farce ne parvient pas à masquer l'amertume. La critique s'accorde pour dire que la tonalité tragique s'accuse dans la dernière période, entre *Electre* (1937) et *Pour Lucrèce* (1943). Nous admettrons ce jugement, en le corrigeant pourtant. Le sentiment tragique a toujours existé chez Giraudoux. Les contes groupés dans les *Provinciales* (1909) développent des thèmes douloureux — la mort, la claustration, l'abandon, l'erreur fatale — que seul le sens de l'humour atténue. On pourrait sommairement définir le pathétique des *Provinciales* comme un mélange d'Alphonse Daudet et de Jules Renard : le drame du Petit Chose y est vu à travers l'esprit des *Histoires naturelles.* Cette relation persistera sous diverses formes. Elle correspond à ce qu'on a nommé sa désinvolture, sa fantaisie, son esprit précieux. Le public a surtout été séduit par cet esprit, son imprévu, sa liberté, sa virtuosité acrobatique, cette légèreté d'Ariel au-dessus de lourdes angoisses, telle la menace de guerre qui pesait sur l'Europe dès 1935. Or sur ces divers éléments — genre comique ou tragique, pudeur du sentiment, préciosité, humour — nous savons déjà que la psychanalyse et la psychocritique peuvent nous ouvrir des perspectives nouvelles.

Des tonalités affectives, passons maintenant à la fable des œuvres. Ici encore, je ne prendrai qu'un exemple, dans le seul dessein de montrer comment notre méthode pourrait enrichir notre lecture et notre intelligence des textes. Dans *Sodome et Gomorrhe,* Dieu détruit une humanité incapable de former un seul couple heureux. R.M. Albérès voit dans cette étude psychologique du couple l'application à un problème particulier d'une morale dont les pièces auraient donné la formule théorique : recherche d'une harmonie entre l'homme et l'univers [4]. Mais si, évitant les vastes interprétations, nous en restons aux fables, nous constatons que la rupture du couple forme un des thèmes obsédants des pièces et des romans de Giraudoux. L'amnésie qui a frappé Forestier a rompu son union avec Geneviève (*Siegfried et le Limousin*). Jupiter vient rompre le couple Alcmène-Amphitryon. Judith, fiancée de Jean et amante d'Holopherne, s'écarte du premier et tue le second. La guerre sépare Andromaque d'Hector ; Andromaque juge horrible que tous doivent se battre pour un mauvais couple. Electre, poursuivant son enquête, découvre que Clytemnestre détestait Agamemnon comme Agathe le Président. Le couple de Hans et d'Ondine ne résiste pas à l'épreuve : Hans trahit Ondine et en est puni par la mort tandis qu'Ondine regagne les eaux et l'oubli. Dans *Sodome et Gomorrhe*, Dieu punit par la fin du monde l'impuissance des humains à former un seul couple heureux. Lucile-Lucrèce, qui poursuit les couples adultères, se voit elle-même rejetée par son mari comme adultère. Pratiquement, la crise du couple se retrouve dans toutes les œuvres dramatiques de Giraudoux et dans un grand nombre de récits. Bien entendu, cela ne signifie pas qu'il exploite, après tant d'autres, le thème banal, usé jusqu'à la trame, des passions illégitimes et des époux trompés. D'ailleurs, au niveau où nous travaillons, ces lieux communs ne signifient plus rien : si les personnages du drame représentent des personnalités partielles de l'écrivain, si Célimène est Molière autant qu'Alceste [5], si Geneviève et Siegfried, Egisthe et Electre sont également intérieurs à Giraudoux, la rupture du couple ne signifie pas autre chose que l'existence d'une faille, d'une

---

4. R.M. Albérès, *op. cit.*, p. 445.

5. L'auteur se réfère ici aux théories de Freud, Rank, Klein et Fairbairn. Ce dernier a formulé le plus lucidement cette méthode d'interprétation des fantaisies : « ... tous les personnages qui apparaissent dans un rêve représentent soit : 1) une partie de la personnalité du rêveur, ou, 2) une personne avec laquelle une part de la personnalité du rêveur est en relation le plus souvent d'identification, dans la réalité intérieure. » Dans *Judith*, Girau-

menace de dissociation à l'intérieur de la personnalité même de l'écrivain. Le couple intégré correspondra donc pour nous à une intégration du moi. La relation entre couple heureux et personnalité complète est indiquée par Giraudoux dans *Sodome et Gomorrhe* : « Dieu n'a pas créé l'individu mais le couple. » La fin du monde prend ainsi le sens, comme chez Nerval (mais aussi dans toute l'interprétation clinique), d'un naufrage dans la psychose. Les menaces de fin du monde se succèdent d'ailleurs de façon cyclique, comme les ruptures de couples, et comme les crises dépressives : nous retrouvons ainsi l'oscillation affective. Cette suite d'angoisses et d'extases, de désunions et de communions est l'effet d'une dynamique complexe. Dans l'expression qu'en donne Giraudoux, la personnalité inconsciente de l'écrivain trouve certainement le moyen de s'exprimer elle-même. La rupture du couple traduit une angoisse personnelle : le thème eût-il pris sans cela un caractère obsédant ?

Cependant, à l'angoisse, la personnalité inconsciente oppose des mécanismes de défense. Je voudrais montrer comment l'un d'entre eux pourrait être précisé par l'étude psychocritique.

Tous les commentateurs de Giraudoux ont parlé d'évasion dans la fantaisie, le rêve, l'île bienheureuse de *Suzanne et le Pacifique*, ou du *Supplément au Voyage de Cook*. A cette évasion imaginaire, nous donnerons son vrai nom au niveau de l'inconscient : la fuite devant une excitation que sa quantité ou sa qualité rendent intolérable. Nous y perdrons en élégance, soit. Mais nous y gagnerons en précision et en ampleur. Car nous reconnaîtrons ainsi et distinguerons, tout en les groupant, les différentes formes

---

doux, par la bouche de Jean décrit exactement la personnalité comme un « concert » dont les autres êtres sont les « parties » et encourage Lia à reconnaître Suzanne : « *Reçois cette femme... Dans les grandes heures les autres êtres ne sont guère que des parties de notre propre concert... Fais entrer pour une fois en toi la part douce et honteuse...* » (Acte I, sc. VI.) Toutes les citations du théâtre sont empruntées à l'édition Bernard Grasset, Paris, 1956.

de la fuite devant l'angoisse. La fugue est l'une d'entre elles, mais aussi l'amnésie, ou le suspens de toute réaction, ou l'anesthésie affective, ou le contact à distance. Or ces diverses formes se retrouvent dans Giraudoux et l'évasion dans la rêverie n'est que la plus apparente. Les fugues abondent dans les romans : *Aventures de Jérôme Bardini, Combat avec l'Ange, Choix des Elues*. L'amnésie est le sujet même de *Siegfried,* mais se rencontre ailleurs, par exemple dans le *Kid*. Hector giflé, Andromaque embrassée par Oiax suspendent toute réaction, fuient dans l'immobilité. Le contact à distance, ou la succession rapide de contacts et de fuites se retrouvent partout. Remarquons alors que la rupture du couple prend ainsi un aspect ambivalent : elle crée une angoisse d'abandon, mais elle apaise l'angoisse d'un contact qui, peu à peu, s'est chargé de haine.

Même à un examen aussi rapide et discontinu, l'œuvre de Giraudoux, comme sa personnalité consciente, se révèle énigmatique. Notre tentative paraît donc justifiée.

***

Pour la rendre plus aisée, je voudrais situer notre champ d'analyse — le théâtre — par rapport à l'ensemble de l'œuvre et montrer quelle conception Giraudoux s'était faite lui-même du théâtre et de sa fonction. Je nourrirai mon exposé de faits objectifs, sans croire utile pourtant de reprendre ici en détail une biographie et une évolution créatrice que l'on trouve aisément dans d'autres ouvrages. Je ne rappellerai que les jalons principaux.

Ils divisent la vie en cinq périodes. La première s'étend de 1882 à 1914 ; la seconde comprend la guerre elle-même ; nous situerons la troisième entre 1920 et 1930, divisant ainsi l'entre-deux guerres non par commodité arithmétique, mais pour obéir à la ligne de l'œuvre. C'est en 1930 que se place le texte intitulé d'abord *D'un romantisme à l'autre,* puis *De siècle à siècle,* texte que nous prendrons bientôt pour objet d'étude. Enfin, les deux dernières périodes vont l'une de 1930 à 1939, l'autre, de cette dernière date à la mort de l'écrivain, en janvier 1944.

Il nous sera facile, dans ce cadre très simple, de loger les faits significatifs et les œuvres. Cependant je me laisserai guider, au cours de cette esquisse, par une idée qui appartient à la psychocritique. Je la crois, en effet, utile ici et la préciserai brièvement. Dans le psychisme d'un artiste, deux groupes de fonctions semblent se partager l'énergie disponible ; je les ai nommés « moi social » et « moi créateur ». Le premier comprend cet ensemble complexe de fonctions qui permettent à l'individu humain de s'adapter, avec plus ou moins de bonheur, à son milieu, très largement social. Il se forme pendant l'enfance, puis l'adolescence, pour assurer enfin ce que Van Gogh appelait, en opposition avec sa propre existence, la « vraie vie » : la profession socialement reconnue, le foyer, les enfants. Il convient de noter que même dans cette évolution « normale », une distinction est toujours faite entre vie sociale et vie privée. Mais une complication intervient pour l'artiste. Aux environs de la puberté, d'ordinaire — quelquefois bien auparavant — une formation psychique distincte semble s'élaborer : un autre groupe de fonctions s'affirme et croît en divergeant du premier. C'est le phénomène de la « vocation ». Disons, pour abréger, que le but du « moi créateur », qui vient ainsi de naître, n'est plus l'adaptation au milieu, mais la création d'êtres de langage. L'énergie est orientée non vers l'action mais vers l'expression. L'artiste ressent la nécessité d'une descente aux enfers pour établir un contact avec la réalité intérieure, donc très probablement avec quelque conflit. La tolérance à l'angoisse s'avère indispensable, alors que pour l'action le refoulement est la règle. Cette sorte de vocation apparaît de façon plus ou moins fruste chez un grand nombre d'individus, mais n'aboutit qu'à des développements partiels : goûts, sensibilité esthétique, sans atteindre à une véritable expression créatrice. D'où le foisonnement de cas particuliers. Nous ne considérons ici que le cas de l'artiste, où deux « moi » fonctionnent, grâce à un partage d'énergie souvent fort inégal. J'ai cru pouvoir montrer, par l'exemple de plusieurs écrivains, que les relations sans cesse mouvantes entre ces deux groupes de fonctions psychiques, qui usent souvent de services et d'instruments communs, jouaient, dans la destinée de l'artiste, un rôle important. Ils ont le même inconscient, qui va chercher à se manifester dans les deux activités conscientes ; tout un jeu subtil de réciprocité et d'influence s'établit à l'intérieur de la personnalité totale. Je n'envisage ici ni la description minutieuse de cette hypothèse, ni son application minutieuse à la personnalité de Giraudoux ; la première est exposée en détail dans d'autres ouvrages [6] ; les grands traits de la seconde nous permettront de retirer quelque clarté pour l'intelligence d'une évolution totale.

Dès la première période (1882-1914), nous pouvons noter, chez Giraudoux, une lenteur de la vocation qui provient, non certes de sa faiblesse, mais de l'énergie absorbée par les exigences du moi social. Celui-ci veut être premier partout. L'étudiant sortit donc premier de l'Ecole Normale Supérieure, en obéissant à des impératifs qui furent sans doute très tôt intérieurs, mais dont le début de *Simon le Pathétique* nous donne une image extérieure, stylisée mais révélatrice :

> Tu vas au lycée pour ne pas perdre tout à fait ton temps. Chaque soir dans ton lit, répète-toi que tu peux devenir Président de la République. Le moyen en est simple ; il suffit que tu sois le premier partout ; et tu l'as bien été jusqu'ici [7].

Nous retournerons à cette enfance, mais nous courons maintenant de grand fait à grand fait. Le moi créateur, cependant, se forme. A seize ans, Giraudoux, en vacances à Sérilly, est fasciné par la vue de l'écrivain (Charles-Louis Philippe) assis sur un banc devant l'échoppe de son père. Le père de Charles-Louis était savetier, celui de Jean percepteur et ils habitaient côte à côte. L'intensité de cette fascination démontre assez l'appel intérieur. Il faudra pourtant attendre onze ans la composition d'un premier volume

---

6. Cf. *Des Métaphores obsédantes au Mythe personnel*, chap. XIV : « Moi créateur et Moi social », et *Le Dernier Baudelaire*.
7. *Simon le Pathétique*, Gallimard, Paris, 1926, pp. 8-9.

de contes choisis dans une production qui s'égrène assez paresseusement de 1906 (*Sainte-Estelle*) à 1909. Aussitôt après, le processus s'accélère : *L'Ecole des Indifférents* date de 1911 et la première version de *Simon le Pathétique* de 1914. Mais entre le voyage en Allemagne (1906) et la parution des *Provinciales* (1909), on devine tout un jeu de forces. Après sa brillante sortie de l'Ecole Normale, Giraudoux échoue à l'agrégation d'allemand, en 1907, et l'on peut compter cet échec comme une victoire du moi créateur soufflant à Giraudoux de rester disponible. C'est l'interprétation que lui-même donne du fait dans *Simon le Pathétique* :

> Mes professeurs croyaient tout convenu que je devinsse professeur. Un examen encore, et, d'élève, j'étais promu maître... Je reculai. Elève aujourd'hui, professeur demain ! — une nuit, une seule nuit pour tout ce qui n'était pas dans la vie, l'enseignement ! Je reculai, et devant ma jeunesse. Mes directeurs ne devaient pas deviner à quel point j'étais jeune [...] Je refusais d'indiquer ma vocation. Je n'en voulais pas encore. Je me sentais encore de taille à être officier, banquier, architecte. Je ne pus me résoudre à signer le papier qu'ils me tendaient, et à m'engager pour dix ans à être des leurs... (p. 35-36).

Mais le moi social ne permet pas davantage quelque engagement dans une vie créatrice sans sécurité. Cependant, si chacun des deux mois inhibe l'autre, ils s'entendent pour dissiper ensemble l'énergie disponible. Toute l'existence du jeune homme, à cette époque, participe de cette double hésitation et de ce compromis. L'accord suggère des solutions passagères, désinvoltes et non dépourvues de gaieté : échange d'étudiants avec l'université de Harvard (1907-1908), rubrique des contes, partagée avec Franz Toussaint, dans *Le Matin* (1908). A la recherche d'une profession, il préfère la flânerie avec Toulet, Moréas ou Curnonsky. C'est seulement en 1910 qu'il se présente au « petit concours » du Ministère des Affaires Etrangères et parce que Paul Morand s'y présente aussi. Il occupe jusqu'en 1914 des postes de petit fonctionnaire.

Quand la guerre surprend Giraudoux, il a déjà trente-deux ans : les deux mois dont nous parlions tout à l'heure se sont si bien disputés l'énergie disponible et pour le plaisir d'en jouer, qu'aucun d'eux n'a véritablement atteint ses buts. L'impression générale reste celle d'un jeu brillant, longtemps éloigné du réel. Giraudoux s'y est pourtant forgé un style, seconde victoire du moi créateur : mais nous verrons plus tard que des mécanismes de défense qui sont exactement ceux du comique précieux (de l'insensibilité à la parodie, en passant par le quiproquo) y apparaissent, en revanche, comme autant de petites victoires d'un moi social qui ne supporte pas le drame et en interdit le contact au moi créateur.

C'est un tel état psychique que la guerre vint modifier. Le moi social fait son devoir. Il doit admettre que le drame existe, mais il le veut extérieur et tu. Certes, les productions de cette époque — *Lectures pour une ombre* (1918), *Amica America* (1919), *Adorable Clio* (1920) révèlent la permanence des défenses contre le drame. Mais la tragédie est si forte que sa seule présence s'impose, aimante tout le reste. De façon caractéristique, *Lectures pour une ombre* élabore en fantaisie le voyage d'un régiment qui, en août 1914, quitte l'Alsace pour une errance apparemment sans but, puis dans une prescience croissante de la réalité, de la défaite et de la mort, est enfin jeté irrésistiblement dans la bataille de la Marne. Voici la fin du livre : « C'est fait. Voici le premier (...). Un tué. ... Ma guerre est finie ! » Qui déclare : « Ma guerre est finie ! » ? Le moi créateur. La vraie guerre, celle du moi social, commençait. Giraudoux y fut blessé deux fois, sur l'Aisne, puis aux Dardanelles.

Quand il revint s'installer à Paris, après une mission en Amérique, il était marié et entendait bien, soutenu par Philippe Berthelot, poursuivre une carrière au Ministère des Affaires Etrangères (dont il passe alors le « grand concours de secrétaire d'ambassade »). Le moi social a pris toute sa densité. Que voyons-nous alors se manifester dans la création ? Une production qui sert plutôt le moi social, mais se développe sourdement. Le premier grand livre de cette époque paraît : *Suzanne et le Pacifique.* L'évasion y triomphe. Suzanne, après avoir vainement lutté pour mener dans son île une existence de naufragés, s'avise que tous ses désirs y sont satisfaits et qu'il lui suffit de s'abandonner à ce qu'elle nomme une existence oisive de milliardaire, la seule occupation possible étant de se souvenir, de jouir de tous ses sens et d'inventer un langage. C'est le type le plus primitif, infantile, de rêve : la satisfaction hallucinatoire de désirs. L'enfant étend la main, trouve l'arbre à pain, l'arbre à étreintes. Or ces sortes de rêves sont précisément commandés par l'absence de pain et l'absence d'étreinte. Je ne veux pas dire que Giraudoux souffrit physiquement. Mais la réalité de la guerre et de l'après-guerre, trop impérieuse, n'avait-elle pas entraîné ce désir du moi créateur et de s'en séparer et de fuir ? Cependant, l'inefficacité même des satisfactions hallucinatoires les rend passagères. L'enfant se réveille. Juliette revient au pays des hommes. Bon gré, mal gré, la réalité s'impose et avec elle apparaissent les conflits vécus du moi social. *Bella* oppose Rebendart, c'est-à-dire Poincaré, aux Dubardeau, c'est-à-dire aux Berthelot avec lesquels Giraudoux s'identifie pleinement. *Bella,* sous forme romanesque, est la première tragédie de Giraudoux : l'héroïne y meurt à la fin. Or, fille de Fontranges, on ne peut douter qu'elle soit la sœur de Suzanne et de Juliette. Geneviève Prat, artiste et mourant à la fin de *Siegfried et le Limousin,* nous présente un autre de ses avatars et réalise un accord du même type. Accord entre un moi social qui sait que le drame existe (extérieur mais non tu) et le moi créateur, maintenant en relation avec sa tragédie enfantine. Nous sommes entrés dans un cercle nervalien de métamorphoses féminines : « La treizième revient, c'est toujours la première. » Nous ne pouvons cependant nous arrêter ici à des superpositions. Constatons seulement derrière *Bella,* un souvenir direct du conflit qui divisa les Affaires Etrangères. Malgré ses efforts d'évasion, le moi créateur n'échappe pas aux préoccupations du moi social ; il n'est plus dominé, mais l'intolérance à l'angoisse reste très forte. Cela est-il heureux ou non ? Nous n'avons pas à en discuter, mais à constater seulement le fait. Cependant, le moi créateur gagne des points avec les *Aventures de Jérôme Bardini,* l'œuvre qui clôt cette troisième période et se présente à maints égards comme une autobiographie, prolongeant *Simon le Pathétique.*

Siegfried nous conduit à la première œuvre théâtrale de Giraudoux, et bientôt nous entrons dans la quatrième période : 1930-1940. Désormais et jusqu'à la mort de l'écrivain, le théâtre l'emporte sur le roman. Tel est le fait essentiel : le drame est accepté, avec ses grandes houles tragi-comiques. Apparemment, le moi créateur domine. Mais cette apparence est bientôt contredite par les faits. La création s'appuie sur l'actualité (*La Guerre de Troie n'aura pas lieu*), s'accompagne de réflexions sur le plan collectif ; enfin, Giraudoux écrit *Pleins Pouvoirs* et devient commissaire à l'information.

La cinquième période offre même partage entre moi social et moi créateur. Cependant, des *Provinciales* de 1909 à *Sodome et Gomorrhe* (1943), il semble, à première vue, que nous assistions à un long processus par lequel la réalité tragique, d'abord pressentie par le moi créateur et niée par le moi social, puis imposée de l'extérieur à l'un et à l'autre, a fini par hanter toute la création, tandis que le moi social devient sourd à cette Cassandre, ainsi que *Pleins Pouvoirs* et même *Sans Pouvoirs* l'attestent.

*
**

De ce trop rapide déroulement, de cette suite à peine entrevue d'accords et de désaccords entre l'écrivain et l'homme, à l'intérieur d'une personnalité unique, retenons, pour l'instant, ceci :

A. Aucun des deux mois ne prend jamais définitivement le pas sur l'autre. Hésitant, en 1908, entre le professorat et les lettres, Giraudoux se retrouve, trente ans plus tard, à la fois écrivain et commissaire à l'information.

B. Le divorce entre les deux mois porte sur le degré d'angoisse tolérable. En contact direct avec la réalité extérieure, le moi social est bien contraint d'admettre l'existence du drame. Mais il veut en parler le moins possible, lui refuse son émotion, le chasse de ses préoccupations et l'oublie. Or l'écrivain se nierait lui-même s'il usait de telles défenses : car le contact avec la vie intérieure — donc avec les conflits intimes, donc avec la tragédie angoissante — fait partie de sa fonction même : Orphée intolérant à toute descente aux enfers n'est plus Orphée.

Il y eut donc nécessairement division et lutte en Giraudoux pour savoir dans quelle mesure et sous quelle forme l'angoisse et la tragédie de l'existence seraient tolérées par la conscience. Nous pouvons même prévoir, averti par notre premier examen, que ce débat sera projeté par Giraudoux sur quelque plan extérieur, apparemment objectif. Aussi ne sommes-nous pas surpris de constater que le problème de la tragédie, de son expression et de son vertige forme le sujet commun de plusieurs textes importants, aujourd'hui groupés dans *Littérature* et tous écrits aux environs de 1930, c'est-à-dire au point où, dans la production de Giraudoux, le théâtre l'emporte sur le roman. *De siècle à siècle* est une conférence prononcée pour le centenaire d'*Hernani*. Giraudoux n'avait alors donné, au théâtre, que l'adaptation de *Siegfried* et *Amphitryon 38*. Le *Discours sur le théâtre* fut prononcé à Châteauroux quinze jours après la représentation de *Judith*, en novembre 1931. *Bellac et la tragédie* date de 1932. Pareille insistance révèle assez l'intérêt, presque la hantise de la question à cet instant pour Giraudoux.

Voyons comment le débat est mené. *De siècle à siècle* se présente d'abord comme une satire très dure du romantisme de 1830 :

> Les romantiques français sont bien ceux qui sont nés dans le trouble et l'indécision, et non ceux qui sont nés dans l'ordre et la victoire. Ce sont les fils des guillotinés. Ce ne sont pas les fils de généraux.
>
> ... Restif, Chateaubriand, Chénier, Mme de Staël, Bernardin de Saint-Pierre, Senancour, Benjamin Constant, Joubert ; pour tous ceux-là, l'écriture n'est jamais un métier ou un divertissement, mais un soulagement, ou une plainte, ou une fonction. Comparez

la scène des portraits d'*Hernani* à la description que Chateaubriand donne de ses aïeux. Comparez les lettres d'amour de Benjamin Constant aux lettres de Victor Hugo. D'un côté vous avez l'arbre de race, le cantique de vie, de l'autre des cadres et des mots.
... De tous ces héros et ces héroïnes romantiques, Atala, René, Obermann, Corinne et Adolphe, allait se constituer, pour remplacer la mythologie classique et ses présidents périmés, un nouveau Walhalla. Mais, avant que ces personnages, hésitants d'ailleurs par nature, eussent pu nettement marquer leur place, un groupe bruyant et sûr de soi faisait irruption, et sans chercher un titre particulier pour désigner la spécialité de sa gloire et de son talent, prenait le nom justement de ceux dont il venait d'anéantir l'effort.
... La littérature, qui, depuis cinquante ans, était une arme ou un poison, était devenue à nouveau en France, et en France seulement, un divertissement. C'est de là que date chez nous cette création de préfets intellectuels, choisis et encouragés par l'Etat, dont l'institution s'accordait si bien avec les aises d'une classe comblée et satisfaite. Le langage de la bourgeoisie devant les grands événements du cœur et de l'esprit était trouvé : c'était celui qui exigeait l'écart maximum entre le mot et le sentiment. La fonction du théâtre et du roman était trouvée : ils étaient les événements les plus inutiles de la vie courante. Le seul écrivain qui ne fut pas proclamé auteur dramatique était Musset[8]. »

Mais cette démolition se fait au bénéfice du nouveau romantisme, celui de 1930, aussi nécessaire, nous dit l'auteur, aussi vital que l'autre était inutile, boursouflé et bourgeois. Dès 1923, Giraudoux avait déclaré dans une interview à Simone Ratel : « Nous assistons à la naissance d'un romantisme français. » Nous éprouvons, pour notre part, le sentiment que sept ans plus tard, après les succès considérables de *Bella, Siegfried,* puis *Amphitryon 38,* Giraudoux se tient pour le chef de ce romantisme-là. Formulant déjà l'idée que l'*Impromptu de Paris* développera, il donne à

---

8. *Littérature,* Paris, Grasset, 1941, pp. 209, 210, 211, 217.

l'écrivain, et singulièrement sans doute à l'écrivain de théâtre, une fonction biologique dans la vie collective. L'œuvre fournit directement au public, non plus la beauté du chef-d'œuvre, mais l'aliment vital, le pain, l'oxygène, en fait la bouffée de libre imagination dont il a besoin pour respirer psychiquement et reprendre goût à la vie. La nouvelle génération, dit Giraudoux, ne demande à la littérature ni une politique, ni une morale, mais une sensibilité et un langage. Faute d'expression adéquate, l'époque est « barricadée, obtuse, angoissée, enceinte ». Notons que tous ces mots, les plus forts de l'essai, ont un dénominateur commun : le besoin de délivrance. Giraudoux a le juste sentiment de vivre dans un monde oppressé ; et comme il assimile cette oppression à la sienne propre, il l'interprète comme un besoin d'expression. Que veut-il cependant délivrer en l'exprimant, sinon ce qui l'angoisse faute d'avoir été dit — précisément le drame intérieur ou extérieur, la tragédie de l'existence ? L'époque et lui ont donc besoin d'une expression tragique que le nouveau romantisme doit leur apporter.

Une telle vue se trouve amplement confirmée par la lecture des deux autres textes cités plus haut. Le *Discours sur le théâtre,* comme *Bellac et la tragédie,* montre qu'après l'échec retentissant de *Judith,* Giraudoux défendait non sa pièce, mais sa conviction en l'associant à son Limousin, c'est-à-dire, pour lui, à la vraie France, Paris lui paraissant avoir perdu l'instinct de la vie et du théâtre. Il affirme donc que la France est, avec la Grèce, et pour les mêmes raisons, le pays de la tragédie, précisément parce qu'elle refuse d'être un pays tragique.

> ... en France comme en Grèce, ce n'est ni le malheur ni la fatalité qui poussent l'individu ou la foule à goûter le spectacle tragique. C'est, au contraire, la plénitude d'esprit et l'aisance de la vie. (...) L'impression qu'il [le Français] ressent devant la tragédie, l'angoisse ou l'émotion, lui vient non de ce qu'il voit son sort joué sur la scène par des puissances supérieures, mais du remords et de la gratitude qu'il éprouve à sentir sa tranquillité sur cette terre assurée par les rançons payées au nom de Philoctète, Samson

ou Agamemnon. (...) Ni le grec ni le français ne vont au spectacle tragique pour en tirer un profit moral ou pour y voir le reflet de leur propre existence. Alors que le spectateur allemand, selon la pièce que l'on joue, se sent Werther ou Siegfried, jamais le Parisien ou l'Athénien ne se sont identifiés avec Œdipe ou avec Britannicus [9].

Giraudoux vient d'exprimer là des pensées qui lui sont très familières. On les retrouve sous bien des formes dans son œuvre. Je n'emprunterai qu'un exemple à *Electre :*

LE MENDIANT : (...) Voyez pour ceux qui marchent sur les routes. Il y a des époques où tous les cent pas vous trouvez un hérisson mort. Ils traversent les routes la nuit ; par dizaines, hérissons et hérissonnes qu'ils sont, et ils se font écraser... Vous pensez, les veilles de foire. Vous me direz qu'ils sont idiots, qu'ils pouvaient trouver leur mâle ou leur femelle de ce côté-ci de l'accotement. Je n'y peux rien : l'amour pour les hérissons consiste d'abord à franchir une route... Qu'est-ce que diable je voulais dire ?

....

De ces hérissons écrasés, vous en voyez des dizaines qui ont bien l'air d'avoir eu une mort de hérissons. Leur museau aplati par le pied d'un cheval, leurs piquants éclatés sous la roue, ce sont des hérissons crevés et c'est tout. Ils sont crevés en raison de la faute originelle des hérissons, qui est de traverser les chemins départementaux ou vicinaux sous prétexte que la limace ou l'œuf de perdrix a plus de goût de l'autre côté, en réalité pour y faire l'amour des hérissons. Cela les regarde. On ne s'en mêle pas. Et soudain vous en trouvez un, un petit jeune, qui n'est pas étendu tout à fait comme les autres, bien moins salement, la petite patte tendue, les babines fermées, bien plus digne, et celui-là on a l'impression qu'il n'est pas mort en tant que hérisson, mais qu'on l'a frappé à la place d'un autre, à votre place. Son petit œil froid, c'est votre œil. Ses piquants, c'est votre barbe. Son

9. *Littérature*, pp. 298-299.

> sang, c'est votre sang. Je les ramasse toujours ceux-là, d'autant plus que ce sont les plus jeunes, les plus tendres à manger. Passé un an, le hérisson ne se sacrifie plus pour l'homme... Vous voyez que j'ai bien compris. Les dieux se sont trompés, ils voulaient frapper un parjure, un voleur, et ils vous tuent un hérisson... Un jeune... (Acte I, sc. III).

Un tel symbole mêle à l'idée de catharsis celle, beaucoup plus chrétienne, de rachat par le sacrifice. Giraudoux en fait, au théâtre, une application quasi magique. A l'entendre, la représentation du drame garantit au public français, largement composé « d'épicuriennes et de possesseurs d'un permis de chasse », l'assurance que le drame ne le touchera pas, ne viendra pas souiller et détruire son plaisir de vivre sous un ciel léger. Car le Français, toujours selon Giraudoux, refuse sa participation à la tragédie. Il ne veut pas, comme fait l'Allemand, vivre ce rêve, en devenir le héros, être soi-même Tristan ou Parsifal. Il assiste, au contraire, au sacrifice avec un cœur reconnaissant qu'une telle infortune lui soit personnellement et collectivement épargnée.

On comprend dès lors l'insistance que met Giraudoux à assigner au théâtre une fonction libératrice : chaque soir, le théâtre doit délivrer l'époque barricadée, obtuse, angoissée, enceinte, faute d'une expression efficace. La fonction du théâtre est moins morale que psychique, et les idées qu'implique une telle conception sont familières au psychologue. Nous n'avons pas à les soumettre ici à un examen critique. Il nous suffit de reconnaître comme un fait la pensée consciente de Giraudoux à un certain moment de son évolution. En 1930, il prêtait à l'époque et à la France — donc il éprouvait sans doute lui-même — le besoin d'exorciser une tragédie opprimante. C'est cela qu'il nommait le nouveau, le vrai romantisme français.

La notion de tragédie paraît donc jouer un grand rôle dans l'évolution de Giraudoux. L'analyse seule nous permettra d'en préciser le contenu, qui doit être vécu autant que littéraire, puisque Giraudoux reproche aux Allemands de vouloir vivre leurs tragédies, et félicite les Français d'en reléguer les monstres et les hydres dans des marais où le contrôleur des poids et mesures ne s'aventure guère. Une angoisse flottante avertit Giraudoux que la France ne jouit plus, à cet égard, de la même sécurité qu'autrefois ; mais qui n'était sensible à cette évidence ? Ce qui nous intéresse, c'est la coïncidence de cette anxiété collective, explicable par l'histoire, avec l'angoisse personnelle d'un écrivain découvrant soudain, à certain point de son évolution singulière, que son propre sentiment de la tragédie devait recevoir une expression. Giraudoux, en 1930, est tout près de confondre l'imagination et la voix du nouveau romantisme avec celles de la France, et cette soudaine amplification ouvre à notre étude de nouvelles perspectives.

CHAPITRE II

JUDITH

La psychocritique se propose, par des superpositions de textes, d'en révéler les structures sous-jacentes. Celles-ci se présentent d'abord comme des réseaux reliant des points obsédants, affectivement chargés. Je ne puis même esquisser ici l'examen théorique d'une méthode aux opérations complexes ; dans son application au théâtre de Giraudoux, nous admettrons simplement que l'on démontre le mouvement en marchant. De ce point de vue, l'idée d'un réseau reliant des points sensibles forme une base de départ commode. A priori, donc, rien n'indique que l'on doive aborder ce réseau par un point ou par un autre. S'il est sous-jacent à l'œuvre entière, nous pouvons commencer par n'importe quel texte.

Cependant les conclusions du précédent chapitre ont orienté notre choix. Puisqu'en 1930, c'est-à-dire à la charnière entre deux périodes — celle où le roman domine, celle où le théâtre l'emporte — Giraudoux se montre hanté par le motif de la tragédie, autant commencer par la première grande œuvre tragique : *Judith.* L'écrivain s'est alors posé plus ou moins comme chef d'école du nouveau romantisme français ; *Judith,* quand il composa cette pièce, devait représenter à ses yeux une sorte d'*Hernani.* Au même instant, les *Aventures de Jérôme Bardini* résumaient sans doute son expérience romanesque ; cet ouvrage comporte trois récits distincts : la *Première disparition de Jérôme Bardini* (1926), *Stéphy* (1929),) le *Kid* (1930). Nous serons ainsi tenté de superposer, pour une première investigation, *Judith* et les *Aventures de Jérôme Bardini.* Cela suppose une connaissance des deux œuvres. Nous nous bornerons ici à des résumés et des remarques destinées à guider l'attention.

*
* *

La ville juive de Béthulie est assiégée par les troupes de Nabuchodonosor sous le commandement direct du général Holopherne. Dans le récit biblique, Judith est une veuve, qui vient elle-même proposer au Conseil de sauver la ville, comme Dieu le lui a inspiré. Elle se présente à Holopherne, le séduit par sa beauté, dîne à ses côtés et quand il est ivre, lui tranche la tête. Puis elle regagne Béthulie et les siens : « Elle tire alors la tête de sa besace et la leur montre : « Voici la tête d'Holopherne, le général en chef d'Assur, et voici la draperie sous laquelle il gisait dans son ivresse ! Le Seigneur l'a frappé par la main d'une femme ! Vive le Seigneur qui m'a gardée dans mon entreprise ! Car mon visage n'a séduit cet homme que pour sa perte. Il n'a pas péché avec moi pour ma honte et mon déshonneur. » A cette version de la Sainte Bible de Jérusalem, la Vulgate apporte une variante : « Vive le Seigneur ! car son ange m'a gardée tandis que j'allais, durant mon séjour et mon retour. Le Seigneur n'a pas permis que je fusse souillée, mais il m'a fait revenir parmi vous, sans tache, joyeuse de sa victoire, de mon évasion, de ma libération. » Le lendemain, les Juifs suspendent la tête aux remparts de la ville ; les assiégeants épouvantés subissent une sanglante défaite. Telle est la fable initiale, reçue par Giraudoux du monde extérieur, et qui, placée dans le champ de forces de son imagination, s'est transformée pour donner la fantaisie que déroule sa propre pièce.

Nous ne serons pas étonné que Judith y devienne une jeune fille, « la plus belle et la plus pure », offerte en sacrifice à un Holopherne-Minotaure. Giraudoux était hellénisant ; déjà ses travaux de normalien mêlaient les mythes homériques ou platoniciens aux mythes judéo-chrétiens. Son imagination personnelle, d'ailleurs, comme celle de Nerval, s'arrêtait aux figures de jeunes filles. Judith succède à Suzanne, Juliette, Eglantine, Stéphy. Toutes sont plus ou moins, remarquons-le, des jeunes femmes. Bella, qui se distingue mal de ses sœurs les plus pures, est pourtant veuve ; bru de Rebendart-Poincaré, elle devient l'amante d'un Dubardeau ennemi de Rebendart et meurt tragiquement. Il ne semble donc pas impossible que Bella ait formé le maillon intermédiaire entre la Judith de la Bible, belle veuve s'aventurant chez l'ennemi, et la Judith de Giraudoux, vierge ardente, déjà fort avertie, qui fera plus que se risquer chez l'ennemi puisqu'elle l'aimera vraiment, se donnant à lui corps et âme. Car dans la tragédie que nous étudions ici, Judith s'éprend d'Holopherne, trahit pour lui son peuple et son Dieu, ou du moins les oublie avec lui, tue pourtant son amant et rentre ensuite douloureusement (et non « joyeuse ») dans la réalité et le rôle qu'elle doit y tenir — celui de la Juive héroïque, la plus belle, la plus pure, la sainte.

Aucun doute, par suite, sur un point essentiel : constamment, au centre de l'œuvre, la figure de Judith dépasse très largement en importance, en force, en complexité tous les autres personnages de la pièce. Le drame est *son* drame et ne dessine que la courbe de *son* évolution intérieure. Les événements, les situations, les paroles ou gestes des autres personnages n'ont de sens que dans la mesure où ils provoquent et éclairent les réactions de Judith. Si, selon notre point de vue, nous assimilons la structure de l'œuvre à une structure psychique, l'héroïne y représente sans conteste un moi central, chargé de narcissisme. Dès la scène I, le nom de Judith, la beauté, la pureté de Judith, le salut par Judith, les supplications à Judith forment un leit-motiv lancinant ; enflant l'appel obstiné des prophètes, les voix de tout un peuple élèvent vers le ciel les syllabes magiques de son nom. D'ailleurs nous retrouverons la même hantise et le même procédé d'expression dans *Intermezzo,* où le village ne parle plus que d'Isabelle, et dans la dernière pièce, *Pour Lucrèce,* où la ville d'Aix-en-Provence n'a plus d'yeux que pour Lucile. C'est à la représentation théâtrale de ce narcissisme que nous assistons.

Voyons maintenant ce qui arrive dans le temps. Le nœud évident de l'intrigue, c'est-à-dire l'instant dramatique où Judith et Holopherne se rencontrent enfin, occupe la fin de l'Acte II ; la nuit d'amour se confond avec l'entr'acte et la hantise s'en prolonge aux premières scènes de l'Acte III. Psychologiquement, l'œuvre se divise ainsi en trois parts qui ne se confondent pas avec les trois actes : avant, pendant et après la rencontre d'Holopherne. Judith, dans la première, est comme dépouillée de sa personnalité ancienne; elle devient, dans la deuxième, femme et meurtrière ; elle est restituée, dans la troisième, à la convention sociale et à la sainteté.

Dramatiquement, cette évolution se traduit de la façon suivante. L'Acte I nous montre Judith au centre du conflit opposant, d'une part, le peuple entier et les prêtres qui poussent la jeune fille au sacrifice, d'autre part les proches de cette dernière — oncle, fiancé (Jean, un officier) — qui tentent d'empêcher ce qu'ils tiennent pour une infamie. Jean amène en renfort Suzanne, une prostituée, double déchu de Judith, qui lui ressemble, l'adore et s'offre à jouer son rôle. Judith, qui a longtemps essayé d'échapper à son destin, cède quand elle apprend la défaite totale de l'armée juive : elle insulte Jean, ce vaincu, se mire en Suzanne comme en une sœur et, dans un extraordinaire état de tension où l'extrême orgueil et l'extrême horreur se mêlent, quitte la ville.

L'Acte II se passe dans la tente d'Holopherne, ou plutôt dans le vestibule qui garde sa chambre. Une entremetteuse annonce à quelques officiers l'arrivée prochaine de Judith. Elle en a été avisée par la prostituée que Jean a dépêchée avec l'ordre d'arrêter Judith à tout prix. L'entremetteuse, qui a souffert du mépris de Judith et veut se venger en l'humiliant, propose une farce : Egon, officier assyrien, homosexuel, pervers, prétentieux et roué, sera présenté à la jeune fille comme étant le général, flattera son orgueil, feindra d'être conquis par sa noblesse, puis, quand il la verra tout éperdue, crèvera cette bulle d'exaltation et d'emphase, livrant la vierge à la risée et au bon plaisir des soldats. La farce n'est pas menée aussi loin. Mais l'humiliation, elle, est infligée, assez cruelle pour ne laisser qu'une

Judith moralement brisée, abandonnée, lui semble-t-il, des hommes et de Dieu, pire : indignement bafouée et avilie. C'est du fond de cette détresse qu'elle appelle au secours le véritable Holopherne. Celui-ci se présente comme un homme simple, ennemi des dieux et de leurs commandements. Il offre le repos sans culpabilité ni tourment, le plaisir dans son innocence animale, un Paradis terrestre d'avant le péché originel. Judith s'abandonne, cédant au double désir d'être physiquement heureuse et moralement ruinée. Voici deux extraits significatifs :

JUDITH. Où suis-je ?
HOLOPHERNE. Où te sens-tu ?
JUDITH. Sur un îlot. Dans une clairière.
HOLOPHERNE. Tu vois. Tu as deviné.
JUDITH. Qu'ai-je deviné ?
HOLOPHERNE. Qu'il n'y a pas de Dieu ici.
JUDITH. Où, ici ?
HOLOPHERNE. Dans ces trente pieds carrés. C'est un des rares coins humains vraiment libres. Les dieux infestent notre pauvre univers, Judith. De la Grèce aux Indes, du Nord au Sud, pas de pays où ils ne pullulent, chacun avec ses vices, avec ses odeurs... L'atmosphère du monde, pour qui aime respirer, est celui d'une chambrée de dieux... Mais il est encore quelques endroits qui leur sont interdits ; seul je sais les voir. Ils subsistent, sur la plaine ou la montagne, comme des taches de paradis terrestre. Les insectes qui les habitent n'ont pas le péché originel des insectes : je plante ma tente sur eux... Par chance, juste en face de la ville du Dieu juif, j'ai reconnu celui-ci, à une inflexion des palmes, à un appel des eaux. Je t'offre pour une nuit cette villa sur un océan éventé et pur... Laisse là tes organes divins, tes ouïes divines et entre avec moi. Je vois d'ailleurs que tu commences aussi à deviner qui je suis.
JUDITH. Qui êtes-vous ?
HOLOPHERNE. Ce que seul le roi des rois peut se permettre d'être, en cet âge de dieux : un homme enfin de ce monde, du monde. Le premier, si tu veux. Je suis l'ami des jardins à parterre, des maisons bien tenues, de la vaisselle éclatante sur les nappes, de l'es-

prit et du silence. Je suis le pire ennemi de Dieu. Que fais-tu au milieu des Juifs et de leur exaltation, enfant charmante ? Songe à la douceur qu'aurait ta journée, dégagée des terreurs et des prières. Songe au petit déjeûner du matin servi sans promesse d'enfer, au thé de cinq heures sans péché mortel, avec le beau citron et la pince à sucre innocente et étincelante. Songe aux jeunes gens et aux jeunes filles s'étreignant simplement dans les draps frais, et se jetant les oreillers à la tête, quelques talons roses en l'air, sans anges et sans démons voyageurs... Songe à l'homme innocent...

JUDITH. C'est cette innocence que vous m'offrez pour un quart d'heure ?

HOLOPHERNE. Ne méprise pas de tels cadeaux. Je t'offre, pour aussi longtemps que tu voudras, la simplicité et le calme. Je t'offre ton vocabulaire d'enfant, les mots de cerise, de raisin, dans lesquels tu ne trouveras pas Dieu comme un ver. Je t'offre ces musiciens que tu entends, qui chantent des chants et non des cantiques. Ecoute-les. Leur voix meurt doucement au-dessous d'eux, autour de nous, et n'est pas aspirée au ciel par un terrible aspirateur. Je t'offre le plaisir, Judith... Devant ce tendre mot, tu verras Jéhovah disparaître...

. . . .

HOLOPHERNE. Ton corps me dit qu'il est las, qu'il va choir si un homme ne l'étend de force à terre, qu'il va étouffer à moins que des bras puissants ne l'étouffent. Il dit qu'il veut qu'on le caresse, qu'on l'adore, qu'on le touche des lèvres, de la paume des mains, du front... du front d'un roi. Il réclame. Il veut être Dieu. Toi, que veux-tu ?

JUDITH. Qu'on m'insulte... qu'on me saccage...

(Acte II, sc. IV.)

Les premières scènes de l'Acte III nous montrent Judith sortant au matin de la chambre et rencontrant dans le vestibule la prostituée Suzanne, puis Jean ; mais ces scènes nous laissent ignorer la mort d'Holopherne. C'est Jean qui, venant tuer le chef assyrien, découvre son cadavre : — Je l'ai tué, déclare Judith, et j'ai voulu me tuer moi-même pour ne plus redescendre dans la réalité quotidienne. Cependant les prêtres ne peuvent admettre cette interprétation personnelle de l'acte. Judith doit avoir obéi à Dieu seul. Un conflit de plus en plus violent les oppose à la jeune fille. Soudain, un garde ivre-mort qui, dans son sommeil, traitait Judith de prostituée, se transforme, au moins pour la jeune femme, en archange et lui impose la vérité religieuse : elle n'a été possédée que par Dieu, elle n'a tué que sur l'ordre de Dieu. Lorsque cesse l'apparition, ou l'hallucination, Judith, amèrement soumise, capitule, accepte les conditions les plus dures du grand prêtre : la retraite sans parents ni amis, la charge de choisir le châtiment des femmes coupables. Judith brisée dit : « La sainte est prête » et le cortège rentre dans Béthulie.

Nous reviendrons nécessairement sur des détails significatifs. Limitons-nous pour l'heure aux grands traits architecturaux. La crise, avons-nous dit, est celle de l'héroïne. Au lever de rideau, Judith est comme Suzanne dans son île, une « oisive milliardaire », jouit de tous les bonheurs dont elle peut rêver : jeunesse, beauté, fortune, amour d'autrui, adulation générale. Elle en est soudain dépouillée par la dure réalité de la défaite et s'exalte d'abord à ce dépouillement, qui la transforme en héroïne, l'élève au-dessus d'elle-même. L'amère farce de l'entremetteuse et du cabotin lui arrache tout à coup ce manteau d'orgueil. La réalité a brisé sa seconde défense : l'amour-propre. Telle est la préparation de la crise avec son double degré d'angoisse : défaite extérieure, déchéance intérieure. L'oasis d'oubli qu'offre alors Holopherne en constitue le dénouement provisoire, une satisfaction donnée aux pulsions instinctives, loin de toute obligation morale. Cet épisode, certainement essentiel, se détache si nettement que sa valeur structurelle ne fait pas de doute. Psychologiquement, il est farouchement asocial, étranger à la réalité du milieu. Au contraire, le dénouement réel de la crise se présente comme un retour et une adaptation à la réalité sociale. Judith reprend, parmi les hommes, une place et une fonction qui ne sont plus celles d'autrefois, mais qui ont le consentement du groupe, puisqu'elles sont imposées par lui en accord avec un dieu intérieur.

J'ai résumé cette structure dans le tableau suivant :

I. Désinvestissement de la réalité sociale. *A.* Constatation angoissée de l'échec : départ solitaire. *B.* Prostitution et mort. *C.* L'amère farce : rupture.	Acte I, Acte II, jusqu'à la sc. III
II. Episode de l'Ile heureuse. Sa fin rapide.	Acte II à partir de la sc. IV, Acte III, jusqu'à la sc. IV
III. Retour à la réalité. *A.* Pression sociale. *B.* Episode religieux. *C.* Retour résigné au social.	Acte III de la sc. V à la fin

***

Retrouvons-nous quelque chose de cette structure dans les *Aventures de Jérôme Bardini* — œuvre romanesque et non théâtrale, aussi éloignée que possible de *Judith* par le sujet et par le ton, mais proche dans le temps et également significative ? Elle comporte trois récits, qui furent publiés d'abord séparément. *La première disparition de Jérôme Bardini* nous montre un fonctionnaire moyen, assez riche d'ailleurs pour que la question d'argent ne se pose pas, jeune et sportif, qui soudain abandonne son foyer, sa femme aimante et généreuse, son fils âgé de quelques mois, après une décision mûrement réfléchie. La clôture de la « vraie vie », selon l'expression de Van Gogh — profession et foyer familial — lui est devenue intolérable : il doit partir à l'aventure. Il accepte cette impulsion irrésistible, qui engage et entraîne sa personnalité consciente, ce que ne ferait pas une compulsion. Il lui obéit comme un fugueur ou un toxicomane obéit à la sienne, avec un plein sentiment de responsabilité. Une angoisse avertit sa femme, mais elle ne peut rien contre le désastre affectif qui sépare les époux, ce retrait total, ce détachement, cet appel d'autre chose. Jérôme part donc et, en quelques heures, dans une errance autour de leur maison, à la campagne, rencontre une prostituée, Indiana (personnage sorti d'un roman antérieur, *Bella,* et curieusement lié à Fontranges). La nuit tombe et Jérôme se retrouve dans la propriété de Fontranges (son parent), au milieu d'une clairière à la Walter Scott, la lune éclairant, dans le cercle des grands arbres, le tombeau de Bella. Jérôme revient alors chez lui ; il y trouve sa femme qui, ayant lu sa lettre d'abandon, banale et sans chaleur, ne veut plus de lui et se borne à écrire au crayon bleu, en gros caractères, ces mots qu'elle lui montre sans desserrer les lèvres : « Va-t'en. » La rupture avec sa vie ancienne, qu'il avait cru vouloir activement, lui est ainsi passivement infligée de façon humiliante.

Le deuxième récit, *Stéphy,* est une sorte d'idylle, apparemment parfaite, édénique et brève. Elle débute par un coup de foudre dans un jardin public, en Amérique. Stéphy et Jérôme s'éprouvent aussi liés, dans l'anonymat, par une sorte d'unisson vital. Ils se rencontrent longtemps sans devenir amants, parlent peu, voyagent, se baignent ensemble. Pour elle, il est l'Ombre, et elle devient pour lui une sorte d'ondine. Enfin, ils se marient : lui, livrant son identité, — elle, cachant la sienne. Mais il apparaît vite que pour Jérôme, ce mariage est un recommencement. De nouveau, il rêve de rupture. Stéphy le précède dans cette intention et le quitte.

L'idylle rêvée n'a donc pas mieux réussi que l'existence « normale ». Chaque fois que Jérôme croit échapper à la réalité sociale et la dominer, elle le reprend et le domine.

Le troisième et dernier récit, *le Kid,* attribue à un enfant le désir d'évasion et de révolte. Jérôme le rencontre quand il va peut-être se suicider, près des chutes du Niagara. Il le recueille et le protège. Mais une pression sociale inexorable — la police, l'école, la bienfaisance organisée — provoquent une nouvelle fugue de l'enfant. Retrouvé dans la neige, un samedi soir, réchauffé dans la salle des machines d'une usine déserte, le Kid devient l'enfant divin d'une étrange Nativité moderne. Mais à cette vision religieuse succède, inexpliqué, un retour résigné à l'existence sociale. Nous apprenons que l'enfant était amnésique, qu'il a retrouvé la mémoire et qu'il est rentré dans sa famille. Quant à Jérôme, il est ramené en Europe, et peut-être à son foyer, par Fontranges.

*
* *

Nous pouvons maintenant tenter une première superposition de *Judith* et de *Jérôme Bardini*. La règle fondamentale est ici la suivante : céder la parole aux faits, ne rien discuter, ni interpréter, constater simplement les coïncidences, s'il en existe. Les différences vont de soi et nous en admettons d'avance l'importance majeure. Car nous savons que la conscience de l'écrivain, bien loin de confondre une héroïne biblique avec un fonctionnaire français qui a trop lu Nietzsche et Rimbaud, accuse, au contraire les traits distinctifs marquant, dans les deux cas, l'époque, le décor, les personnages. Seules les ressemblances peuvent avoir pour origine la personnalité de Giraudoux.

Dans les deux structures, le moi central ne fait pas de doute. Féminin en Judith, il est masculin en Jérôme, mais cette constatation doit être corrigée : Judith offre des traits virils, et c'est, en revanche, Stéphy, la jeune fille, qui occupe le centre du tableau dans le deuxième récit du roman. D'ailleurs l'analyse du *Choix des Elues* ou du *Combat avec l'ange* nous montrera combien les fugues d'Edmée ou de Maléna peuvent ressembler à celle de Jérôme. Avec d'importantes nuances psychiques, Judith ou Jérôme, l'héroïne ou le héros, peuvent figurer des aspects centraux de la personnalité. En effet, dans l'un et l'autre cas, l'œuvre nous retrace l'évolution profonde d'un être humain, plutôt qu'une intrigue ou l'étude d'un milieu.

Second point, beaucoup moins évident : la structure triple de la tragédie semble bien correspondre à la structure triple du roman. En effet, le Paradis terrestre que dessine la tente d'Holopherne, cette île heureuse magiquement étrangère au monde réel et à ses conflits, ce lieu édénique où luxe et plaisir baignent dans une innocence première antérieure au péché originel, éloigné de Dieu, nous le retrouvons, certes, partout et sous maintes formes symboliques dans l'œuvre de Giraudoux. Ici, dans l'épisode de *Stéphy*. En voici le début :

> « Mon Dieu ! » se dit Stéphanie.
> Mais il s'agissait bien de Dieu ! Tous les liens justement qui pouvaient relier Stéphanie à Dieu venaient de se détendre terriblement, à la vue de cet inconnu qui avançait vers elle. Tous ses gestes et ses pensées de jeune fille, ses réflexes de douce marionnette divine l'abandonnaient, à mesure qu'approchait cet homme, de l'air faussement désœuvré, en effet, des espions qui coupent télégraphes et téléphones, et il ne lui restait plus soudain qu'un cœur et un corps sans commandes... Car il approchait... Lui ne savait pas qu'il venait vers Stéphy... vers cette jeune fille anonyme assise au-dessous du plus vieil arbre du Central Park, arbre dont on ne saura jamais non plus le nom...

Le caractère « enfance du monde » est souligné par l'association avec la naissance du cinéma : Stéphy attend...

> ... sous l'arbre où Chaplin avait tourné ses premiers films, alors que ce coin du Central Park n'était pas reconstitué encore dans Hollywood, près du bassin où avaient été donnés aux jeunes dames de sa troupe les premiers baptêmes du cinéma, entre des arbustes dont le mouvement sous la brise avait été le premier frisson des plantes filmées (...) Il y avait peu de chance pour qu'on lotît jamais cette part de New York, c'était un terrain sacré...

Après le lieu, le temps paraît miraculeux :

> New York était depuis deux jours, en effet, dans cette saison inconnue en Amérique. Pour la première fois de sa vie, Stéphy voyait l'hiver, au lieu de tourner en canicule, se résoudre en un air pur et léger. Ce bonheur, cette moindre pression que l'on goûte en été au faîte des montagnes, on le goûtait aujourd'hui dans Broadway, et tous les New-Yorkais, dans les ascen-

> seurs, dans les restaurants, avaient ce maintien plus digne et loyal des gens placés à haute altitude. Les bêtes du jardin zoologique avaient compris les premières ; on venait d'ouvrir la seconde de leur double grille, l'invisible ; puis les banquiers. Ce mot printemps, que les acteurs seuls prononçaient ici en jouant des pièces européennes, on le criait aujourd'hui en pleine Bourse.
> (...) Une brise, aussi pure de relents que de parfums, agitait sur les arbres et les arbustes du Central Park, à défaut encore de gros feuillages, les étiquettes d'aluminium ou de corne... Jamais l'aluminium n'avait tinté aussi tendrement à New York, ni la corne : c'était le printemps.

La jeune fille pressent le bonheur mais aussi la défaite, celle-ci correspond au « saccage » de Judith, prête à être physiquement heureuse et moralement ruinée :

> Stéphy avait compté encore sur quelque déformation qui eût enlevé à l'inconnu cet aspect de perfection et d'achèvement, par lequel elle se sentait d'avance comblée, mais vaincue...

Plus tard, elle mesurera la durée de son bonheur :

> « Trente-six jours ! » dit Stéphy.
> Elle avait compté son bonheur par jour, comme les prisonniers leur prison [1].

Aussi n'étonnerons-nous personne en superposant, malgré d'indéniables différences, les deux couples Judith-Holopherne et Stéphy-Jérôme. Mais cette coïncidence a des conséquences immédiates. Puisque les deux structures sont, dans une certaine mesure, superposables au centre, il y a quelque chance pour qu'elles le soient aussi au début et à la fin. Que constatons-nous ?

Judith sort de sa ville, Jérôme sort de sa maison ; dépouillant leur existence et leur personnalité ancienne, leur statut social, leurs attachements, l'une part pour une

---

1. *Aventures de Jérôme Bardini*, Grasset, Paris, 1930. Le Livre de Poche, pp. 52, 59 ; 54-55 ; 52 ; 105.

aventure héroïque, l'autre pour l'aventure libre. (Circonstances et âmes diffèrent, nous ne l'ignorons pas, mais nous notons les points communs.) Sur sa route, Judith rencontre une prostituée, puis traverse un champ de morts ; Jérôme rencontre une prostituée puis un tombeau. Judith se heurte ensuite à l'humiliation de la cruelle farce et rompt alors les liens qui la rattachaient à son peuple et à son Dieu, donc à sa ville et au passé ; Jérôme se heurte au mépris de sa femme et part définitivement.

Ici, autre chose commence. Une solution édénique s'offre : c'est l'épisode de l'île heureuse. Mais l'âme errante ne s'y arrête pas. La réalité la ressaisit. Or, au même point, Judith et le Kid sont frôlés par la pensée du suicide. Ils vivent, pourtant, et résistent à des pressions sociales — les prêtres et le peuple dans la tragédie, les institutions humaines dans le roman.

Puis se manifeste, beaucoup plus éclatant dans *Judith,* mais très perceptible dans le *Kid,* un épisode religieux. Enfin, et c'est sans doute là un des traits les plus frappants, une même décision résignée ramène l'héroïne de la tragédie et le héros du roman vers la réalité qu'ils avaient fuie, la famille, le milieu social, en obéissance à une impulsion aussi irrésistible que celle ayant commandé leur fugue.

Le mouvement général a été, dans les deux œuvres, sinon circulaire, car on ne remonte pas le temps, du moins spiral. La structure dont nous avons donné le tableau à la page 36 correspond donc aussi bien au roman qu'à la tragédie, les trois épisodes apparaissant en surface plus indépendants — ils portent trois titres différents — dans le roman.

Nous n'avons constaté que des coïncidences qui n'ont, sans doute, ni toutes la même valeur, ni le même sens, mais dont la présence est indiscutable et qu'il faudra chercher à expliquer si d'autres superpositions les confirment. Avant de poursuivre celles-ci, une réflexion s'impose.

A titre d'hypothèse, admettons dès maintenant que la superposition de *Judith* et des *Aventures de Jérôme Bardini* soit valable dans ses grandes lignes. Ne nous oblige-t-elle pas à considérer un peu différemment la première grande tragédie de Giraudoux ? Les critiques en ont jugé l'héroïne compliquée. Gide demande pourquoi elle a tué son amant. Sörensen croit discerner en elle le conflit d'une personnalité et d'une race ; Mme Mercier-Campiche fait de l'orgueil la dominante de l'héroïne, et de sa condamnation le sens de la tragédie. Tous ces points de vue peuvent être valables. Et pourtant aucun (ou presque, car Jérôme est aussi accusé d'orgueil par Fontranges), ne serait valable pour les *Aventures de Jérôme Bardini*. Si de secrètes suggestions intérieures ont contraint Judith à suivre le sillon tracé par Jérôme, sa complexité, ses énigmes, la suite imprévue de ses attitudes ne seront explicables ni par la Bible, ni par l'idée que Giraudoux se fit de l'âme juive, ni par des réflexions sur la fatalité historique ou divine. Car Bardini n'était ni Juif, ni légendaire, ni inspiré. On l'imagine volontiers plus proche de Giraudoux lui-même que de Judith. Il faut donc conclure que, pour une part au moins, Judith doit sa figure et son destin au fait que Giraudoux s'est projeté en elle — et cela captive notre intérêt.

***

La superposition apparemment étrange de *Judith* et des *Aventures de Jérôme Bardini* a conduit à des résultats hypothétiques qu'il faut mettre à l'épreuve. Dans le roman comme dans la tragédie, la destinée du personnage central forme le véritable sujet de l'œuvre. Le héros (ou l'héroïne), soudain lancé dans une aventure, y rencontre des êtres et des événements auxquels il réagit en se modifiant par contrecoup. Du point de vue psychocritique, il représente le moi. Nous avons tracé un tableau du chemin parcouru par Judith et constaté ensuite que, sur plusieurs points structurellement importants, ce chemin coïncidait avec celui parcouru par Jérôme-Stéphy-Kid. Evitons pour l'instant toute interprétation et bornons-nous aux faits, qui auront en eux-mêmes assez d'importance si l'expérience poursuivie sur d'autres œuvres les confirme. Ne laissent-ils pas soupçonner, en effet, l'existence d'une forme *a priori* de l'imagination ? L'histoire de Judith, telle que Giraudoux l'a conçue, semble coulée dans un moule préexistant puisque nous découvrons déjà celui-ci dans les *Aventures de Jérôme Bardini.* A l'image (statique) de moule, je préfère celle (dynamique) de champ de forces. Elle rend mieux compte des faits. Nous avons remarqué, par exemple, combien le récit biblique avait été modifié par l'imagination de Giraudoux. Judith n'est plus la veuve qui rentre dans sa ville telle qu'elle en était sortie, avec, simplement, la tête d'Holopherne dans son sac à provisions. C'est une vierge qu'on livre au Minotaure pour le salut de la patrie, mais qui s'éprend du monstre et ne devient Judith la sainte qu'à regret, et sous une terrible contrainte. Dire que Giraudoux eut de son héroïne une conception originale ne nous avance pas beaucoup. Mais si nous songeons au champ de forces préalable, déjà formé dans *Jérôme Bardini* et restructurant à son image le récit biblique, nous entrevoyons une explication. Ce facteur indépendant est, pour nous, la première image du mythe personnel de Giraudoux. L'écrivain en a eu une certaine connaissance en composant *Bardini.* Mais il semble assez douteux qu'il en ait reconnu le caractère général ; en écrivant *Judith,* il a certainement reconnu au passage des thèmes familiers (par exemple l'Eden innocent offert par Holopherne), mais la succession transposée de ces thèmes lui a fort probablement échappé. Nous avons des raisons de supposer que le « mythe » décelé dans les *Aventures de Jérôme Bardini* résume le long travail antérieur de création, pendant la période où les récits d'allure franchement autobiographique se sont lentement transformés en fictions romanesques, plus libres. Cette objectivation s'est accompagnée d'un creusement : Giraudoux a moins raconté sa vie et davantage raconté son mythe, en le projetant sur le monde. L'expression de soi est devenue de plus en plus inconsciente. Cependant, lorsqu'il écrit les *Aventures de Jérôme Bardini,* Giraudoux sait encore, sans doute, qu'il raconte ses rêves ; mais il ignore que la succession de ces rêves se fait selon un ordre caractéristique, absolument personnel, que l'on retrouve dans *Judith.*

Que devient cette suite de fantaisies dans les œuvres qui précèdent ou suivent d'assez loin le roman achevé en 1930 et la tragédie de 1931 ? Nous allons élargir la superposition à deux autres récits romanesques situés, dans la chronologie des œuvres, loin de part et d'autre de cette date charnière que fut 1930 : *Choix des Elues,* publié en 1939, et *Simon le Pathétique,* publié en 1914, 1918 et 1926 (forme définitive), ont paru convenir à cette épreuve.

Commençons par *Choix des Elues.* L'héroïne de ce roman, Edmée, abandonne soudain son foyer heureux, dépouille son existence antérieure, part vers l'inconnu, dans l'angoisse et l'incertitude. De nouveau donc, il s'agit d'une fugue, très comparable à celle de Jérôme Bardini. Recherchons d'abord les grandes coïncidences structurelles [2].

Jérôme Bardini part laissant derrière lui une femme et un fils ; Edmée part laissant derrière elle un mari et un fils qui l'adorent, mais emmène sa fille Claudie. L'un et l'autre obéissent à une impulsion irrésistible, apparemment déraisonnable puisqu'ils jouissent chez eux d'une existence stable et riche en biens divers : jeunesse, luxe, amour et tendresse parentale. Ils se détachent cependant de cette étreinte, ils fuient, obéissent à une exigence intérieure.

Quelle est la nature de cette exigence ? Edmée et Jérôme, mal à l'aise dans leur vie familiale, éprouvent le besoin d'en sortir pour une nouvelle existence plus personnelle et plus libre. Cependant Jérôme croit ainsi obéir à un idéal et Edmée à une vocation, car elle est une « Elue de Dieu ».

---

2. Je rappelle ici le tableau d'une structure qui convient à *Judith* et à *Bardini* :

I. Désinvestissement de la réalité sociale.
   A. Constatation angoissée de l'échec : départ solitaire.
   B. Prostitution et mort.
   C. L'amère farce : rupture.
   (Actes I et II jusqu'à la sc. III de *Judith — Première disparition de Jérôme Bardini.*)

II. Episode de l'île heureuse. Sa fin rapide.
   (Acte II de la sc. IV à VIII, Acte III, sc. I à IV *de Judith — Stéphy.*)

III. Le retour à la réalité.
   A. Pression sociale.
   B. Episode religieux.
   C. Retour résigné au social.
   (Acte III, sc. V, à la fin de *Judith — Kid.*)

Par là, nous rejoignons Judith. Celle-ci n'était pas entraînée par des motifs simples. Au sentiment de sa mission se mêlaient des désirs orgueilleux de réalisation personnelle. Nous retrouvons donc dans *Choix des Elues* quelques grands traits de la situation initiale et de cette rupture avec le passé qui constituent la première fugue de *Jérôme Bardini* et le premier Acte de *Judith.* Nous rechercherons plus loin les détails des coïncidences pour la partie I de notre tableau. Passons aussitôt à la partie II, l'épisode de l'île heureuse, le Paradis terrestre avant le péché.

Nous avons trouvé cet Eden sous la tente d'Holopherne dans *Judith* et, pour *Jérôme Bardini,* dans le square où Stéphy l'attend, soudain indifférente à Dieu, au pied de l'arbre du Bien et du Mal. Le cinéma était d'ailleurs né au pied de cet arbre de Central Park. Or, dans *Choix des Elues,* Edmée, errante loin de sa maison, s'arrête à Hollywood, crée des films et conquiert la gloire en inventant, précisément, le style « Paradis terrestre », le paysage innocent, l'idylle sans péché. Telle est notre deuxième coïncidence.

Et voici la troisième. Edmée rompt avec Hollywood ; elle rompt même avec Claudie. A l'épisode de l'île heureuse, succède un épisode religieux, une retraite douloureuse et solitaire dans une chambre d'hôtel de San Francisco. Puis Dieu abandonne l'héroïne aussi brutalement qu'il l'a prise ; et, lentement, par degrés, Edmée revient vers la vie commune, puis l'existence familiale, dans une sorte de résignation amère et de demi-mensonge. C'était déjà la fin de l'aventure de Jérôme et de Judith.

Ainsi, nous avons bien, objectivement, trois coïncidences structurelles correspondant aux trois parties de notre premier schéma. Ce résultat est important, car il doit dissiper la défiance que nous pouvions nourrir à l'égard de notre tentative. N'était-il pas saugrenu de superposer *Judith* et les *Aventures de Jérôme Bardini ?* Il apparaît bien que non, puisque les résultats de cette étrange superposition se confirment, puisque nous retrouvons ailleurs encore les mêmes analogies structurelles. Quand Giraudoux s'abandonne à sa rêverie créatrice, de secrètes pentes semblent bien l'inviter, sinon le contraindre, à passer par des points singuliers. Sans doute chaque rêverie a ses méandres propres, commandés par le sujet distinct de chaque œuvre. Mais sous cette diversité, nous commençons à voir se dessiner le réseau profond, personnel, reliant des nœuds affectifs, qui appartiennent, eux, à Giraudoux et non à telle ou telle de ses œuvres.

Cependant, ces premières coïncidences nous invitent naturellement à en rechercher d'autres, et l'esprit de cette recherche doit être précisé. Une fois rassuré sur l'objectivité de notre entreprise, une fois convaincu que nous ne poursuivons pas une chimère, c'est-à-dire qu'il existe, en effet, entre les œuvres des correspondances sous-jacentes et qu'elles ne sont pas dues au hasard, nous n'avons plus à quêter anxieusement de nouvelles analogies et à ressentir quelque soulagement si nous les découvrons, quelque inquiétude si nous constatons leur absence, comme si, à chaque détail, toute la validité de notre recherche était à nouveau mise en cause. La psychocritique a déjà révélé, sur les auteurs les plus divers, assez de faits, indépendamment de toute interprétation, pour qu'il soit raisonnable de lui faire quelque crédit. Et même dans le cas de Giraudoux, les quelques coïncidences perçues entre trois œuvres aussi différentes me paraissent déjà aussi peu niables qu'explicables par le hasard. Bien entendu, notre jugement reste encore suspendu et parce que nous ne voulons rien prouver, nous pouvons recevoir avec la même curiosité l'apparition ou la non-apparition de coïncidences de détail. Les différences nous intéressent, en effet, autant que les analogies.

Reprenons par exemple la première partie de l'aventure : Judith y rencontre une image de prostituée en qui elle se mire comme en une sœur, un champ de morts, puis l'amère farce humiliante. Découvrons-nous quelque chose d'approchant dans la première partie de *Choix des Elues ?* Rien d'assez cru pour mériter le nom de prostitution. Mais avant même d'abandonner son foyer et tandis qu'elle se détache de Pierre, son mari, Edmée se rend chez Frank — un peintre qui l'aime — lui laisse poser la tête sur ses genoux, la caresse, la trouve agréablement légère. Elle juge maintenant cela tout naturel. Mais Pierre, à qui elle avoue son acte, en est profondément choqué. Pierre, sorti premier de Polytechnique, voit dans le monde un « cloaque » (c'est son expression même) et dans sa famille une arche de pureté. Son sentiment est que sa femme glisse dans le cloaque. L'impureté est entrée dans son ménage ; « le foyer était souillé. » « Il allait falloir deux âmes maintenant, (...) une première âme pour le métier, pour le travail, heureuse, noble, et, pour Edmée, une âme où déjà Pierre sentait que se préparait leur place, avec la souffrance, la compromission et l'indignité. » Ainsi, nous retrouvons à l'endroit prévu, sinon l'idée de prostitution, du moins celle de déchéance liée à celle de liberté amoureuse. Ajoutons qu'Edmée n'aime pas Frank, qu'elle laissera, par la suite, bien des têtes se poser sur ses genoux et finira par devenir la maîtresse du peintre, plus tard, sans l'aimer davantage.

De la prostitution, passons au champ des morts. Toujours avant de quitter la maison familiale, mais après avoir trompé son mari avec la tête de Frank, Edmée le trompe à nouveau « avec un square anonyme ». Elle vient y goûter la paix et l'oubli de son existence quotidienne, au point, un soir, de découcher, toujours avec Claudie. Or l'une des allées du square aboutit « à un cimetière ondulé et gazonné, aux pierres divergentes, et déjà inclinées chacune selon le mode de gravitation du monde où était son mort ». (Le marbre du tombeau de Bella était aussi « imperceptiblement incliné » et le champ de bataille traversé par Judith remuait « imperceptiblement ».) Mais il y a plus. Immédiatement après la mention du cimetière, l'héroïne se sent seule ; elle est assise « sur le banc qui paraissait le plus libéré parmi tous ces bancs libres ». Suit alors une description du paysage dont les termes imposent, en filigrane, l'image, moderne cette fois, du champ de bataille. Nous en soulignons les expressions qui nous importent :

> *Deux canons menaçaient* un passé depuis longtemps hors de *portée*. Les massifs, comblés de *hautes* et

> *ambitieuses* fleurs, se bordaient de *fils de fer barbelés* ou de fleurs *sentinelles* qui les empêchaient de *se précipiter par masses,* comme leur *arrogance* le laissait *craindre, sur les* passants *humains* [3].

Ainsi mort et champ de bataille sont là, fidèles au rendez-vous que notre tableau semblait leur fixer par avance. Présences très explicables sur le terrain que traverse Judith, plus surprenantes dans la clairière où Jérôme Bardini découvre le tombeau de Bella (après avoir fait, en rêve, une « fugue de carrières » qui l'avait mené « jusqu'au régiment, jusqu'à la guerre, liberté suprême... ») Mais dans l'aventure d'Edmée, où la mort ne joue point de rôle, pourquoi ce cimetière et ce vocabulaire guerrier surgissant à point nommé ? Ils ne peuvent avoir qu'une signification secrète.

Après ces deux affleurements (prostitution et mort), verrons-nous apparaître celui de la farce amère ? Edmée abandonne enfin le foyer, sous prétexte de vacances chez de riches amis. Chacun pressent qu'elle ne reviendra pas, mais feint encore le contraire. Pierre, seul avec son fils, écrit une première lettre sur un ton très gai ; Edmée répond sur le même mode plaisant, mais n'envoie pas la lettre, et, brusquement, écrit la seconde, la vraie, qu'elle n'enverra pas davantage, mais où elle avoue sa torture : elle s'éprouve pareille au Christ, crucifiée, et c'est Pierre qu'elle aime qui lui tend l'éponge gonflée de vinaigre et de fiel. Arrive la seconde lettre de Pierre ; « l'horrible manège » recommence : Edmée écrit et déchire la « promesse éternelle », le « chant d'amour » — elle rédige alors « une lettre de divorcée, de révoltée, de femme qui ne pardonnera jamais... » — et la déchire encore. Recouvrant son sang-froid, elle préfère le silence et s'abandonne alors à l'aventure de l'île heureuse. Nous venons de reconnaître l'épisode de l'amère farce, précédant la rupture définitive.

Une analyse aussi détaillée des deux parties suivantes nous fournirait des coïncidences et des variations. Les premières indiquent des structures probablement très ancien-

---

3. *Choix des Elues,* Grasset, Paris, 1939, p. 62.

nes dans le psychisme de l'écrivain ; les secondes peuvent tenir au sujet, mais aussi à l'évolution affective de Giraudoux. Pour le moment, retenons deux faits.

A. Si nous superposons le « Paradis terrestre » de *Judith* et de *Choix des Elues,* nous constatons qu'Edmée y joue, en vérité, le rôle d'Holopherne. C'est elle qui est le « messie des taches de soleil ». Le rôle de Judith (ou de Stéphy) est alors joué par la fille d'Edmée (mi-Stéphy, mi-Kid). Edmée tient Claudie pour une vierge « fille de vierge » : c'est sa naissance qui lui a donné la paix intérieure, qui l'a protégée du bruit humain de Pierre et Jacques. Claudie, tenant son père pour un « mari complaisant » laissant sa femme le tromper avec elle, n'a cessé de favoriser et de justifier l'aventure d'Edmée. Mère et fille forment un couple. Or, après le « Paradis terrestre », Claudie s'humanise, devient une fille comme les autres. Au même instant, Edmée, se trompant sur les désirs secrets de sa fille qui la pousse dans les bras de Frank, accepte d'être la maîtresse du peintre. Claudie repousse alors violemment sa mère « impure ». C'est la rupture, la rentrée dans le monde social et du péché, l'aube sous la tente d'Holopherne, la séparation du couple Jérôme-Stéphy.

B. Dans l'épisode religieux, Edmée, comme Judith, constate qu'elle s'est abusée en considérant Dieu comme un ami. A l'expérience, Dieu lui apparaît plutôt comme un séducteur qui vous choisit, vous arrache à vos autres attachements, vous possède et vous abandonne. « Une femme ne rentre à son foyer que parce que son séducteur l'abandonne. » L'orgueil d'être élue est ainsi brisé comme l'orgueil d'être aimée. Cela est important pour la psychologie d'Edmée, de Judith, mais aussi de Jérôme.

*
* *

Un grand nombre de correspondances apparentes dans deux œuvres de date voisine restent encore très nettes dix ans plus tard, dans un nouveau roman. Observerons-nous la même constance si nous remontons le temps ? D'abord publié en 1914, *Simon le Pathétique* parut remanié dans sa version définitive en 1926. Nous n'allons pas l'étudier mais nous borner à une sorte de sondage. Le fait essentiel reste, pour nous, que Giraudoux, à travers Simon, semble se raconter beaucoup plus encore que dans Jérôme Bardini. Nous y frôlons sans cesse des faits biographiques connus. Certes, la fantaisie de l'écrivain prend, avec le réel, toutes sortes de libertés : il coupe, brode, invente à sa guise. Mais, dans l'ensemble, *Simon le Pathétique* nous rapporte l'expérience affective d'un jeune homme évidemment assez proche de l'auteur. Certains événements peuvent être imaginaires : par exemple Simon fait mourir sa mère cinq heures après sa naissance, alors que Giraudoux conserva la sienne presque jusqu'à la fin de sa vie. Mais cela indique simplement que Giraudoux ne veut rien nous dire de ses relations avec sa mère. L'écrivain, au surplus, ne se contente pas de choisir : il élabore et trace de lui-même le portrait qu'il juge séduisant. C'est là un fait commun en psychologie, où la réalité doit toujours être recherchée à travers des élaborations. Nous n'en sentons pas moins cette réalité assez proche dans *Simon le Pathétique*.

Ainsi averti de l'atmosphère où nous nous mouvons, revenons à notre problème précis : retrouvons-nous dans ce roman le réseau déjà repéré ailleurs, avec ses points sensibles et leur succession ordonnée ? Nous avons déjà vu (p. 19) Simon s'évader, non du mariage, mais de la profession. Sorti premier de l'Ecole Normale Supérieure, comme Pierre de Polytechnique, il refuse de s'engager dans le professorat, préfère le voyage, l'aventure. Remarquons en passant qu'il revient pourtant chez ses professeurs, mais que ceux-ci lui ferment leur porte : comme Jérôme Bardini, il est ainsi abandonné et même chassé par ce qu'il croyait abandonner librement. Mais cette petite défaite est acceptée légèrement. Simon se lance dans son aventure de riche oisif. Elle le conduit vers Anne et le dessein d'un mariage heureux. Tout commence par l'amitié et ses délices. Il représente, dans le couple, la conscience éclairante et pilote ; elle représente l'imagination fondée sur une expérience affective bien plus riche. Par ses relations avec Anne, Simon affronte, en somme, la véritable aventure pathétique ; voici alors comment se succèdent les thèmes :

1. Simon s'avoue qu'il a été malheureux dans son enfance. Mauvais pressentiment : il a peur de ce pathétique où il s'engage. (Chap. VI, 1re partie.)

2. Dans le carnet qu'un ami a laissé tomber chez lui, il découvre un portrait littéraire d'Anne : « Anne ou la Sensualité. » « Je lus, puis, effaré, plein de je ne sais quel dégoût, de quelle honte, je lançai le carnet dans le feu, je me rejetai sur mon oreiller, j'y cachai mon visage. » L'idée de sensualité a touché, a souillé l'image d'Anne. Comme Pierre de *Choix des Elues,* mari d'Edmée, Simon voit le monde comme un cloaque, et son amitié pour Anne comme une arche de pureté. Derrière la sensualité honnête, il y a, en effet, la prostitution possible : « ... Sensualité : je connaissais ce mot. Il ne m'avait pas paru, jusqu'à ce jour ennemi du mot pureté, du mot fierté. (...) Mais alors pourquoi le carnet me rappelait-il la nuit de lycée où, couché près de moi à l'infirmerie, un élève âgé dont me séparaient d'habitude quatre murs de deux mètres, — la hauteur juste que ne franchit point le scandale —, s'acharna à me révéler, de sa haute voix dans un dortoir vide, ce qu'elles étaient, ce que toutes étaient. Moi, au matin, je restais intact, mais on m'avait volé mes plus chers dépôts, la pureté, la propreté, l'orgueil. (...) Je n'en voulais point à Anne, mais je n'oserais plus regarder son portrait. » (Chap. VI, 3e partie.)

3. Nous reconnaissons d'autant mieux, au passage, ce thème de la prostitution que la mort se présente dès le chapitre suivant. Les jeunes gens rédigent ou ouvrent leurs testaments ; Simon joue à être son propre légataire. Puis il présente à la jeune fille ses meilleurs amis : Philippe, « mort depuis cinq mois » : Anne s'enquiert : « Il souffrait déjà ? », « Il est enterré à Paris ? » Simon raconte le départ du cercueil, à la gare.

> Un mois après Claire mourut aussi. Elle mourut après avoir été pendant une heure privée de la voix ; elle ne put appeler chacun de nous, mais nous

regarda longuement l'un après l'autre, d'un regard plus différent que ne l'étaient nos prénoms même. Du moins Anne put voir le corps de Claire. Elle vit la statue, elle vit sur le lin le plus blanc l'empreinte de cette existence parfaite dont je détiens les clefs. Elle embrassa son front.

(Chap. VII).

Pour la quatrième fois en quatre œuvres, tantôt proches, tantôt lointaines, nous avons vu se succéder les deux thèmes de prostitution et de mort. Nous attendons la farce amère, et la voici au chapitre huitième : Simon et Anne font, en auto, la plus folle, la plus exaltante des promenades ; le soleil éclate ; dans un parc, Anne caresse la tête de Simon posée sur ses genoux ; elle est déjà Edmée, l'élue de Dieu, comme il est déjà Frank l'artiste, évadé du social. Tout est léger et lumineux. Mais de retour, et par un entêtement soudain qu'il ne s'explique pas lui-même, Simon déclare que leur prochaine rencontre aura lieu dans huit jours seulement et que la jeune fille y fixera leur destinée commune. C'est la fin de l'aventure, l'engagement. Anne est nerveuse, et la tristesse les gagne tous deux. Huit jours plus tard, Anne avoue, en effet, qu'elle a eu un amant, d'ailleurs indigne d'elle. Le cloaque l'a vraiment touchée. Sous tant de pureté lumineuse se cachaient, selon les mots de Pierre que nous pouvons reprendre, « la souffrance, la compromission, l'indignité ». Accablé par l'amère farce, Simon ose encore moins regarder Anne ; il la laisse descendre du petit chemin de fer sans la suivre.

Ainsi, pour toute la première partie, les coïncidences se révèlent avec une grande netteté. Allons-nous voir surgir l'île heureuse ? Curieusement, le thème apparaît bien, mais à la dernière page du livre. La fantaisie, entre temps, suit une autre voie. Après une régression vers le passé (voyage en Europe centrale, amours enfantines, maison provinciale), Simon refuse de vivre sans Anne et recherche ce « square immortel de [leur] amitié ». Il décide de la reconquérir. Il la retrouve, en effet, mais fiancée, lutte contre sa tendance au renoncement, s'obstine, fait sa demande en mariage et triomphe au moins du fiancé.

Cette nouvelle courbe est riche en intérêt. Au lieu de la suite ordinaire : rupture avec la réalité sociale, après l'amère farce — départ pour le rêve de l'île heureuse — Paradis terrestre — nouvelle rupture — épisode religieux — retour résigné au social —, nous découvrons, dans cette œuvre de jeunesse relative un effort pour surmonter l'amère farce et se raccrocher tout de même à une stabilisation sociale, le mariage d'amour devant concilier le principe de réalité et le principe de plaisir. Plutôt que de prolonger l'aventure pathétique, ses extases, ses angoisses, le moi préfère oublier toute la part angoissante, passer l'éponge, recommencer, se représenter au concours. Ce qui soutient, en effet, Simon, c'est bien, à côté des souvenirs d'adoration, ceux de ses triomphes scolaires, obtenus en dépit de profondes dépressions :

> A la voix qui criait : — Parle ! ou tu perds ta vie ! — Parle ! ou Anne est perdue ! une voix répondait : — Tais-toi. Laisse donc tout cela... Viens... Voix qui m'était, hélas ! connue (...) d'un démon assez vil pour amener autrefois, les matins de concours, devant le collégien de douze ans que j'étais, l'image même de la mort (...) j'étais prêt... Déjà j'étais gagné par cette humeur insensible qui me fit subir en somnambule toutes mes heures décisives. Déjà, fermant les yeux, — ainsi que je me récitais, dans ces fameux concours, une phrase grecque ou latine pour me placer de force dans Athènes, pour écrire mon thème au milieu juste du forum, — et, malgré la Mort, j'étais toujours premier —, déjà je me redisais la lettre d'Anne que j'aimais le plus, celle du moineau qu'elle avait trouvé mort.
>
> (p. 229-231)

Un ressort vigoureux ramène l'esprit du héros de l'aventure rêvée à la recherche d'un bonheur vécu. Le Giraudoux de 1914 est encore optimiste ; on pourrait s'en féliciter si cet optimisme n'arrêtait manifestement une descente aux Enfers que la vraie création exige. L'auteur de *Judith*, seize années plus tard, a perdu en optimisme mais gagné en profondeur. Il y a là, pour nous, une constatation intéressante : car en élargissant notre champ d'analyse, en superposant la tragédie de *Judith,* non plus à une œuvre contemporaine comme les *Aventures de Jérôme Bardini,* mais à deux fantaisies — *Choix des Elues* et *Simon le Pathétique* — nous avons à la fois confirmé des constances et acquis le sentiment d'une évolution affective.

Chapitre III

AMPHITRYON 38

Si nous faisions ici de la critique classique, nous étudierions l'*Amphitryon 38* par rapport à ses sources extérieures, dont les principales sont, évidemment, les comédies de Plaute et de Molière. Mais nous faisons de la psychocritique et devons, par suite, étudier l'œuvre par rapport à sa source intérieure. Celle-ci, qui n'est autre que la personnalité profonde de Giraudoux, ne nous est pas immédiatement connaissable, mais ses structures relativement constantes nous sont révélées par la technique des superpositions. Les analyses poursuivies jusqu'ici nous ont ainsi permis de discerner dans *Judith* une structure qui, loin d'être particulière à cette tragédie, se retrouvait dans une suite d'œuvres chronologiquement éloignées : *Simon le Pathétique, les Aventures de Jérôme Bardini, Choix des Elues*. Ce sont ces constantes qui, de façon provisoire et empirique, représentent pour nous la source intérieure. C'est à elles que nous nous référerons d'abord en étudiant *Amphitryon 38*. Nous comparerons plus tard nos résultats à ceux de la critique classique, et la comédie de Giraudoux à celles de Plaute et Molière.

Avant de suivre, de la façon la plus simple, d'acte en acte, le déroulement de la pièce, nous ferons deux remarques préalables.

A. Nous nous référerons de préférence à *Judith*. Mais, ce faisant, nous superposerons une comédie et une tragédie. Il faudra tenir compte du fait que l'adoption délibérée du genre tragique ou comique implique un changement d'attitude psychique. La principale différence est la suivante : dans la tragédie, l'angoisse est tolérée et croît jusqu'au dénouement funeste ; dans la comédie, l'angoisse est niée, la souffrance anesthésiée, les fantaisies de triomphe l'emportent sur les fantaisies de deuil ou de mélancolie et le dénouement normal devient l'affirmation d'un amour heureux, le mariage. Bien entendu, il faut nuancer ce contraste, mais sans oublier que, dans la mesure où il s'atténue, le pathétique et le tragique reparaissent dans la comédie même. Cela dit, tous les équilibres et tous les mélanges sont possibles. Faut-il ajouter que, chez Giraudoux, ils sont à la fois mouvants et subtils ? La comparaison entre tragédie et comédie en sera rendue plus facile. Il n'en reste pas moins qu'au dénouement Judith doit être brisée, Alcmène heureuse.

B. Dans *Amphitryon 38,* c'est Alcmène qui occupe le centre de l'œuvre et, du point de vue psychocritique, représente le moi. A première vue, on pourrait attribuer cette fonction au couple, mais il apparaît vite que le couple et la vie d'Alcmène ne font qu'un. Tout danger pour l'un menace l'autre. Voilà pourquoi Alcmène est essentiellement l'épouse fidèle. Elle est fidèle, du même coup, à soi. Il faut donc la croire lorsqu'au premier Acte elle jure, en liant Jupiter à son serment, qu'elle mourrait plutôt que d'être infidèle. C'est donc sa destinée de femme que la comédie met en jeu et cela justifiera la superposition de nos deux héroïnes : Alcmène et Judith. Giraudoux renouvelle d'ailleurs son sujet par ce déplacement de perspective. Dans la comédie de Molière, la mésaventure conjugale échoyait au mari berné et mystifié par droit divin ; bien qu'orné de toutes les grâces de l'esprit, le thème, au fond, demeurait celui d'une farce. Dans la pièce de Giraudoux, au contraire, et précisément parce qu'une figure féminine, aimante et délicate en occupe le centre, toute farce doit disparaître non seulement du style mais de la fable même. Le genre comique exige qu'Alcmène soit heureuse au dénouement et donc que, par l'effet d'une grâce divine, le souvenir d'une infidélité forcée soit effacé de sa mémoire. Amphitryon n'ayant rien su, le rideau tombe sur un couple heureux. Ce triomphe sur le malheur caractérisait déjà la fin de *Simon le Pathétique*. On le retrouve dans *Combat avec l'Ange*. Ainsi se confirme notre sentiment d'un mythe unique, retraçant la destinée du personnage central, mais offrant deux dénouements possibles, l'un tragique, l'autre comique. *Judith* fournit le premier et *Amphitryon 38* le second.

Le premier Acte expose le sujet, présente les personnages, amorce l'action. La nuit, dans le jardin du palais, Jupiter et Mercure regardent, sur le voile d'une fenêtre éclairée, se profiler une ombre qui bientôt se divise en deux — celle du couple heureux. En réalisant son projet de posséder Alcmène, Jupiter va détruire ce bonheur. Le couple, naturellement, ignore le danger ; Alcmène vit en toute quiétude : elle va être jetée dans l'aventure. Thèbes, alentour, s'endort dans la paix : elle va se réveiller dans la guerre. Nous retrouvons bien ici quelque chose de cette brusque rupture d'équilibre qui marque le début des œuvres déjà analysées. Judith connaît la guerre, certes, mais ne s'y sent pas engagée ; derrière des remparts qu'elle croit invincibles, protégée par sa richesse, elle poursuit sa vie de jeune fille heureuse ; la tragédie commence à l'instant où cet équilibre est détruit par une élection et une désignation qui la mettent personnellement en cause. De même, Edmée, une autre élue, jouissait chez elle, comme Alcmène, d'un bonheur domestique apparemment parfait quand une angoisse la saisit : elle a été désignée, appelée ; sa paix conjugale doit être détruite.

Soulignons combien sont liés, dans ce prologue, l'équilibre du couple et celui de la paix : le désir brutal et la guerre les détruisent ensemble. Nous retrouverons cette liaison dans *La Guerre de Troie n'aura pas lieu*. Dans les deux fables, elle reçoit des explications naturelles : ruse de Jupiter pour éloigner Amphitryon — enlèvement d'Hélène, simple expérience de combattants assimilant la paix au bonheur domestique et la guerre à la privation de ce bonheur. Mais d'autres liens, intérieurs, relient le désir brutal et la mort. — « La Débauche et la Mort sont deux aimables filles », dit Baudelaire qui pressent une mère commune puisqu'il en fait deux sœurs. Jérôme Bardini ne part pas pour la guerre : il rencontre pourtant une prostituée et un tombeau.

Ceci nous conduit au second tableau de l'Acte I. Amphitryon part pour la guerre. La sensualité de Jupiter et de Mercure ne s'était pas privée de détailler les charmes d'Alcmène. Mais les craintes de l'épouse vont fournir aux idées de prostitution et de mort le meilleur des prétextes pour se manifester. Voici la mort :

....

AMPHITRYON. Aussi penserai-je à Alcmène pour mieux tuer mes ennemis.

ALCMÈNE. Tu les tues comment ?

AMPHITRYON. Je les atteins avec mon javelot, je les abats avec ma lance, et je les égorge avec mon épée, que je laisse dans la plaie...

ALCMÈNE. Mais tu es désarmé après chaque mort d'ennemi comme l'abeille après sa piqûre... ! Je ne vais plus dormir, ta méthode est trop dangereuse !... Tu en as tué beaucoup ?

AMPHITRYON. Un, un seul.

ALCMÈNE. Tu es bon, chéri ! C'était un roi, un général ?

AMPHITRYON. Non. Un simple soldat.

ALCMÈNE. Tu es modeste ! Tu n'as pas de ces préjugés qui, même dans la mort, isolent les gens par caste... Lui as-tu laissé une minute, entre la lance et l'épée pour qu'il te reconnaisse et comprenne à quel honneur tu daignais ainsi l'appeler ?

AMPHITRYON. Oui, il regardait ma Méduse, lèvres sanglantes, d'un pauvre sourire respectueux.

ALCMÈNE. Il t'a dit son nom, avant de mourir ?

AMPHITRYON. C'était un soldat anonyme. Ils sont un certain nombre comme cela ; c'est juste le contraire des étoiles.

ALCMÈNE. Pourquoi n'a-t-il pas dit son nom ? Je lui aurais élevé un monument dans le palais. Toujours, son autel aurait été pourvu d'offrandes et de fleurs. Aucune ombre aux enfers n'aurait été plus choyée que le tué de mon époux...

Et voici la prostitution :

ALCMÈNE. ... J'avais la certitude qu'une menace terrible planait au-dessus de notre bonheur... Grâce à Dieu, c'était la guerre, et j'en suis presque soulagée, car la guerre au moins est un danger loyal, et j'aime mieux les ennemis à glaives et à lances. Ce n'était que la guerre !

AMPHITRYON. Que pouvais-tu craindre, à part la guerre ? (...) Que pouvait-on bien menacer autour de nous ?

ALCMÈNE. Notre amour ! Je craignais que tu me trompes. Je te voyais dans les bras des autres femmes.

AMPHITRYON. De toutes les autres ?

ALCMÈNE. Une ou mille, peu importe. Tu étais perdu pour Alcmène. L'offense était la même.

....

Je craignais les déesses, et les étrangères.

....

AMPHITRYON. Je n'aimais pas non plus les étrangères.

ALCMÈNE. Elles t'aimaient ! Elles aiment tout homme marié, tout homme qui appartient à une autre, fût-ce à la science ou à la gloire. Quand elles arrivent dans nos villes, avec leurs superbes bagages, les belles à peu près nues sous leur soie ou leur fourrure, les laides portant arrogamment leur laideur comme une beauté parce que c'est une laideur étrangère, c'en est fini, dans l'armée et dans l'art, de la paix des ménages.

Verrons-nous se manifester ensuite le sentiment d'amère farce ? Il est infus dans la fable même. Le Sosie de Molière parle de la « pilule » qu'Amphitryon doit avaler. Nous venons de dire qu'ici Alcmène sera la vraie victime. Or le troisième et dernier tableau de l'Acte I nous la montre marivaudant à son balcon avec Jupiter, qui frappe à la porte et qu'elle prend pour son mari revenu en hâte. Elle plaisante fort gaiement : mais plus elle proteste qu'elle n'ouvrira qu'au mari, jamais à l'amant, plus elle jure de mourir au moindre soupçon d'infidélité et plus nous ressentons pour elle l'abus de confiance dont elle va être victime. Jupiter lui-même en est gêné. Que Giraudoux, sans prendre la chose au tragique, puisqu'il s'agit d'une comédie, ait voulu créer ce malaise, il n'en faut pas douter. Le caractère d'Alcmène en dépend. Aucun ridicule ne doit l'effleurer. Elle est le moi. En bien des passages, elle va devenir le porte-parole de l'auteur et représenter la dignité humaine. L'intérêt et la sympathie du spectateur doivent aller vers elle, sans la moindre nuance de raillerie. Dans cette fin du premier Acte, nous la sentons dupée comme Judith dès son arrivée sous la tente d'Holopherne. Si nous frôlons seulement l'amère farce, c'est qu'*Amphitryon 38* est une comédie.

Avant de passer à l'Acte II, et dans le cadre de la situation dramatique ainsi dessinée, nous préciserons le rôle fonctionnel qu'y joue Alcmène. Elue d'un Dieu, comme Judith ou comme Edmée, elle est aussi, avons-nous dit, le moi. Ajoutons qu'elle en représente surtout un aspect : ce désir de sécurité dans le confort et la tendresse, qui ne va pas sans une peur de l'aventure et de la vocation. Fidèle à soi-même, donc à son époux, elle représente une résistance aux sollicitations de l'instinct et de l'imagination incontrôlée. Elle s'oppose, du même coup, à la descente aux enfers. Ainsi, nous retrouvons en elle la force qui, dans différentes œuvres et en particulier dans *Simon le Pathétique,* tend à ramener le système à son état d'équilibre initial. Lorsque Simon, amèrement trompé, humilié, refuse de prendre sa mésaventure au tragique et tente de recréer son bonheur initial avec Anne, il obéit déjà à une force de ce genre : il choisit, avec l'oubli, le dénouement heureux, le dénouement traditionnel des comédies — le mariage. La même volonté anime Alcmène et la conduira vers un dénouement comparable. Alcmène obéit bien ainsi à la tendance du moi conscient, qui lui fait refuser le rêve et s'attacher à un bonheur réel.

On comprend mieux ce rôle fonctionnel d'Alcmène en précisant à quoi elle résiste. Jupiter prétend n'aimer que les femmes fidèles. Mais il les définit aussitôt : celles qui trompent leur mari avec tous les objets de l'univers, sauf les hommes. Il espère se faire aimer d'Alcmène par ce biais. Car cet attachement aux objets de l'univers conduit, en vérité, à l'adultère. Telle sera la découverte d'Electre.

> JUPITER *à Mercure.* ... Tu sais que j'aime exclusivement les femmes fidèles. Je suis dieu aussi de la justice, et j'estimais qu'elles avaient droit à cette compensation, et je dois te dire aussi qu'elles y comptaient. Les femmes fidèles sont celles qui attendent du printemps, des lectures, des parfums, des tremblements de terre, les révélations que les autres demandent aux amants. En somme, elles sont infidèles à leurs époux avec le monde entier, excepté avec les hommes.
>
> (Acte I, sc. v.)
>
> AGATHE. Ils croient que nous ne les trompons qu'avec des amants. Avec les amants aussi, sûrement... Nous vous trompons avec tout. Quand ma main glisse, au réveil, et machinalement tâte le bois du lit, c'est mon premier adultère. Employons-le, pour une fois, ton mot adultère. Que je l'ai caressé, ce bois en te tournant le dos, durant mes insomnies. C'est de l'olivier. Quel grain doux ! Quel nom charmant ! Quand j'entends le mot olivier dans la rue, j'en ai un sursaut. J'entends le nom de mon amant ! Et mon second adultère, c'est quand mes yeux s'ouvrent et voient le jour à travers la persienne. Et mon troisième, c'est quand mon pied touche l'eau du bain, c'est quand j'y plonge. Je te trompe avec mon doigt, avec mes yeux, avec la plante de mes pieds.
>
> (*Electre,* Acte II, sc. vi.)

Et n'avons-nous pas vu Edmée, dans *Choix des Elues,* glisser de la fidélité conjugale à l'adultère en passant par les êtres du square anonyme ? Alcmène refuse de trop s'abandonner à cette pente. Elle reste résolument centrée sur son époux, sa maison et les arbres fruitiers de son jardin. Le même motif — en fait la même résistance à l'angoisse — la détourne du divin. Elle se veut purement humaine, solidaire de la réalité terrestre et demande, au-dessus de son bonheur, « un ciel libre ». Cette expression est caractéristique : on la retrouve dans *Bellac et la tragédie,* où elle définit le goût français, le goût des hommes qui ne rêvent pas (par opposition aux Allemands). Nous ne sommes donc éloigné ni de *Siegfried,* ni de *Judith.* Par cette fidélité à l'humain, ce refus poli du divin, Alcmène se superpose à Holopherne, « le premier des hommes », et le détail des textes confirme cette superposition. Par exemple, Holopherne suffoque dans ce qu'il appelle cette « chambrée de dieux » ; la religion de Judith lui apparaît close, étouffante ; il offre à l'héroïne « un des rares coins humains vraiment libres », l'air pur, la légèreté, l'égalité aussi d'une existence tout humaine. Or Alcmène explique son choix par association avec les mêmes impressions physiques :

> JUPITER. Te voilà impie, maintenant ?
> ALCMÈNE. Je le suis parfois plus encore, car je me réjouis qu'il n'y ait pas dans l'Olympe un dieu de l'amour conjugal. Je me réjouis d'être une créature que les dieux n'ont pas prévue... Au-dessus de cette joie, je ne sens pas un dieu qui plane, mais un ciel libre. Si donc tu es un amant, j'en suis désolée, mais va-t'en. (...)
> JUPITER. Pourquoi ne veux-tu pas d'amant ?
> ALCMÈNE. Parce que l'amant est toujours plus près de l'amour que de l'aimée. Parce que je ne supporte ma joie que sans limites, mon plaisir que sans réticence, mon abandon que sans bornes. Parce que je ne veux pas d'esclave et que je ne veux pas de maître. Parce qu'il est mal élevé de tromper son mari, fût-ce avec lui-même. Parce que j'aime les fenêtres ouvertes et les draps frais.
>
> (Acte I, sc. VI.)

Ceci entraîne une conséquence importante : si l'équilibre heureux que défend Alcmène est celui d'Holopherne, il faut admettre que dans la fantaisie imaginative d'*Amphitryon* le couple social et le couple édénique ne sont pas dissociés comme dans notre tableau provisoire (Judith et son fiancé

Jean — Jérôme et sa femme Renée : dans le premier épisode ; Judith et Holopherne — Stéphy et Jérôme : dans l'épisode de l'île heureuse), mais confondus. C'était déjà le cas pour le couple Simon-Anne.

Plusieurs fidélités étroitement liées les unes aux autres — fidélité à soi-même, à Amphitryon, à l'humain — caractérisent donc Alcmène, déterminent ses réactions, constituent ses raisons de vivre. Se renier et commettre l'adultère avec un dieu lui est donc triplement impossible. Si elle doit subir l'étreinte divine, elle la tiendra pour un viol et mourra aussitôt après. Nous ne serons pas étonné de voir, par la suite, le thème du viol traité dans *Pour Lucrèce*.

L'Acte II s'ouvre sur un monologue de Mercure. C'est le matin. Comme Judith, Alcmène a cru s'abandonner à l'étreinte de l'homme qu'elle aime ; elle a subi, en fait, celle d'un dieu. Mais nous sommes bien averti de la fourberie et l'auteur compte sur notre sourire. Cela implique que le triomphe actuel de Jupiter soit balancé par une défaite morale. Dans la conversation au saut du lit, le dieu est triplement raillé : la nuit, déclare Alcmène, ne fut pas divine, mais conjugale ; sans la beauté que lui donnent les hommes, le paysage, derrière les fenêtres et la création tout entière ne seraient qu'un chaos ; enfin, l'immortalité serait, pour l'épouse fidèle, moins attrayante que la mort. Ainsi se confirme chez Alcmène, comme chez Judith, la résistance à tout ce qui n'est pas l'amour humain, à la fois réel et édénique. Lorsque Jupiter quitte Alcmène, il s'avoue vaincu, c'est-à-dire homme et non dieu, selon le choix et le bon plaisir d'Alcmène. Cet instant correspond à celui où Judith, sortant de la tente (Acte III) affirme qu'elle a obéi à son amour et non à Dieu ou aux prophètes. Judith et Alcmène, en effet, sont alors également convaincues, à cet instant (bien qu'également condamnées à reconnaître un peu plus tard leur erreur). Précisément à ce point, la foi humaine et personnelle de l'héroïne commence à être battue en brèche par une foi religieuse et sociale. Dans *Judith,* Jean annonce partout que l'héroïne, touchée par la grâce, a accompli la volonté de Dieu ; Béthulie exulte ; un cortège se forme conduit par les prêtres. Dans *Amphitryon,*

Mercure annonce qu'Alcmène sera aimée de Jupiter (en fait, elle l'a déjà été) ; Thèbes exulte ; un cortège se forme, conduit par les prêtres. Alcmène résiste à cette pression, comme Judith. Instruite par Mercure d'une élection qu'elle croit toujours future, elle est alors placée dans l'état d'esprit que connaît Judith au premier Acte : elle proteste qu'il y a erreur, se déclare insignifiante. Voici la protestation de Judith :

> JOACHIM. En effet, Judith, Dieu est ici.
> JUDITH. Eh bien ! j'ai grand peur qu'il ne se trompe de maison, cher Joachim.
> JOACHIM. Moins de façons. La prophétie a dit : la plus belle et la plus pure. Elle ne dit pas la plus modeste.
> JUDITH. Dit-elle la plus frivole, la plus coquette, la plus changeante ? Je suis tout cela aussi. Croyez-moi. Mes chevaux et mes robes abusent la foule. Il ne s'agit pas aujourd'hui de prix de beauté.
> ....
> JOACHIM. J'avoue que je ne m'attendais pas à te voir résister à la voix de Dieu.
> JUDITH. Je vous répète que ce n'est pas pour moi la voix de Dieu. Depuis que la ville me croit chargée de son salut, croyez-vous donc que je n'essaye pas de saisir un signe adressé par Dieu à moi-même ? Adressé à la grande et timide Judith, telle que je me vois, à la petite et fière Judith, telle qu'il doit me voir... Le plus faible m'aurait suffi.
> (Acte I, sc. IV.)

Et voici celle d'Alcmène :

> MERCURE. ... Préparez-vous ! (...) Vous souriez ?
> ALCMÈNE. On sourirait à moins.
> MERCURE. Et pourquoi ce sourire ?
> ALCMÈNE. Tout simplement parce qu'il y a erreur sur la personne, Mercure. Je suis Alcmène et Amphitryon est mon mari.
> MERCURE. Les maris sont très en dehors des lois fatales du monde.
> ALCMÈNE. Je suis la plus simple des Thébaines.

Je réussissais mal en classe, et j'ai d'ailleurs tout oublié. On me dit peu intelligente.

MERCURE. Ce n'est pas mon avis.

ALCMÈNE. Je vous fais observer qu'il ne s'agit pas en ce moment de vous, mais de Jupiter. Or, recevoir Jupiter, je n'en suis pas digne. Il ne m'a vue qu'illuminée de son éclat. Ma lumière à moi est infiniment plus faible.

MERCURE. Du ciel on voit votre corps éclairer la nuit grecque.

ALCMÈNE. Oui, j'ai des poudres, des onguents. Cela va encore, avec les épiloirs et les limes. Mais je ne sais ni écrire ni penser.

MERCURE. Je vois que vous parlez très suffisamment. D'ailleurs les poètes de la postérité se chargeront de votre conversation de cette nuit.

ALCMÈNE. Ils peuvent se charger aussi bien du reste.

(Acte II, sc. v.)

Nos superpositions de Judith et d'Alcmène ont porté, jusqu'ici, sur la partie II du tableau (couple édénique) et sur le début de la partie III (affirmation d'une foi humaine contre une pression sociale et religieuse). Nos coïncidences passent maintenant à la partie I, précisément parce que dans *Amphitryon,* comme nous l'avons noté, le bonheur initial et le bonheur édénique coïncident. Judith doit admettre deux fois l'intrusion des dieux : elle est avertie de son élection au premier Acte, puis possédée à son insu par Dieu entre les Actes II et III. Alcmène est possédée à son insu par Jupiter entre les Actes I et II, puis elle est instruite de son élection et de la nuit d'amour à venir dans l'Acte II. Il y a donc interversion des deux moments : nos coïncidences suivent simplement cette interversion.

Une nouvelle et curieuse correspondance apparaît alors. Judith sort de son entretien avec les prêtres convaincue de son élection, quelque horreur que lui cause la nuit d'amour ainsi annoncée. Alcmène sort aussi de son entretien avec Mercure convaincue de son élection pour le sacrifice. Mais l'idée de se dérober et de transférer à autrui ce rôle de victime persiste et se prolonge. Dans *Judith,* c'est Suzanne qui vient s'offrir pour remplacer l'héroïne ; dans *Amphitryon,* c'est Léda qui se présente et se laisse aisément convaincre de remplacer Alcmène. La substitution échoue dans les deux cas. Giraudoux en tire, dans *Amphitryon,* un épisode comique ; dans *Judith,* un épisode tragique, puisque Suzanne meurt en vain. L'épisode de Léda nous ramène d'ailleurs dans l'atmosphère de l'amère farce : la sensualité se double de mauvaise littérature et de prétention au bel esprit. Alcmène s'abuse comme Judith sur le personnage qu'elle a devant elle, et son mari (qu'elle prend pour Jupiter) l'embrasse avec aussi peu de ménagement que le faux Holopherne, Egon, en montre pour Judith. Dans les deux pièces, l'Acte II se termine de façon analogue : la porte une fois refermée sur les deux amants, une ironie flotte sur scène où demeure un seul personnage : Daria, la sourde-muette, ricanant « Ainsi soit-il ! » au monologue de la Juive qui vient de disparaître chez Holopherne ; l'Echo raillant Alcmène si satisfaite d'elle-même.

Avec le troisième Acte d'*Amphitryon,* nous revenons donc à la partie de notre tableau déjà effleurée dans l'Acte II : la pression des prêtres et du peuple pour faire triompher la vérité religieuse ; car la bonne foi humaine, représentée par Alcmène ou Judith, a bien été deux fois dupée. Judith cède à une révélation surnaturelle, ou à une hallucination, le garde ivre-mort devenant soudain un archange. Mais ce personnage reste ambigu : aussitôt rendormi, il parle à nouveau d'amour très humain, et Judith doit le faire mettre à mort avant de devenir vraiment Judith la Sainte. En fait, elle refoule et tue en elle-même la Judith naturelle et édénique, celle qui avait simplement aimé Holopherne — et c'est là que se trouve sa tragédie personnelle.

Amphitryon est une comédie : un heureux dénouement doit y assurer le triomphe du couple édénique (comme dans *Simon le Pathétique*). Des correspondances n'en continuent pas moins à apparaître. A la révélation de l'archange, il faut superposer l'arrivée de Jupiter, désormais sans déguisement. Alcmène se pose alors la même question que Judith : Me suis-je donnée volontairement à l'homme que j'aime, ou ai-je été violée à mon insu par la ruse et la force d'un dieu ? La seconde hypothèse équivaut, pour elle, à la mort (et le serment à la fin du premier Acte l'a bien marqué) ; le dénouement tragique serait d'accepter cette mort, et c'est ce que fait Judith. Le dénouement comique est de refouler la seconde hypothèse et sa tragédie, c'est-à-dire de les oublier et de faire comme si le viol n'avait pas eu lieu. Alcmène choisit cette solution, (comme Simon), après avoir frôlé la tragédie dans la scène des « adieux d'Alcmène et d'Amphitryon », puis dans son dialogue avec Jupiter. Alors que Jéhovah impose à l'héroïne juive le sacrifice de son amour humain, Jupiter, dieu païen, au nom de l'amitié, accorde l'oubli, l'effacement de la souffrance, l'anesthésie, précisément, du comique, ce « jeu sans mal ».

*
* *

Giraudoux nous affirme que son *Amphitryon* est le trente-huitième. Ce chiffre paraît plaisamment grossi. Nombreuses furent, pourtant, les comédies construites sur le thème de la vieille légende thébaine. La plus ancienne que nous connaissions reste celle de Plaute, dont il nous manque, d'ailleurs, un acte. En l'écrivant, Plaute a très probablement copié, à son ordinaire, un auteur grec de la comédie moyenne ou nouvelle. Mais les conjectures sur ce point sont restées vaines. Beaucoup plus importantes pour nous sont les études des mythologues, car elles risquent d'éclairer les profondeurs psychologiques de la légende. L'étude d'Otto Rank sur le double nous fournit à ce sujet des indications. Le problème du double se confond avec celui de l'Ombre ou de l'apparition dans le miroir. Dans l'histoire de la pensée magique, puis dans celle de la littérature universelle, ce thème joue un rôle immense. Avant de faire rire, l'identité de deux visages humains a paru aux hommes mystérieuse, chargée d'un sens magique, affectivement ambiguë, néfaste ou propice ou les deux à la fois. Littérairement, le thème du double indiscernable a donné lieu à

1. Otto Rank, *Don Juan. Une étude sur le double,* Denoël et Steele, Paris, 1932.

d'innombrables interprétations, amoureuses, mélancoliques, tragiques, funèbres, mystiques. L'interprétation comique paraît exiger l'effacement préalable de ces hantises.

L'*Amphitryon* de Plaute nous présente, naturellement, les aspects comiques de ce thème ; mais il est essentiel de reconnaître qu'ils constituent une parodie et qu'à l'origine, les « doubles » sont chargés d'une angoisse fascinante que l'on retrouve dans toutes les légendes et croyances folkloriques où ils apparaissent. Le romantisme a largement exploité cette impression mystérieuse. Restons-en, cependant, à la mythologie.

On y voit les jumeaux participer de cette fascination du double. Un tabou pèse sur eux. Primitivement néfastes, ils ont été longtemps mis à mort, avec leur mère, puis l'un d'eux fut épargné ; enfin l'un d'eux fut tenu pour divin, l'autre humain. C'est ainsi que, dans la légende thébaine, Alcmène donne le jour à Héraklès et Iphiclès, le premier étant fils de Jupiter, l'autre d'Amphitryon. Voici donc l'idée d'adultère associée à celle d'enfants jumeaux. Bien loin d'être fortuite, cette association semble profondément enracinée dans la pensée magique. On la retrouve au Moyen Age où la naissance de jumeaux était tenue pour une preuve d'adultère. Tout ce groupe d'idées — ombre, image dans le miroir, double naissance, adultère — présente un aspect néfaste, inquiétant. Mais sous l'effet de la même fascination, il peut acquérir un aspect divin ou héroïque. Ainsi, les Erinnyes deviennent Euménides, l'évolution se faisant dans le sens d'une maîtrise de l'angoisse. Ensuite seulement surgit la comédie, qui parodie le héros et les dieux et joue des angoisses latentes. Mais nous ne pouvons analyser ici plus longtemps ces phénomènes : il suffit à notre dessein d'avoir entrevu quelles profondeurs psychiques cache le thème d'*Amphitryon*.

Quel fut le destin du mythe d'Amphitryon dans la tradition comique ? Plaute, bien entendu, ne recueille qu'une légende entre cent autres, et déjà ridiculisée par les poètes comiques grecs. Il lui garde pourtant sa signification, son intégrité et son sens religieux. Car, dans le mythe, c'est la naissance d'Héraklès qui était le point important. Il faut remarquer, au passage, que, du groupe d'associations relevé plus haut, le thème des jumeaux s'est détaché, fournissant un sujet de comédie distinct en apparence : celui des *Ménechmes,* que Shakespeare et Tristan Bernard, entre autres, reprendront. Mais dans le sujet d'*Amphitryon,* nos trois éléments principaux — mystérieuse similitude des doubles, adultère, naissance des jumeaux — restent liés par le fil d'une fable. Plaute n'en distrait rien. En revanche, Molière négligera les jumeaux, réduisant la fable à la mésaventure d'Amphitryon. La similitude des doubles y conservera pourtant l'importance que leur avait accordée Plaute. Giraudoux en supprimera les trois quarts et, dans l'aventure conjugale, déplacera l'intérêt d'Amphitryon vers Alcmène. Déjà nous percevons le sens d'une telle évolution. Le sujet se laïcise. En rejetant dans l'ombre la naissance du héros, Molière ôte à la fable son sens religieux. En retranchant les jeux de miroir, l'ahurissement de Sosie, la confusion des « moi » dans le texte de Molière, des « egomet » et des « memet » dans celui de Plaute, en réduisant ces similitudes au minimum indispensable (la ressemblance du dieu et du mari), Giraudoux élimine de sa pièce le mystère dans sa transposition comique. Il ne reste que l'aventure conjugale, un adultère arraché par ruse, une infidélité non consentie à l'ordre et au bonheur humains. De l'angoisse initiale, analysée par Rank, des hantises ambiguës de l'âme primitive, nous avons passé, dans la légende thébaine, au mythe religieux ou héroïque, puis à sa parodie dans Plaute, puis à sa parodie laïcisée chez Molière, pour aboutir, avec Giraudoux, au refus de la fable et de la farce, et au désir d'être, tout uniment, laissé en paix. Voilà, à notre avis, l'évolution du mythe d'Amphitryon dans la tradition comique.

Considérons d'un peu plus près la comédie de Plaute [2]. Elle est celle qui excite le rire le plus franc, d'autres diront le plus gros. Nous ne savons rien de ses sources ; sur la technique et le style, la meilleure étude reste celle de B.-A. Taladoire. Mais, afin de poursuivre utilement notre compa-

---

2. B.A. Taladoire, *Essai sur le comique de Plaute,* Ed. de l'Imprimerie Nationale de Monaco, Monaco, 1956.

raison, c'est à la structure de l'œuvre et à sa signification psychique que nous devons nous arrêter. L'*Amphitryon* de Plaute offre la structure d'une farce, c'est-à-dire d'un vaste trait d'esprit tendancieux. Définissons empiriquement ce dernier. Soit une tendance, ordinairement très consciente, mais à qui la morale ou les usages refusent une expression ouverte : par exemple l'irrespect pour une personne respectable. Si, par quelque ambiguïté verbale, quelque non-sens ou lapsus apparent, l'inhibition se trouve levée et la tendance satisfaite brusquement, sans encourir une aussi prompte censure, il y a trait d'esprit tendancieux. La boutade sur les Académiciens : « Ils sont là quarante qui ont de l'esprit comme quatre » satisfait un irrespect agressif en faisant plus, d'ailleurs, que sauver les apparences par une fausse naïveté ; car la brusque dégradation arithmétique de quarante à quatre éblouit un instant, joue le rôle de leurre : quand l'interlocuteur découvre que l'absurdité avait un sens, le coup a été porté et il n'y a pas de riposte.

Dans la farce d'*Amphitryon,* la tendance interdite est le désir d'adultère de Jupiter. La fidélité d'Alcmène lui refuserait toute satisfaction. La parfaite ressemblance du dieu et du mari joue alors le rôle d'un jeu verbal : les mots sont remplacés par des personnages, mais nous avons toujours un quiproquo inhibant la censure. A la faveur de ce déguisement absolu, Jupiter possède Alcmène, Mercure bat Sosie. Le principe de plaisir, loi naturelle de la tendance qui ne cherche qu'à se satisfaire, triomphe, mais la tendance agressive est satisfaite du même coup : mari bafoué, valet battu. La perfection de la plaisanterie provient de la perfection du leurre : dieu et mari sont indiscernables. La victoire du bon plaisir en devient certaine et totale. Mais avec lui triomphent, non moins absolument, l'absurdité et l'insécurité. Le principe d'identité, fondement de toute logique, est détruit ; à quoi, dès lors, se fier si une femme aimante ne peut plus distinguer d'un autre le visage de l'être cher ? Sécurité, raison et sens du réel sont liés. Si Amphitryon, dans la structure de la comédie, représente le moi conscient, on comprend que l'angoisse et même une impression de démence l'envahissent. Mais la plaisanterie consiste précisément à le mettre dans cet état, puisqu'il ne représente pas moins la résistance qui s'opposerait à la satisfaction tendancieuse. Il ne suffit pas qu'Amphitryon soit cocufié pendant son absence, sa perte de maîtrise doit être rendue sensible ; car, dans le trait d'esprit tendancieux, l'énergie du rire provient de l'épargne d'inhibition : plus Amphitryon et Sosie perdent le contrôle des événements, plus la farce s'accuse.

Remarquons, pour terminer, que le thème de l'adultère en accord avec les convenances de l'époque, est traité avec discrétion. Alcmène, matrone romaine, reste épargnée par la plaisanterie. Plaute raille simplement, selon la tradition de la comédie antique, l'appétit amoureux que la jeune femme doit partager avec toute femme. Elle se plaint (Acte I, sc. III), du départ trop rapide de son mari (en l'occurrence Jupiter) : « De cette tendresse, j'aimerais mieux des preuves réelles que des protestations. Tu t'en vas avant même d'avoir échauffé complètement dans notre lit la place où tu t'es couché. Arrivé hier au milieu de la nuit, tu t'en vas déjà. Tu veux que je sois contente ? » Et plus loin (Acte II, sc. II), ses réflexions de femme délaissée : « Las ! dans la vie, dans le temps qu'on passe sur terre, les plaisirs sont-ils assez peu de chose en comparaison des chagrins ! Tel est le lot de chacun dans l'existence, telle est la volonté des dieux : tout plaisir s'accompagne de peine, et si quelque bonheur vous échoit, aussitôt survient un lot plus grand de douleur et de malheur. (...) j'ai eu un peu de bonheur, durant le peu de temps qu'il m'a été permis de voir mon mari, une nuit seulement ! Et le voilà qui me quitte brusquement, sans même attendre le jour. Je me figure être seule au monde, en l'absence de celui qui m'est cher entre tous. Son départ me cause plus de peine que son arrivée ne m'a donné de joie... »

***

En abordant l'*Amphitryon* de Molière, nous allons retrouver tous les mécanismes du trait d'esprit tendancieux : même bon plaisir, même résistance vaincue, et par le même artifice. Un examen plus minutieux permet de discerner les différences. La pièce de Molière reste une farce, mais sa structure combine, cette fois, deux triangles : Amphitryon — Alcmène — Jupiter et Sosie — Cléanthis — Mercure. Le valet double traditionnellement le maître, et comme les deux maîtres sont indiscernables, ainsi que les deux valets (Mercure tenant ce rôle auprès de Jupiter), il en résulte un jeu fantastique d'ombres et de miroirs. Plaute — l'avait-il inventé ou non ? — l'utilisait déjà. Ce que Molière ajoute à l'architecture de l'œuvre, c'est le personnage de Cléanthis et, par suite, le second triangle. Deux modifications apparaissent aussitôt : la première concerne l'obsession de l'adultère, nettement accusée chez Molière. Le thème est devenu insistant dans les deux triangles. Derrière le discours galant de Jupiter, on en perçoit le progrès :

> En moi, belle et charmante Alcmène,
> Vous voyez un mari, vous voyez un amant ;
> Mais l'amant seul me touche, à parler franchement,
> Et je sens, près de vous, que le mari le gêne,
> Cet amant, de vos vœux jaloux au dernier point,
> Souhaite qu'à lui seul votre amour s'abandonne ;
> Et sa passion ne veut point
> De ce que le mari lui donne.
> Il veut de pure source obtenir vos ardeurs,
> Et ne veut rien tenir des nœuds de l'hyménée,
> Rien d'un fâcheux devoir qui fait agir les cœurs,
> Et par qui, tous les jours, des plus chères faveurs
> La douceur est empoisonnée.
> Dans le scrupule enfin dont il est combattu,
> Il veut, pour satisfaire à sa délicatesse,
> Que vous le sépariez d'avec ce qui le blesse,
> Que le mari ne soit que pour votre vertu,
> Et que de votre cœur, de bonté revêtu,
> L'amant ait tout l'amour et toute la tendresse.
>
> (Acte I, sc. III.)

Sosie, témoin de la cruelle position de son maître, craint à son tour :

> C'est ici pour mon maître un coup assez touchant,
> Et son aventure est cruelle.

Je crains fort pour mon fait quelque chose approchant,
Et je m'en veux, tout doux, éclaircir avec elle.

....

La chose quelquefois est fâcheuse à connaître,
Et je tremble à la demander.
Ne vaudrait-il point mieux, pour ne rien hasarder,
Ignorer ce qu'il en peut être ?
Allons, tout coup vaille, il faut voir,
Et je ne m'en saurais défendre.
La faiblesse humaine est d'avoir
Des curiosités d'apprendre
Ce qu'on ne voudrait pas savoir.

(Acte II, sc. III.)

Personne, à la fin de la pièce, ne s'abuse sur « l'honneur » que fit Jupiter à la famille d'Amphitryon, pas plus que sur la nature de la « pilule » si bien dorée.

La seconde modification concerne plus particulièrement l'introduction du triangle des valets. La transposition du triangle supérieur à l'inférieur nous fait glisser du plan amoureux et même courtois à un niveau psychique d'où l'amour a pratiquement disparu, où la jalousie fait place à l'inquiétude narcissique — le niveau, en fait, d'Harpagon, du Bourgeois gentilhomme et du Malade imaginaire. Dans l'évolution du théâtre de Molière, la comédie d'*Amphitryon* occupe ainsi une place singulière et forme charnière. Elle annonce le cycle des dernières œuvres, celui des bouffonneries narcissiques, et clôt, avec *George Dandin,* le cycle de la séduction perverse, inauguré avec *Tartuffe.* Jupiter porte, en effet, à leur point d'extrême perfection les procédés de séduction et l'imposture de Tartuffe et de Don Juan. Il ne revêt plus le manteau de la religion : il *est* Dieu ; il n'abuse pas de sa qualité : il *est* maître des hommes. S'il se couvre pourtant encore d'un masque, la fraude est absolue, l'hypocrisie inégalable : elle s'appelle métamorphose. Aussi la farce que Jupiter joue à Amphitryon apparaît-elle comme l'archétype olympien des farces antérieures. Le cocuage y devient si fatal que même la fidélité de l'épouse n'y peut plus mettre obstacle.

De cette double modification, la première a une origine

collective. Le motif du cocuage dans la farce médiévale, gauloise, italienne, espagnole puis française est un lieu commun du théâtre comique dont on peut suivre l'évolution. En introduisant le thème de l'adultère humain dans sa comédie, Molière suivait une évolution du genre. Mais l'introduction, en contre-point, d'un second triangle d'un niveau psychique plus infantile ne doit rien qu'à l'évolution du génie comique de Molière lui-même : cette modification est inscrite dans la courbe de sa création personnelle.

La comédie de Molière porte donc à sa perfection celle de Plaute, compte tenu de cinq siècles de farce gauloise, italienne et espagnole (car le thème de l'adultère humain est exclu de la grande comédie antique). Mais la structure générale de la farce, c'est-à-dire du trait d'esprit tendancieux, n'en a pas été modifiée, au contraire. Nous retrouvons donc, dans le comique de Molière, les mécanismes psychiques du comique de Plaute. A cette constatation, il faut pourtant ajouter une remarque qui nous conduira de Molière à Giraudoux.

A partir de *Tartuffe,* la séduction, dans les comédies de Molière, devient en général une plaisanterie risquée. Sa perversité, c'est-à-dire son indifférence à toute considération morale, révolte, à l'intérieur même de la comédie, un petit groupe de personnages qui incarnent une conscience moyenne. Avant *Tartuffe,* par exemple dans l'*Ecole des Femmes* ou l'*Ecole des Maris,* cette conscience moyenne approuve la farce que la jeune fille et le blondin jouent au barbon. Une morale accommodante et surtout indulgente à la jeunesse se veut d'accord avec le rire. Mais, à partir de *Tartuffe,* l'immoralité de la séduction éclate. La farce et son rire gardent pourtant la même orientation. Nous rions d'Orgon et non de Tartuffe ; de Sganarelle et non de Don Juan ; d'Amphitryon et non de Jupiter ; de George Dandin et non de Clitandre. Le personnage ridiculisé demeure la victime de la farce, très comparable aux divers Sganarelle et à l'Arnolphe du premier cycle. Mais la femme séduite est elle-même victime, tandis que le séducteur se couvre d'un masque et devient objet de satire, mais objet redouté et redoutable, fascinant. Un malaise moral complique la farce. Or, si l'on passe de *Tartuffe* et *Don Juan* à *Amphi-*

tryon et *George Dandin,* on s'avise que le rire de la farce triomphe, en fait, du malaise moral. Si Tartuffe et Don Juan sont du moins punis au cinquième Acte, par accident d'ailleurs ou par miracle, l'adultère triomphe dans *Amphitryon* et *George Dandin,* où la parfaite innocence des victimes ne les empêche pas de rester bafouées. Si risquée qu'elle soit, la plaisanterie l'emporte.

Du même coup, l'esprit de la farce l'emporte sur celui de la comédie précieuse et galante. En vain, Jupiter joue-t-il les « mourants », comme le souligne Daniel Mornet. Il a possédé Alcmène sans son consentement. Elle ne l'aime pas. La résistance morale dont nous parlions tout à l'heure s'alliait au moins avec ce sens de la liberté féminine dont la préciosité fut une autre manifestation. L'antiquité ignorait un tel problème ; il naît avec l'évolution des mœurs et sous l'influence de la doctrine courtoise. En reprenant, pour son *Amphitryon,* la structure de Plaute, Molière obéit aux exigences du rire, mais semble ignorer le changement des esprits. Il s'adresse, en chaque spectateur, à un système déjà archaïque d'idées et de sentiments. Cette victoire désinvolte choque non seulement la morale, mais le droit de la femme à disposer d'elle-même, et l'amour du jeune couple. Séduction perverse et jalousie troublent également la quiétude de la femme. D'où une différence très sensible entre l'Alcmène de Plaute et celle de Molière : l'une ne veut que le mari, l'autre veut confondre le mari et l'amant :

JUPITER

A vous en faire un aveu véritable,
L'époux, Alcmène, a commis tout le mal ;
C'est l'époux qu'il vous faut regarder en coupable ;
L'amant n'a point de part à ce transport brutal...

. . . .

ALCMÈNE

Je ne distingue rien en celui qui m'offense,
Tout y devient l'objet de mon courroux :
Et dans sa juste violence
Sont confondus et l'amant et l'époux.
Tous deux de même sorte occupent ma pensée.

. . . .

Tous deux sont criminels, tous deux m'ont offensée,
Et tous deux me sont odieux.

(Acte II, sc. VI.)

*
* *

Dans *Amphitryon 38,* le sentiment d'Alcmène est celui d'une femme moderne, maîtresse d'elle-même. Aux yeux de cette épouse, confortablement installée dans son bonheur, l'exigence de Jupiter apparaît comme un gros ennui, tant qu'elle garde l'espoir de se dérober, puis une catastrophe quand elle juge sa soumission inévitable. De toute sa ruse, au moins, elle lutte précisément contre cette tyrannie archaïque qui fait intrusion, brusquement, dans sa vie personnelle. Cette nouvelle situation dramatique a deux ordres de conséquences : elle change la technique de la pièce, puis sa signification.

Voyons d'abord la technique. L'esprit de la farce recule devant le sentiment moral. Si nous nous référons à la courbe suivie par Molière nous regressons vers le *Tartuffe,* mais un *Tartuffe* où Elmire et Orgon seraient encore de jeunes amoureux et l'imposteur, un maître-chanteur tout-puissant. Le *Tartuffe* frôle déjà la tragédie. L'*Amphitryon* de Giraudoux s'en approche plus encore et c'est pourquoi nous pouvons si aisément passer de la révolte d'Alcmène à celle de Judith. La farce est donc exclue, et singulièrement la farce servile. L'élément religieux a déjà été supprimé par Molière. Ainsi, rien ne demeure des jumeaux de la légende, ni des sosies de Plaute et de Molière. Le jeu des miroirs et des ombres est réduit au minimum. De cette vieille sorcellerie, un malaise pourtant demeure : le sentiment que le magique, l'inquiétant, le redoutable pourrait bien resurgir, brutalement. La sécurité n'est pas totale, l'angoisse persiste : on peut toujours, semble-t-il, être trompé ou se tromper. Déjà dans ses premières œuvres — *la Pharmacienne,* les *Contes* pour *le Matin* — Giraudoux apparaît hanté par l'obsession de l'erreur fatale, de la myopie ou de la duplicité. Si donc, de la légende ou de la farce, il supprime à la fois le mystère et le rire, il conserve l'angoisse du double, la fascination de la similitude, le quiproquo, enfin, source de farce, mais d'amère farce, parce qu'une fois perçue sa fausseté, on peut douter de tout, et d'abord de soi. Le quiproquo est donc conservé, et l'adultère qu'il autorise. Mais tous deux ont changé de signe affectif. Plaisant dans cette farce à laquelle Molière veut rester fidèle, l'adultère obligé devient, chez Giraudoux, une blessure humiliante : le quiproquo, logiquement, n'éveille plus le rire, mais inquiète le bonheur.

Les modifications techniques sont ainsi liées à un changement de signification. Si le prologue de Molière prend, dans *Amphitryon 38* l'ampleur d'un acte, c'est que l'honnête contrat de mariage du XVIIe siècle est remplacé, en 1930, par un mariage d'amour dont la qualité et la force doivent être rendues sensibles. Toute la farce de Molière se déroule hors de la maison : nous devons y rire sans cesse du mari trompé et rendu furieux, presque dément, par cette porte qu'on lui ferme au nez. En revanche, l'Alcmène de Giraudoux, maîtresse chez elle, nous sera présentée dans une maison où son époux aura toujours accès. Mais il faut dépasser ce facile symbolisme : nous l'avons noté ici pour montrer qu'il est possible de descendre dans le détail même technique des pièces. Si Alcmène représente, en effet, psychiquement, un moi conscient volontaire, jouissant d'un bonheur humain, quel est le sens de Jupiter ? Il ne peut guère représenter qu'un désir interdit, une pulsion inconsciente dont l'intrusion déguisée dans la paix de la conscience y éveille soudain l'angoisse. Nous retrouvons le mécanisme du trait d'esprit tendancieux et de la plaisanterie risquée : la tendance interdite cherche à se satisfaire à la faveur d'un quiproquo. Mais la personnalité juge cette farce de mauvais goût. Judith, jouet de Jéhovah et possédée par des archanges qui ont pris l'apparence d'Holopherne, ne trouvait pas moins amère la mésaventure où elle avait été ainsi entraînée. On voit par là combien nous étions justifié, dans nos superpositions, de faire coïncider Alcmène et Judith, Amphitryon et Holopherne, Jupiter et Jéhovah. Cet intrus divin que repousse l'héroïne semble représenter tout un groupe complexe de désirs, de peurs et d'images angoissantes.

Nous conclurons ce bref examen en remarquant que Giraudoux a conservé le schéma du trait d'esprit tendancieux, mais qu'un déplacement de forces tend à le transformer en humour. L'analogie Judith-Alcmène est confirmée, d'où résulte l'analogie Holopherne-Amphitryon, et Jupiter-Jéhovah. Nous suivons deux fois l'aventure d'une héroïne trompée par un quiproquo. La première solution, offerte à Judith, réside dans une soumission silencieuse ; la seconde, pleine de mansuétude, offre à Alcmène l'oubli total. De toute façon, nous reconnaissons maintenant la « tendance » : c'est un complexe angoissant de désirs et de peurs qui demande expression.

Chapitre IV

INTERMEZZO

Les premières œuvres théâtrales de Giraudoux se classent chronologiquement dans l'ordre suivant : *Siegfried*, 1928 — *Amphitryon*, 1929 — *Judith*, 1931 — *Intermezzo*, 1933. Notre étude n'a pas respecté cet ordre. Du point de vue psychologique, et par superposition à un contexte d'œuvres romanesques, il était plus fructueux de rechercher le mythe sous sa forme tragique dans *Judith*, puis sous sa forme comique dans *Amphitryon*. Or les connaissances ainsi acquises trouvent, dans l'analyse d'*Intermezzo*, une application immédiate : c'est pourquoi nous réserverons encore *Siegfried*. Après l'échec de *Judith*, Giraudoux mit sur le métier une nouvelle tragédie — *Brutus* — qu'il n'acheva jamais, la délaissant pour *Intermezzo*, qui se présente ainsi comme un divertissement entre deux œuvres majeures. Son genre est celui d'une fantaisie légère, souriante, frôlant parfois la farce, mais ombrée de tragique.

Une jeune fille, Isabelle, en occupe le centre et Giraudoux s'est certainement souvenu de Musset et de Heine, peut-être encore de Watteau, dans une transposition toute moderne et personnelle. Cela donne un second sens au titre d'*Intermezzo*. Il s'agit d'un intermède romantique. Mais Giraudoux l'a voulu français. Voilà le cadre dans lequel je placerai d'abord la fable de la pièce.

Situation initiale : la paix d'une petite ville a été troublée par un spectre. Cette hantise offre deux aspects. Le premier est funeste : un jeune châtelain, surprenant sa femme avec un amant, les a tués, puis s'est probablement noyé dans un étang : on soupçonne le spectre d'être celui de l'assassin. Son errance, en revanche, a mis le bourg dans un état de délire poétique ; les conventions ne sont plus respectées ; chacun s'avoue tel qu'il est. L'Acte I s'ouvre sur l'enquête qu'a provoquée ce scandale. Une commission a été nommée : maire, inspecteur d'Académie, droguiste, contrôleur des poids et mesures. Il apparaît bientôt qu'un lien secret s'est noué entre le spectre et Isabelle, la jeune institutrice. Voltairien, l'Inspecteur ne croit pas aux revenants. L'assassin, pense-t-il, ne s'est pas suicidé et veut séduire la jeune fille. Il annonce à l'Acte II sa décision de faire abattre ce meurtrier devenu séducteur, et transforme en piège policier un rendez-vous amoureux. Le Contrôleur tente d'abord de raisonner tendrement Isabelle et de l'arracher à son rêve romantique. Il échoue. Le spectre est donc abattu. Mais du cadavre, un second spectre ressuscite, qui donne rendez-vous à Isabelle dans sa chambre. Il y rencontre, au troisième Acte, le Contrôleur en redingote et gants beurre frais, qui fait sa demande en mariage. Le lyrisme du fonctionnaire triomphe du vertige de l'ombre. Isabelle s'évanouit dans les bras du spectre et se réveille dans ceux du Contrôleur, devant la commission d'enquête et les habitants rassemblés. Ainsi s'achève l'intermède.

Cette esquisse suffit à une première analyse du jeu des forces. Avant de s'arrêter au dénouement, qui en marque l'équilibre, tout le système oscille selon les inclinations d'Isabelle. Sa jeune ardeur, son héroïsme, l'exaltation d'une mission secrète — rétablir par l'amour un lien entre morts et vivants — la font d'abord se jeter vers le spectre avec la passion frémissante et pure d'un grand rêve d'adolescente ; cet élan, créateur du « délire poétique », entraîne notre sympathie et celle, nuancée, de la commission d'enquête. Seul, l'Inspecteur s'indigne et il est bafoué. Mais déjà l'Acte II hésite : car si l'élan passionné d'Isabelle s'y accuse encore, les faits donnent un bref instant raison au ridicule Inspecteur et surtout, plus fort que les faits, l'amour du Contrôleur pèse soudain du côté de la vie. Le reflux ainsi amorcé jusque dans l'esprit d'Isabelle va triompher dans l'Acte III. Entre l'exaltation d'une mission héroïque et le plaisant confort d'un mariage d'amour, Isabelle laisse du moins les vivants d'alentour choisir pour elle. L'union de l'héroïne et du héros marque le point d'équilibre stable.

Le dynamisme du système obéit donc à un schéma très simple : une force entraîne Isabelle vers le spectre, c'est-à-dire vers la mort et un dénouement de tragédie ; une force de sens opposé la retient et finalement la ramène du côté de la vie vers un dénouement comique.

(Bourreaux)	L'INSPECTEUR		
			Le Maire Le droguiste
(Petites filles)	ISABELLE	LE CONTROLEUR	
(Morts)	LE SPECTRE		

Recherchons maintenant une interprétation en consultant, plutôt que notre sentiment personnel, d'autres textes de Giraudoux. Il est aisé d'abord de retrouver, dans le schéma esquissé ci-dessus, une sorte d'illustration des réflexions critiques de l'auteur à cette époque. *Intermezzo* nous définit en riant ce nouveau romantisme français dont Giraudoux voulut être le chef. Isabelle traverse une crise romantique que son âge et son imagination expliquent assez ; elle incline pourtant un peu trop à vivre son rêve, comme le fait une âme germanique ; mais, Française et provinciale, elle retrouve sa santé dans la comédie quotidienne. Bellac l'arrache à la tragédie. Voilà une interprétation des plus valables. Je ne l'utiliserai que de façon secondaire, parce qu'elle est totalement consciente et, de ce fait, unilatérale, comme on le verra par la suite. Nous devons rechercher une interprétation un peu plus profonde et, pour cela, nous référer plutôt aux œuvres d'imagination qu'aux textes critiques. Aux environs de 1930, dans l'imagination de Giraudoux, c'est Judith qui représente l'inclination tragique, et Alcmène la résistance à cette inclination. Puisque les deux forces luttent dans *Intermezzo,* examinons si Isabelle ne ressemble pas d'abord à Judith pour se rapprocher ensuite d'Alcmène.

On peut se demander si la coïncidence initiale des deux jeunes filles — Judith et Isabelle — n'est pas rendue impossible par le fait que la première semble céder à une contrainte et la seconde à une impulsion. Mais il faut se souvenir de ce que dit Judith quand elle accuse Dieu de lui avoir volé son idée. Spontanément, elle avait déjà rêvé de sauver son peuple en s'offrant en sacrifice au monstre ; son projet n'était pas de tuer Holopherne, mais d'obtenir son amitié et la réconciliation des peuples hostiles ; ainsi s'explique son attitude orgueilleusement sincère, dès son arrivée au camp d'Holopherne. De même, Isabelle rêve de sauver, en les réconciliant dans le don de soi, à la fois les morts et les vivants. Comme Judith, mais aussi comme Edmée (*Choix des Elues*) ou Maléna (*Combat avec l'Ange*), elle s'est sentie personnellement élue, désignée, recherchée. Elle note ainsi sur son agenda :

> Je suis certaine que ce spectre a compris que je crois en lui, que je peux l'aider. Comment peut-on ne pas croire aux spectres ? Il me cherche, car on signale son passage partout où j'ai mené mes fillettes en promenade. Près de quelque bois, à la chute du jour, il va sûrement m'apparaître et quels conseils ne va-t-il pas me donner pour rendre la ville enfin parfaite. Je suis sûre que c'est pour demain.
>
> (Acte I, sc. v.)

ce qui correspond à la proclamation de Judith :

> Car je vais te paraître orgueilleuse, Daria, on ne peut dire cela qu'aux sourds, mais c'est à moi que Dieu en a, et non à Holopherne, et non aux Juifs. Sous les cataclysmes qui soulèvent les races et les hommes par millions, il dissimule son obstination à poursuivre un seul être et à mener un pauvre gibier à merci. Tu m'entends, Daria, infecte sourde ? Il n'y a pas d'histoire des peuples. Il n'y a que des histoires de chasses

> faites par lui à quelques pauvres hommes à demi intelligents et à quelques femmes à demi belles.
>
> (Acte II, sc. VIII.)

Troisième point — après le rêve du sacrifice pour une réconciliation et le sentiment d'élection personnelle, Isabelle propose au spectre de former un couple qui sera le messie des morts. Du même coup, elle a le sentiment qu'elle rendra sa petite ville « parfaite ». Toutes ces héroïnes de Giraudoux font ainsi un rêve messianique, recouvrant une infidélité. Par là, elles s'engagent dans un destin tragique ; en cherchant d'abord à vivre leur rêve, elles s'exposent à une passion, dans le double sens amoureux et religieux du terme.

A cet appel vers « autre chose », à l'entraînement de cette hantise, une résistance s'oppose, une défense du bonheur personnel — goût du confort sans angoisse, de la paix chez soi, de l'épicurisme — qu'Alcmène, précisément représentait. C'est la résistance du moi conscient, soucieux surtout de sa sécurité, à une angoisse. Ce mouvement de prudente retraite qui, dans *Intermezzo,* détache Isabelle de sa funeste idylle romantique pour la ramener au bonheur d'un paisible mariage provincial, ce reflux a-t-il le même sens ?

Alcmène ne paraît défendre que son bonheur et son honneur propres. Mais on voit aisément qu'elle défend un certain idéal de vie et de comportement qui est, selon Giraudoux, celui de la France provinciale. L'attitude d'Alcmène envers le surnaturel, son refus du rêve, son attachement à un bonheur privé dépourvu de tragédie se retrouvent à Bellac :

> La tragédie suppose l'existence d'une horreur en soi, d'une menace immanente, d'une stratosphère surpeuplée. La France suppose au-dessus d'elle une couche d'air agréable à respirer et dont la densité va s'atténuant avec les progrès de l'altitude.
>
> ....
>
> ... en France comme en Grèce, ce n'est ni le malheur ni la fatalité qui poussent l'individu ou la foule à goûter le spectacle tragique. C'est, au contraire, la pléni-

> tude d'esprit et l'aisance de la vie (...) Ni le grec ni le français ne vont au spectacle tragique pour en tirer un profit moral ou pour y voir le reflet de leur propre existence. Alors que le spectateur allemand, selon la pièce que l'on joue, se sent Werther ou Siegfried, jamais le Parisien ou l'Athénien ne se sont identifiés avec Œdipe ou avec Britannicus [1].

Le ciel libre correspond à l'impiété d'Alcmène et d'Holopherne. Le refus de vivre le rêve tragique, attitude française opposée à l'allemande, se retrouve dans *Intermezzo :*

> L'INSPECTEUR. (...) Et qu'avez-vous rêvé, cette nuit, mon cher Maire ?
>
> LE MAIRE. Ce que j'ai rêvé, pourquoi ?
>
> L'INSPECTEUR. Si l'atmosphère de la ville est à ce point purifiée, ses habitants doivent jouir des rêves les plus normaux de France. Vous rappelez-vous ce que vous avez rêvé ?
>
> LE MAIRE. Certes ! Je me débattais contre deux hannetons géants qui, pour m'échapper, devinrent en fin de compte mes deux pieds. C'était gênant. Ils rongeaient le gazon et rien de plus difficile que d'avancer avec des pieds qui broutent. Puis, ils se changèrent en mille pattes, et alors, tout alla bien, trop bien !
>
> L'INSPECTEUR. Et vous, cher Contrôleur ?
>
> LE CONTRÔLEUR. C'est assez délicat à vous dire.
>
> L'INSPECTEUR. Vous êtes en service commandé.
>
> LE CONTRÔLEUR. J'aimais avec délire une femme qui sautait en redingote à travers un cerceau, le sein droit dévoilé, et cette femme, c'était vous.
>
> L'INSPECTEUR. Ainsi, messieurs, voilà le rêve flatteur pour moi j'en conviens, que vous appelez un rêve français normal. Et si vous le multipliez par quarante-deux millions, vous prétendez que ce résidu nocturne est digne du peuple le plus sensé et le plus pratique de l'univers ?
>
> LE CONTRÔLEUR. Par rapport au résidu des soixan-

1. *Bellac et la Tragédie,* in *Littérature,* pp. 292, 298, 299.

te-quatre millions de rêves allemands, c'est assez probable.

LE DROGUISTE. En somme, Monsieur l'Inspecteur, vous commencez à être impressionné par ce surnaturel ?

L'INSPECTEUR. J'en arrive à vous, Droguiste. (...) J'ai l'impression que vous n'êtes pas étranger à ces mystifications continuelles qui pouvaient avoir jadis leur sel dans quelque résidence de Thuringe, mais qui font tourner le cœur du citoyen éclairé.

(Acte II, sc. II.)

Isabelle, mariée au Contrôleur, deviendra une épicurienne, interdisant à la tragédie toute intrusion dans son bonheur. Le même précisément que celui d'Alcmène.

Si nous superposons Isabelle et Alcmène, le Contrôleur viendra se placer sur Amphitryon, le spectre sur Jupiter, compte tenu, naturellement, à la fois des transpositions et des différences réelles. Notre analyse d'*Amphitryon 38* nous avait conduit à voir dans Jupiter une tentation inconsciente d'Alcmène, tentation importune, néfaste, refusée, mais assez insistante pour que se forme au moins un compromis. Nous avons cité le passage où Jupiter, pour la réussite de son projet, compte sur l'infidélité des femmes fidèles, qui trompent leur mari avec tous les objets de l'univers, sauf avec les hommes. Et Alcmène, en effet, après s'être laissé séduire « par erreur », c'est-à-dire inconsciemment, propose à Jupiter, avec l'oubli de ce rêve, une amitié qui est une formation de compromis. Or c'est bien cette liberté d'imagination dans l'amitié qu'Isabelle exige d'un futur époux, dans la trouble indécision du second Acte. Comme Alcmène réconcilie Jupiter et Amphitryon, Isabelle veut concilier le spectre et le Contrôleur.

ISABELLE. (...) je prendrai seulement un mari qui ne m'interdise pas d'aimer à la fois la vie et la mort.

LE CONTRÔLEUR. La vie et la mort, cela peut encore aller, mais un vivant et un mort, c'est beaucoup, car si je comprends bien, vous continueriez à recevoir le spectre ?

ISABELLE. Sans aucun doute, j'ai la chance d'avoir

des amis dans d'autres domaines que la terre, j'entends en profiter.

LE CONTRÔLEUR. Et vous ne craignez pas que les événements de votre vie commune en soient amoindris ou gênés ?

ISABELLE. En quoi ? En quoi le fait pour un mari de trouver en revenant de la chasse ou de la pêche une femme qui croit à la vie suprême, de fermer le soir, après une réunion politique, les volets sur une femme qui croit à l'autre lumière peut-il l'humilier ou l'amoindrir ? Cette heure vide de la journée que les autres épouses donnent à des visiteurs autrement dangereux, à leurs souvenirs, à leurs espoirs, au spectre de leur propre vie, à leur amant aussi, pourquoi ne serait-elle pas l'heure d'une amitié invisible ?

LE CONTRÔLEUR. Parce que votre mari pourrait ne rien vouloir admettre entre vous et lui, même d'invisible et d'impalpable.

ISABELLE. Il y a déjà tant de choses impalpables entre deux époux. Une de plus ou de moins.

LE CONTRÔLEUR. Entre deux époux ?

ISABELLE. Quand ce ne serait que leurs rêves...

(Acte II, sc. III.)

Ainsi se marque, dans l'âme même d'Isabelle, l'ambiguïté qui caractérise l'Acte II. L'action brutale de l'Inspecteur, mais surtout l'amour déclaré du Contrôleur détruisent cet équilibre instable. La jeune femme du troisième Acte a peur du spectre. Son exaltation héroïque, son messianisme l'abandonnent ; elle cesse donc de ressembler à Judith, ou plutôt à la première Judith, la vierge ivre de sa mission qui traversait le champ des morts. Le rendez-vous transformé en guet-apens a peut-être joué, dans l'Acte II, le rôle de l'amère farce. En tout cas, la Judith romantique est morte en Isabelle. Une Alcmène naissante prend sa place. C'est elle qui, après une ultime hésitation, renonçant à son plus vieux rêve, s'éveille au dénouement dans les bras du Contrôleur. Le spectre a disparu ; la tragédie s'est dissipée ; tentation et mort ont été exorcisées. Reste le bonheur des deux époux.

*
* *

Ainsi, dans cette fable d'*Intermezzo,* qui nous ramène du romantisme allemand à Bellac, de la tragédie à la comédie, de Judith à Alcmène, le jeu de forces s'arrête à un point d'équilibre stable, ou supposé stable. Nous le connaissons bien : c'est celui de l'Ile heureuse, du couple heureux sous la tente d'Holopherne, celui du Paradis terrestre. Sans parler des romans comme *Simon le Pathétique, Combat avec l'Ange* et *Choix des Elues,* nous avons déjà repéré, dans le théâtre, trois images superposables de cet Eden. Réduit à une nuit d'amour dans la tragédie de *Judith,* il occupe pourtant le centre de la pièce. Dans *Amphitryon 38,* il constitue le point de départ, l'état initial qui se reforme au dénouement, après effacement du trouble. Dans *Intermezzo,* il est, au contraire, le point d'arrivée. Nous allons certainement le retrouver dans *La Guerre de Troie n'aura pas lieu,* où le couple Hector-Andromaque rappelle, à tant d'égards, celui d'Alcmène-Amphitryon. Les pièces suivantes — *Electre, Ondine, Sodome et Gomorrhe, Pour Lucrèce* — nous feront surtout assister à sa désintégration. Le moment semble donc venu de rechercher, avec un peu plus de détail, la signification psychique de cet Eden — ce qui le détruit, ce qui en est exclu — sans abandonner pour cela notre analyse d'*Intermezzo.* Commençons par la souillure et l'agressivité.

Le bonheur de l'Ile heureuse est, apparemment, au plus haut degré, celui du couple. S'agit-il d'une satisfaction sensuelle, d'un désir amoureux comblé ? Giraudoux n'est certainement pas prude, mais nous aurions tort d'accorder ici trop d'importance au simple plaisir d'amour. Stéphy et Jérôme, par exemple, se détachent l'un de l'autre aussitôt après leurs noces. Judith tue Holopherne à l'aube, persuadée que le déclin de leur union est désormais inévitable : déjà le premier sommeil de l'amant représente à l'amante l'oubli, l'abandon, la déchéance quotidienne. Aucune idée n'est plus familière à Giraudoux. L'union de Fontranges et d'Eglantine demeure symbolique. Les vrais contacts amoureux fascinent l'écrivain et le choquent par leur animalité. A travers des effets très calculés de pudeur et d'inconvenance, l'érotisme de Giraudoux reste assez froid et son couple typique paradoxalement virginal. C'est qu'une sorte d'innocence psychique doit garantir la corporelle. Toute idée de faute, tout sentiment de culpabilité doit être exclu pour que le bonheur amoureux persiste, et cela ne va pas sans une perpétuelle purification par l'aurore, l'eau, la jeunesse, la sincérité de l'âme, la netteté de l'esprit, l'excellence des manières. Rien de plus contrôlé, purifié, civilisé que ce Paradis terrestre. On s'avise même bientôt que le malheur, la pauvreté, la maladie y choqueraient comme des taches. Pas d'adultère, donc, parce que, comme le dit Alcmène, « il est mal élevé de tromper son mari », pas de spectre non plus ou de compassion trouble. Mensonge, impureté, misère, mort doivent être pourchassés ensemble. Pourquoi ? De ces hantises intolérables, les unes représentent des fautes, (et singulièrement des fautes contre la propreté, des souillures), tandis que les autres sont tenues pour des châtiments.

Considérons de ce point de vue la fable d'*Intermezzo*. Le spectre n'y figure pas seulement une hantise funèbre ; il évoque un complexe tragique, inutile en apparence, une histoire d'adultère, de jalousie et de suicide. Isabelle est allée rôder au bord de ce marais tragique un peu plus qu'il ne convenait à une jeune fille de Bellac. Sa piété pour ces morts souillés, son désir de s'abandonner à eux, son projet de les mettre en contact avec le monde honnête et décent des vivants ne sauraient se concilier avec le bonheur édénique. Le bonheur d'Alcmène est bien menacé par un groupe analogue de dangers associés. L'adultère y représente la faute, mais la contrainte et la soumission obligée à cette sorte de violence ajoutent le malheur à la souillure. Rappelons la définition qu'Alcmène donne de son bonheur :

> JUPITER. Te voilà impie, maintenant ?
>
> ALCMÈNE. Je le suis parfois plus encore, car je me réjouis qu'il n'y ait pas dans l'Olympe un dieu de l'amour conjugal. Je me réjouis d'être une créature que les dieux n'ont pas prévue... Au-dessus de cette joie, je ne sens pas un dieu qui plane, mais un ciel libre. Si donc tu es un amant, j'en suis désolée, mais va-t-en. Tu as l'air beau et bien fait pourtant, ta voix

est douce. Que j'aimerais cette voix si c'était l'appel de la fidélité et non celui du désir ! Que j'aimerais m'étendre en ces bras, s'ils n'étaient pas un piège qui se refermera brutalement sur une proie ! Ta bouche aussi me semble fraîche et ardente. Mais elle ne me convaincra pas. Je n'ouvrirai pas ma porte à un amant. Qui es-tu ?

JUPITER. Pourquoi ne veux-tu pas d'amant ?

ALCMÈNE. Parce que l'amant est toujours plus près de l'amour que de l'aimée. Parce que je ne supporte ma joie que sans limites, mon plaisir que sans réticence, mon abandon que sans bornes. Parce que je ne veux pas d'esclave et que je ne veux pas de maître. Parce qu'il est mal élevé de tromper son mari, fût-ce avec lui-même. Parce que j'aime les fenêtres ouvertes et les draps frais.

(Acte I, sc. VI.)

L'absence de contrainte, et par suite l'égalité dans le couple paraissent donc aussi nécessaires que la pureté des corps et des âmes. Car l'idée de violence subie reste associée à celle de châtiment et de mort. En résumé, ce qui est donc incompatible avec le bonheur édénique, dans le mythe de Giraudoux, c'est la souillure et l'agressivité — le contenu réel que l'écrivain donne à ces mots demeurant d'ailleurs très personnel.

Il faut noter aussitôt une seconde et importante intolérance dans la défense de cet Eden. Elle exclut le sentiment religieux aussi rigoureusement que les tendances instinctives jugées « impures » ou agressives. Holopherne se proclame le premier homme et l'ennemi de Dieu ; Alcmène refuse l'immortalité et le miracle au profit d'une vie fidèlement humaine. Isabelle fait le même choix en renonçant au spectre. Il faut bien discerner, dans l'équilibre de notre système de forces, la nécessité de ce ciel vide. Elle est marquée dans *Bellac et la tragédie* où Giraudoux oppose à une « stratosphère surpeuplée » de dieux (Holopherne parle d'une « chambrée » de dieux), un ciel dont la « densité s'atténue avec les progrès de l'altitude ». Comme le dit encore le Contrôleur à Isabelle, la grandeur de la vie humaine « est d'être brève et pleine entre deux abîmes. Son miracle est d'être colorée, saine, ferme entre des infinis et des vides ». (Acte II, sc. III.) L'un de ces abîmes est celui de la souillure, de la misère et de la mort ; l'autre — le vide — est celui du ciel.

Voilà qui jette une lumière curieuse sur le personnage de l'Inspecteur. Son positivisme, sa laïcité sont raillés d'un bout de la pièce à l'autre, et cette satire (qui tourne à la farce) nous masque la nécessité du personnage. Il remplit une fonction importante, car il préserve le moi conscient d'une angoisse religieuse que celui-ci ne tolérerait pas. La satire porte sur les abstractions que l'Inspecteur met à la place de Dieu et sur la foi rationaliste dont il est le grand inquisiteur. Mais cette subtile manœuvre, que Giraudoux définit ailleurs comme « le doute à l'égard du doute », n'est qu'une façon de s'alléger également de la raison et de la foi, c'est-à-dire de leurs impératifs et de leurs angoisses. Ainsi protégé de toute intrusion, qu'elle vienne du haut, du bas, ou des deux, le moi n'a plus que son bonheur pour règle.

Chapitre V

LA GUERRE DE TROIE N'AURA PAS LIEU

Nos analyses précédentes ont commencé à dessiner un mythe personnel. Au centre, nous trouvons l'image d'un bonheur, clos sur lui-même, assiégé par des hantises qui l'angoissent, et se défendant assez difficilement de leurs intrusions. Ainsi Jupiter rôde autour du palais d'Amphitryon et d'Alcmène ; Holopherne assiège la ville de Judith ; le spectre hante le village d'Isabelle. Dans les œuvres romanesques que nous avons étudiées, une angoisse mystérieuse, un désir de fugue viennent détruire la paix d'un foyer. Le bonheur ainsi assiégé est ordinairement figuré par l'union d'un couple. Nous avons analysé les causes d'angoisse, c'est-à-dire les images dont le moi central se défend et qu'il refoule comme intolérable. *Grosso modo,* elles se sont classées sous trois chefs : souillure — agressivité — commandements religieux. Mais sous chacun de ces termes, nous pouvons mettre un groupe d'idées, et voici, provisoirement comment ces groupes se présentent :

A. Duplicité, adultère, prostitution, souillure (entraînant un sentiment de malaise et de faute).

B. Pauvreté, passivité, maladie, mort (entraînant un sentiment d'abandon et de sacrifice).

C. Impératifs sociaux et religieux, contraintes et violences fatales, mises en accusation, donnant une impression d'étouffement, de servitude, d'injustice cruelle.

Ces trois groupes sont d'ailleurs reliés ; ils forment ensemble un réseau complexe d'images inquiétantes mais attirantes aussi, d'où la fascination qu'elles exercent. Quand elles dominent le moi, lui imposent leur pathétique et le soumettent à une « passion », le sentiment tragique l'emporte. Quand le bonheur central leur résiste et les chasse (Alcmène, Isabelle), la tragédie est évitée, le comique l'emporte. Dernière remarque importante : jusqu'ici, tous les dénouements tragiques (mort de Bella, renoncement de Bardini, clôture de Judith) on été subis passivement, sans révolte. Or la révolte s'amorce avec *La Guerre de Troie n'aura pas lieu* et nous allons la retrouver désormais dans toutes les pièces de Giraudoux. Le moi central n'acceptera plus d'être victime et se voudra justicier. Nous abordons ainsi un tournant de l'œuvre, dont la courbe entière va se préciser.

*
* *

Ce virage eut sans doute des causes profondes et personnelles. Mais on peut supposer que l'approche de la seconde guerre mondiale joua au moins le rôle de facteur précipitant.

Les souvenirs de la guerre de 1914-1918 affleurent dans toutes les œuvres précédant *Combat avec l'Ange*. Giraudoux propose une réconciliation franco-allemande dans *Siegfried et le Limousin* ; il combat la politique de Poincaré dans *Bella* ; dans *Amphitryon 38,* la guerre éclate dans Thèbes ; dans *Judith,* l'horreur du champ de bataille est décrite.

Nous abordons un nouveau stade avec *Combat avec l'Ange* (1934) à deux points de vue. D'abord la guerre n'est plus passée ou présente, mais future. Sa menace — et c'est le second point — est liée structurellement à celle d'une rupture du couple. Nous y voyons, en effet, le bonheur du couple édénique doublement en péril : par l'approche d'une guerre contre laquelle lutte Jacques, auprès de Brossard-Briand, et par la fugue mélancolique de Maléna vers les pauvres, les malades et l'adultère sans amour. Les deux menaces naissent ensemble et se dissipent ensemble. Rien ne les lie pour la pensée rationnelle, de sorte que leurs apparition et disparition simultanées doivent passer pour une coïncidence. Mais toute la structure du livre est fondée sur ce hasard apparent.

Le caractère irrationnel de cette liaison apparaît dès que l'on écrit l'équation

Guerre = Rupture du couple

(qui paraît assez naturelle) sous son autre forme :

Rupture du couple = Guerre

Seule l'interprétation psychique lui donne son vrai sens. Lorsque nous entendrons Andromaque dire, en substance, à Hélène : Aimez Pâris et la guerre n'aura peut-être pas lieu — nous rechercherons le sens précis d'une telle parole. Je n'en fais état ici que pour écarter définitivement l'idée d'une coïncidence ou d'un lien banal entre la guerre et la désunion du couple.

Car dans notre étude des structures inconscientes, il est essentiel de repérer les insuffisances et les camouflages de la pensée consciente. C'est ainsi que ce lien entre la guerre et la rupture du couple reçoit dans chaque œuvre une explication rationnelle différente : l'amnésie dans *Siegfried,* le hasard dans *Bella,* une ruse de Jupiter dans *Amphitryon,* la volonté de Dieu dans *Judith,* le hasard encore dans *Combat avec l'Ange*. Si nous superposons ces œuvres, les diverses explications se brouillent, l'association constante s'accuse. C'est elle qui fait partie de la structure inconsciente, du mythe. Elle préexiste donc à chaque œuvre nouvelle et détermine, ou oriente, sa genèse. Replaçons-nous ainsi en 1934. Une menace de guerre pesait sur l'Europe ; tous les Français en ressentaient l'angoisse ; ancien combattant, diplomate, écrivain, Giraudoux l'éprouvait sans doute plus que quiconque. Qu'il voulût l'exprimer et lutter pour la paix, quoi de plus naturel ? La qualité de son esprit, sa formation classique, le succès d'*Elpénor* et d'*Amphitryon* n'expliquent pas moins qu'il ait songé à *l'Iliade* et, si j'en crois mon sentiment, à Aristophane. Cependant, la légende grecque rattache la guerre de Troie au ressentiment de Ménélas et à l'amour de Pâris et d'Hélène. Giraudoux accepte, au départ, ce lien légendaire, mais pour l'abandonner bientôt. Le ressentiment de Ménélas perd toute importance ; Pâris et Hélène ne s'aiment pas ; paradoxalement, c'est leur manque d'amour qu'Andromaque donne pour cause profonde à la guerre ; et l'horreur de cette dernière est, en retour, dramatiquement signifiée par la séparation qu'elle va imposer à Andromaque et à Hector. La désunion engendre la guerre, qui engendre la désunion. Telle est la fatalité de Giraudoux : une suite de ruptures, une désintégration en chaîne. L'adultère au sens légal du terme, l'offense, la jalousie, la vengeance y jouent peu de rôle. C'est la dissociation des amants — qu'ils soient époux ou non —, c'est l'absence d'amour et de communion qui entraîne la catastrophe. De ce point de vue, *La Guerre de Troie n'aura pas lieu* occupe une place centrale dans l'œuvre de Giraudoux

En effet, si la pièce, comme nous venons de le voir, reprend pour l'exalter le thème d'œuvres précédentes — la défense du couple et de son bonheur contre les menaces qui rôdent — elle annonce l'œuvre ultérieure et en particulier la dernière ou l'avant-dernière tragédie : *Sodome et Gomorrhe*. Là, nous voyons le feu du ciel anéantir le genre humain parce que celui-ci est décidément incapable de produire un seul couple uni. Fait pour créer au moins ce petit Paradis terrestre, il n'y réussit pas, donc il est raté et doit aller à la refonte. Dans l'œuvre totale de Giraudoux, l'incendie de Troie préfigure la destruction de Sodome. La catastrophe, dans les deux cas, résulte bien d'une rupture successive des couples, d'une désintégration en chaîne.

Mais cette conséquence, très apparente dans la dernière tragédie, demeure sous-jacente dans *La Guerre de Troie* où elle est recouverte par toutes sortes d'explications conscientes, c'est-à-dire de lieux communs sur les causes psychologiques et économiques de la guerre. Indiquer dès l'abord ces lieux communs et leur expansion dramatique eût été une démarche logique ; cependant c'est la présence d'une structure plus profonde que nous recherchons et si nous la discernons même vaguement en premier lieu, nous comprendrons mieux l'orientation de notre analyse dont cette structure est, nécessairement, le but.

*
* *

Par une fable, pleine d'allégories, de symboles et d'allusions, Giraudoux voulait exprimer dramatiquement, au premier plan, la lutte de la paix contre la guerre menaçante. Aristophane avait illustré le combat de la paix contre la guerre en cours : pareille liberté est aujourd'hui inconcevable. Aristophane, d'ailleurs, écrivait des farces, où, selon la loi même du comique, la paix triomphait au dénouement. De cet illusoire triomphe, Giraudoux ne conserve que le titre optimiste de sa pièce, lequel résume *Combat avec l'Ange,* où la guerre n'a pas lieu et où le couple se reforme. La pièce, elle, est une tragédie : amèrement, la farce échoue et la paix meurt.

On a beaucoup disputé, entre 1920 et 1930, des causes de la guerre — économiques selon les uns, psychologiques d'après les autres. Giraudoux a fait une place aux premières dans le discours du subtil Ulysse, qui évoque d'ailleurs Stresemann, la diplomatie allemande, les théories de géopolitique :

> HECTOR. ... que pensent aussi les autres Grecs ?
>
> ULYSSE. Ce qu'ils pensent n'est pas plus rassurant. Les autres Grecs pensent que Troie est riche, ses entrepôts magnifiques, sa banlieue fertile. Ils pensent qu'ils sont à l'étroit sur du roc. L'or de vos temples, celui de vos blés et de votre colza, ont fait à chacun de nos navires, de nos promontoires, un signe qu'il n'oublie pas. Il n'est pas très prudent d'avoir des dieux et des légumes trop dorés.
>
> HECTOR. Voilà enfin une parole franche... La Grèce en nous s'est choisi une proie. Pourquoi alors une déclaration de guerre ? Il était plus simple de profiter de mon absence pour bondir sur Troie. Vous l'auriez eue sans coup férir.
>
> ULYSSE. Il est une espèce de consentement à la guerre que donne seulement l'atmosphère, l'acousti-

que et l'humeur du monde. Il serait dément d'entreprendre une guerre sans l'avoir. Nous ne l'avions pas.

HECTOR. Vous l'avez maintenant !

ULYSSE. Je crois que nous l'avons.

(Acte II, sc. XIII.)

Mais les causes psychologiques sont naturellement plus faciles à illustrer au théâtre. Comme Aristophane dénonçait les généraux, les marchands d'armes et les sycophantes, Giraudoux met en scène les vieillards belliqueux, les gouvernants sclérosés, les poètes à panache, les journalistes qui excitent l'opinion et répandent de fausses nouvelles. Il ridiculise les *Discours aux morts* et les arguties juridiques. Une telle satire prolonge d'ailleurs et développe l'attaque menée dans *Bella* contre Poincaré. Ses images et ses arguments reprennent tous les thèmes familiers aux pacifistes de l'époque. On peut leur faire le même reproche qui est de méconnaître, au point de l'ignorer, la réalité du danger extérieur, en l'espèce l'agressivité paranoïaque de Hitler. Il faut le dire parce que cette erreur de jugement se reproduit dans un texte comme *Pleins Pouvoirs*, qui date de 1939 et n'est sûrement pas sans rapports avec les défenses de Giraudoux contre une réalité angoissante. Mais nous ne sommes pas ici pour critiquer une thèse politique. Giraudoux a illustré dramatiquement une opinion qui était sans doute la sienne, mais avait aussi de grandes chances de rencontrer l'accord d'un public. Le débat qui, au premier acte, oppose bellicistes et pacifistes était, en 1935 d'une actualité brûlante ; il se déroule donc sur un plan tout conscient. C'est bien pourquoi Giraudoux y accepte aussi la version légendaire, traditionnelle et non moins consciente. La question de guerre ou de paix se ramène alors à ce choix très simple : rendre Hélène aux Grecs ou la garder. Hector lutte donc sans relâche pour qu'on rende Hélène aux Grecs : ainsi seulement, pense-t-il, nous jouirons enfin de la paix, nous les anciens et futurs combattants qui n'avons pas envie de mourir pour cette femme de petite vertu, si belle que nos vieillards troyens la trouvent. Pour atteindre son but,

Hector doit vaincre l'amour-propre, le faux chevaleresque, l'orgueil nationaliste possessif et chatouilleux ; lui-même souffre sans mot dire qu'un soldat ivre le gifle et embrasse sa femme. La pièce entière offre ainsi une suite de scènes allégoriques : et dans chacune d'elles, Hector remporte difficilement, mais remporte enfin une victoire. Cependant il sent que chacune de ces victoires est vaine et que l'avenir lui échappe. Hector le sent dès la fin de l'Acte I et c'est son entrevue avec Hélène qui le lui révèle. Voici la scène :

HECTOR. C'est beau, la Grèce ?
HÉLÈNE. Pâris l'a trouvée belle.
HECTOR. Je vous demande si c'est beau, la Grèce sans Hélène ?
HÉLÈNE. Merci pour Hélène.
HECTOR. Enfin, comment est-ce, depuis qu'on en parle ?
HÉLÈNE. C'est beaucoup de rois et de chèvres éparpillés sur du marbre.
HECTOR. Si les rois sont dorés et les chèvres angora, cela ne doit pas être mal au soleil levant.
HÉLÈNE. Je me lève tard.
HECTOR. Des dieux aussi, en quantité ? Pâris dit que le ciel en grouille, que des jambes de déesses en pendent.
HÉLÈNE. Pâris va toujours le nez levé. Il peut les avoir vues.
HECTOR. Vous, non ?
HÉLÈNE. Je ne suis pas douée. Je n'ai jamais pu voir un poisson dans la mer. Je regarderai mieux quand j'y retournerai.
HECTOR. Vous venez de dire à Pâris que vous n'y retourneriez jamais.
HÉLÈNE. Il m'a priée de le dire. J'adore obéir à Pâris.
HECTOR. Je vois. C'est comme pour Ménélas. Vous ne le haïssez pas ?
HÉLÈNE. Pourquoi le haïrais-je ?
HECTOR. Pour la seule raison qui fasse vraiment haïr. Vous l'avez trop vu.
HÉLÈNE. Ménélas ? Oh ! non ! Je n'ai jamais bien vu Ménélas, ce qui s'appelle vu. Au contraire.

HECTOR. Votre mari ?

HÉLÈNE. Entre les objets et les rêves, certains sont colorés pour moi. Ceux-là je les vois. Je crois en eux. Je n'ai jamais bien pu voir Ménélas.

HECTOR. Il a dû pourtant s'approcher de très près.

HÉLÈNE. J'ai pu le toucher. Je ne peux pas dire que je l'ai vu.

HECTOR. On dit qu'il ne vous quittait pas.

HÉLÈNE. Evidemment. J'ai dû le traverser bien des fois sans m'en douter.

HECTOR. Tandis que vous avez vu Pâris ?

HÉLÈNE. Sur le ciel, sur le sol, comme une découpure.

HECTOR. Il s'y découpe encore. Regardez-le, là-bas, adossé au rempart.

HÉLÈNE. Vous êtes sûr que c'est Pâris, là-bas ?

HECTOR. C'est lui qui vous attend.

HÉLÈNE. Tiens ! Il est beaucoup moins net !

HECTOR. Le mur est cependant passé à la chaux fraîche. Tenez, le voilà de profil !

HÉLÈNE. C'est curieux comme ceux qui vous attendent se découpent moins bien que ceux que l'on attend !

HECTOR. Vous êtes sûr qu'il vous aime, Pâris ?

HÉLÈNE. Je n'aime pas beaucoup connaître les sentiments des autres. Rien ne gêne comme cela. C'est comme au jeu quand on voit dans le jeu de l'adversaire, on est sûr de perdre.

HECTOR. Et vous, vous l'aimez ?

HÉLÈNE. Je n'aime pas beaucoup connaître non plus mes propres sentiments.

HECTOR. Voyons ! Quand vous venez d'aimer Pâris, qu'il s'assoupit dans vos bras, quand vous êtes encore ceinturée par Pâris, comblée par Pâris, vous n'avez aucune pensée ?

HÉLÈNE. Mon rôle est fini. Je laisse l'univers penser à ma place. Cela, il le fait mieux que moi.

HECTOR. Mais le plaisir vous rattache bien à quelqu'un, aux autres ou à vous-même.

HÉLÈNE. Je connais surtout le plaisir des autres... Il m'éloigne des deux...

HECTOR. Il y a eu beaucoup de ces autres, avant Pâris ?

HÉLÈNE. Quelques-uns.

HECTOR. Et il y en aura d'autres après lui, n'est-ce pas, pourvu qu'ils se découpent sur l'horizon, sur le mur ou sur le drap ? C'est bien ce que je supposais. Vous n'aimez pas Pâris, Hélène. Vous aimez les hommes !

HÉLÈNE. Je ne les déteste pas. C'est agréable de les frotter contre soi comme de grands savons. On en est toute pure...

Notons quelques remarques sur cette scène VIII.

1. Hélène s'occupe d'elle-même plus que du paysage.

2. Le ciel de Grèce fourmille de dieux : en le quittant pour suivre Pâris à Troie, Hélène rappelle Judith se réfugiant chez Holopherne.

3. Hélène obéit à Pâris : elle est sans volonté propre. Elle obéira de même à Hector.

4. Hélène croit à ce qu'elle voit bien : tout le reste n'est qu'ombres.

5. Pâris commence à ne plus l'intéresser.

6. Ni les sentiments d'autrui, ni les siens ne l'intéressent : elle est étrangère au pathétique.

7. Elle joue son rôle dans l'acte d'amour, animalement, sans penser à rien.

8. Avec la même innocence animale, elle est aimantée vers *les* hommes et non vers un homme.

Il y a là une suite de traits qui rappellent le Paradis terrestre offert par Holopherne à Judith : oubli du monde, absence des dieux, aimantation des corps, innocence de l'instinct animal. Ceci peut éveiller notre curiosité car nous aurions plutôt recherché cette qualité édénique du côté d'Andromaque, dont l'union avec Hector rappelle à tant d'égards celle d'Alcmène avec Amphitryon. Mais réservons cette question jusqu'au moment où le dialogue Andromaque-Hélène précisera la relation entre ces deux figures et poursuivons notre étude d'Hélène, telle que la découvre Hector. Ce combattant de la paix ne tire d'abord qu'une conclusion : Hélène n'aime pas particulièrement Pâris, donc elle ne résistera pas ; on va la rendre aux Grecs et la paix sera sauvée. Il appelle Cassandre pour lui annoncer la bonne nouvelle. Et voici comment tourne l'entretien :

> HECTOR. Et alors, entre ce retour vers la Grèce qui ne vous déplaît pas et une catastrophe aussi redoutable que la guerre, vous hésiteriez à choisir ?
>
> HÉLÈNE. Vous ne me comprenez pas du tout, Hector. Je n'hésite pas à choisir. Ce serait trop facile de dire : je fais ceci, ou je fais cela, pour que ceci ou cela se fît. (...) n'allez pourtant pas croire, parce que vous avez convaincu la plus faible des femmes, que vous avez convaincu l'avenir. Ce n'est pas en manœuvrant des enfants qu'on détermine le destin...
>
> ....
>
> Je choisis les événements comme je choisis les objets et les hommes. Je choisis ceux qui ne sont pas pour moi des ombres. Je choisis ceux que je vois.
>
> ....
>
> Je ne lis pas l'avenir. Mais, dans cet avenir, je vois des scènes colorées, d'autres ternes. Jusqu'ici ce sont toujours les scènes colorées qui ont eu lieu.
>
> (Acte I, sc. IX.)

Or Hélène ne se voit ni rentrant au palais de Ménélas, ni rejoignant l'ambassadeur grec (« C'est tout sombre. ») ; en revanche, ses yeux contemplent la ville qui brûle (« C'est rouge vif. »), le cadavre de Pâris (grâce au diamant qui étincelle à sa main) et le groupe d'Andromaque pleurant, avec son fils, sur le corps d'Hector (« extraordinairement luisant »).

Hector, homme d'action, luttant pour modifier l'avenir, constate ici que son élan et son bonheur se brisent, comme des illusions, contre une réalité déterminée d'avance. Hélène n'est pas responsable de cet avenir ; elle le voit, en effet, par avance, elle le prévoit, tandis que Cassandre le pressent. En dépit de cette différence qui se précisera plus loin, les deux femmes sont également comparables à des instruments enregistreurs. Pareille découverte est si horrible, elle rend si vain tout effort qu'Hector veut en douter : il ne pouvait modifier l'avenir qu'en agissant sur Hélène, mais Hélène cessant d'être cause des effets pour en devenir le miroir, à qui s'en prendre ? Même briser le miroir est inutile. Cette objectivité est si affreuse qu'Hector, comme le dira Andromaque, va « s'accrocher » à son idée : faire partir Hélène.

Cependant nous savons qu'il s'acharnera en vain. Le pronostic d'Hélène est juste. Elle est pareille à l'homme de science prévoyant avec certitude l'issue fatale d'une évolution dont il ignore le détail. La paix mourra plus ou moins tard, après telle ou telle péripétie, mais elle mourra. Cassandre pressent cette mort comme un membre de la famille, Hélène la prévoit comme un médecin consulté, du dehors, objectivement. Non qu'elle pense en savant ; mais l'univers, ou son inconscient, pense pour elle, et le résultat lui apparaît.

L'image que la scène IX nous donne ainsi d'Hélène vient s'ajouter curieusement à celle que nous avait donnée la scène VIII. Leur caractère essentiel, leur trait commun n'est-il pas l'objectivité ? Hélène paraît maintenant doublement objective. Elle est d'abord elle-même un objet que l'on regarde en l'admirant, que l'on aime peut-être, mais qui n'est nullement tenu de répondre à cette admiration ou à cet amour. Elle-même se compare à une vedette, objet humain que l'on regarde sans être vu. Cette première objectivité exclut déjà tout pathétique. Mais Hélène est encore objective dans un autre sens, celui qu'on donne au mot quand on parle de prévision objective. Ici le pathétique est exclu par définition, car le sentiment est subjectif. Hélène ne voit pas ce qu'elle désire ou souhaite : elle voit ce qui sera, bon gré, mal gré, la réalité souveraine. Tout le reste est ombres pour elle et Hector, qui croit à ces ombres, verra ses propres bulles colorées s'évanouir. Dans leur dialogue, c'est Hector qui rêve et qui prend son désir pour la réalité. L'insensibilité d'Hélène est celle dont nous faisons le garant d'une pensée scientifique correcte.

Si nous joignons ainsi les différentes images que le texte de Giraudoux nous donne d'Hélène, nous obtenons un personnage apparemment privé de sentiment, de volonté, objet aussi indifférent qu'un visage sur l'écran, ou le ciel étoilé, ou la nature selon Vigny, et d'autre part capable d'une vision non moins indifférente du réel. L'instinct seul aimante cette figure et lui fait jouer son rôle. Notons d'ailleurs qu'il l'oriente vers des attitudes passives : accepter le mâle, fuir la mort.

Nous sommes loin de la femme « aux jolies jambes et au cœur sec » dont parle un critique. Hélène représente la fatalité telle que peut la concevoir un esprit moderne, la fatalité objective et naturelle, celle d'une science déterministe qui ne croit qu'aux mécanismes de l'instinct, aux enchaînements historiques et à la loi des grands nombres. C'est d'ailleurs par sa propre soumission adaptée qu'Hélène nous représente le mieux cette réalité moderne : elle est à la fois la nature indifférente de Vigny et l'adaptation à cette nature ; elle obéit à l'instinct, joue son rôle, et, sans illusion sur sa liberté de choix, se soumet à des prévisions inéluctables. Nous verrons qu'elle a sa morale, fondée sur la tenue, la lucidité, la patience stoïque : de nouveau, très logiquement, nous pensons à Vigny. Les traits d'esprit de Giraudoux ne nous masquent pas davantage ce fond tragique chez Hélène que dans l'ensemble de la pièce. L'âme d'Andromaque, la volonté d'Hector se brisent contre une réalité sans volonté et sans âme. Mais Hélène nous représente ce que cette réalité a encore de plus pur. Elle n'est pas l'Eden, mais un fragment valable de l'Eden. Nous n'avions pas tort d'évoquer à son sujet la tente d'Holopherne, le bonheur terrestre d'Alcmène. Ce qui lui manque nous apparaîtra mieux lorsque Giraudoux la confrontera, dans l'Acte II, non plus avec le dessein d'Hector, mais avec le rêve d'Andromaque.

***

Avant de poursuivre, rassemblons nos premiers résultats. Qu'avons-nous, en effet, ajouté à notre analyse du mythe personnel ? Le bonheur assiégé et se défendant avec peine doit être, selon toute vraisemblance, celui du couple Hector-Andromaque : sa paix se confond avec *la* paix. La quiétude du moi, représenté par ces deux figures, est assaillie par des hantises inquiétantes, qui se résument, à leur tour, en deux figures principales : Hélène et Ulysse. Derrière Hélène, il y a les Troyens, qui veulent la garder ou qui jugent humiliant de la rendre ; derrière Ulysse, il y a Oiax, la flotte, la Grèce. Nous avons donc commencé l'étude des hantises menaçantes par l'analyse d'Hélène. Des correspondances ont attiré notre attention : la jeune femme, dépourvue de volonté, est aimantée vers les hommes, comme l'Indiana de *Bella* et de *Jérôme Bardini* ; elle rappelle mieux encore le personnage de Gladys dans *Combat avec l'Ange* ; elle offre plusieurs traits communs avec la Judith qui s'abandonne à Holopherne. Sans nous arrêter à des superpositions encore prématurées, il faut suivre d'abord les textes. Les scènes VIII et IX de l'Acte I, à cet égard, ont révélé les composantes d'Hélène : instinct animal, objectivité, indifférence devenue défense contre l'angoisse et même morale (stoïcisme). L'irritation d'Hector, homme d'action, devant cette hantise, qui se laisse chasser et pourtant résiste, s'exerce en vain. Cette prévision, donc ce déterminisme paralyseraient Hector s'il s'y arrêtait : pressé d'agir, il passe outre.

La scène VIII de l'Acte II complète le portrait d'Hélène. Andromaque, cette fois, la presse, s'inquiétant non plus de ce qu'elle veut ou voit, mais de ce qu'elle vaut, de ce qu'elle sent. Il faudrait citer la scène en entier. Marquons-en les articulations :

1° Andromaque tient le plan d'Hector pour dépassé. La guerre peut toujours survenir. La question devient alors : qu'est-ce qui rendrait le malheur, le pire malheur, humainement tolérable ou, au contraire, intolérable ? Elle répond : être martyrisé pour un amour serait peut-être tolérable. Notons que cet amour, s'il reste humain, prend tous les caractères d'une foi. Il est absolu, il implique l'abnégation et le sacrifice. Il s'affirme par une communion, unique en chaque couple, et cependant pourvue d'une signification universelle ; il peut magiquement écarter le malheur. Ainsi — et c'est ce qui rend dérisoire la dernière phrase d'Hélène (« S'il suffit d'un couple parfait pour vous faire admettre la guerre, il y a toujours le vôtre, Andromaque. ») — la jeune Troyenne accepterait de voir son propre bonheur ruiné, son propre couple détruit pour l'amour d'un autre couple, car la communion humaine resterait affirmée comme une valeur en soi, digne de foi et de sacrifice.

Laissons les doutes que nous pouvons nourrir sur la réalité ou la validité d'un tel sentiment. Andromaque croit, pour sa part, que l'affirmation d'une telle foi pourrait déjà, par une vertu magique, exorciser la bestialité de la guerre. Elle identifie son salut, celui d'Hector et de leur fils à naître avec la communion d'Hélène et de Pâris.

> ANDROMAQUE. Alors je vous en supplie, Hélène. Vous me voyez là pressée contre vous comme si je vous suppliais de m'aimer. Aimez Pâris ! Ou dites-moi que je me trompe ! Dites-moi que vous vous tuerez s'il mourait ! Que vous accepterez qu'on vous défigure pour qu'il vive !... Alors la guerre ne sera plus qu'un fléau, pas une injustice. J'essaierai de la supporter.

Sa demande d'amour, sa faim d'amour prend une valeur absolue qui rappelle peut-être le sentiment mystique, mais aussi, pour un psychologue, le besoin absolu de tendresse maternelle qu'éprouve l'enfant angoissé. Que la mère se montre capable d'amour, tout peut être sauvé ; tout est perdu si elle se révèle la « mauvaise mère ». Incontestablement, d'ailleurs, Andromaque incarne le sentiment maternel ; elle porte un enfant ; son angoisse préfigure celle d'une « mater dolorosa ». Hélène, elle, n'est pas mère.

Or, de façon non moins absolue, Hélène rejette tout le pathétique qu'Andromaque lui propose. Elle se sent vedette et non martyre. Sa froideur n'est donc pas un simple trait de caractère. Elle a lié à son indifférence son idéal, son estime de soi, sa morale. Elle en a fait son principal système de défense contre la souffrance, la vieillesse, l'injure. Andromaque, jusque dans le couple, annulait par la communion de l'amour le « désaccord universel ». Hélène annule par l'indifférence le même mal. Il y a incompatibilité entre les deux systèmes de défense.

L'analyse d'Hélène nous apporte donc quelques résultats. Les deux figures qui s'opposent dans cette scène sont ainsi la bonne mère compatissante et la mauvaise mère qui refuse l'amour. Ce n'est là qu'une hypothèse, mais elle est confirmée par la meilleure des superpositions que nous ayons signalées jusqu'ici. Dans *Combat avec l'Ange,* Maléna (qui correspond à Andromaque) sauve un enfant, et rêve que Gladys (qui correspond à Hélène) l'écrase.

Si maintenant nous revenons au mythe personnel de Giraudoux, nous constatons que l'analyse du personnage d'Hélène, tel qu'il résulte des deux scènes les plus importantes de son rôle (entretien avec Hector — entretien avec Andromaque), invite à deux additions :

a) L'heureuse quiétude centrale est troublée par une image de mauvaise mère, adultère du reste, et plus ou moins prostituée ; déjà nous pressentons son importance si nous songeons que, née d'Indiana et de Gladys, elle risque de devenir la Clytemnestre d'*Electre.*

b) Cette image de mauvaise mère coïncide avec la réalité objective. Dans la scène opposant Hélène à Hector, nous avons reconnu déjà qu'Hector figurait le rêveur, Hélène la réalité. Maintenant, nous devons admettre qu'Andromaque, et donc le bonheur au centre du mythe, à l'instant même où il est donné comme transcendant, jouent également le rôle du rêve que le choc avec la réalité va détruire.

Si Hélène aimait Pâris, la guerre serait un fléau ; en refusant son amour, Hélène transforme le fléau en « injustice ». C'est donc que l'amour était dû. Or cette obligation d'amour ne lie que la mère à l'enfant. Souffrance pour l'adulte, la privation d'amour est injustice pour l'enfant. Ainsi Hélène et la réalité prennent, pour Andromaque, le visage d'une marâtre. C'est bien ainsi que Vigny voyait déjà la nature :

On me dit une mère, et je suis une tombe.

***

Le dialogue d'Hector et d'Hélène avait été celui du rêve et de la réalité. Il souhaitait la paix, elle annonçait objectivement la guerre. Le dialogue d'Andromaque et d'Hélène semble celui de la valeur et de la réalité. On peut souffrir pour des maux réels, pour une cause valable. Mais si la réalité se refuse à toute valeur, on souffrira pour rien, et là est l'injustice intolérable. Les souhaits d'Hector, la foi d'Andromaque paraissent donc non seulement incompatibles avec l'objectivité d'Hélène, mais condamnés. Tel est le sentiment d'Andromaque quand elle s'écrie : « Je suis perdue... »

Reste à savoir si la condamnation est sans appel et si cette réalité, incapable d'amour, ne peut pas être manœuvrée par la générosité et l'intelligence des hommes. Ici intervient le dialogue entre Hector et Ulysse.

Ulysse, dans la création de Giraudoux, est un personnage ambigu. On peut ne voir en lui qu'un diplomate rusé qui veut la guerre mais ne cherche plus qu'à en faire peser la responsabilité sur autrui. C'est une thèse trop simple. Elle n'est vraie que pour le personnage public : quand celui-ci apprend d'Hector, devant le peuple réuni, qu'Hélène va être rendue aux Grecs, il exige qu'elle le soit dans l'état antérieur au rapt. Un débat tragi-comique montre vite l'irréalité de la condition. L'adultère a été joyeusement consommé. En le proclamant, les Troyens s'avouent coupables : la ruse d'Ulysse a joué contre eux et contre la paix. Mais dans le tête-à-tête avec Hector, un autre Ulysse, le personnage privé, apparaît : lorsqu'il déclare alors que la guerre a été rendue presque fatale par un enchaînement de déterminations objectives, étrangères à sa propre volonté, et lorsqu'il offre de ruser personnellement avec Hector contre cette fatalité imminente, pourquoi douter de sa sincérité ? Hector lui-même, après avoir formulé ce doute, l'écarte. Ainsi, nous devons accepter une ambiguïté que le texte impose. Mais Hélène n'était-elle pas déjà ambiguë, amie et ennemie des Troyens à la fois ? Ces figures de hantises qui assiègent le bonheur central sont nécessairement des formations de compromis. Jupiter, Holopherne, le spectre présentaient aussi ce double visage. Admettons donc, en abordant l'analyse du dialogue entre Hector et Ulysse, que ce dernier a montré d'abord son aspect le plus naturellement inquiétant : il annonce la guerre en punition d'une faute que les Troyens jugent mineure, ou dont ils se flattent, mais enfin qu'ils avouent. D'inquisiteur justicier, Ulysse va se transformer en ami. Nous nous trouvons en face des deux aspects paternels de l'homme supérieur. L'analogie de cette évolution avec celle du roi Mithridate dans la tragédie de Racine n'est pas sans intérêt. Les deux hommes surgissent pour mettre au jour une faute de caractère amoureux et font peser une menace de châtiment ; puis une tentative de solution moins catastrophique s'ébauche. Dans la tragédie de Racine, Xipharès, le bon fils, bénéficie de la mansuétude paternelle pendant que Pharnace, le fils insoumis, est l'objet des foudres justicières ; dans la pièce de Giraudoux, cette dissociation n'a pas lieu et la tentative d'apaisement échoue. Mais revenons au texte.

HECTOR. Et voilà le vrai combat, Ulysse.
ULYSSE. Le combat d'où sortira ou ne sortira pas la guerre, oui.
HECTOR. Elle en sortira ?
ULYSSE. Nous allons le savoir dans cinq minutes.
HECTOR. Si c'est un combat de paroles, mes chances sont faibles.
ULYSSE. Je crois que cela sera plutôt une pesée. Nous avons vraiment l'air d'être chacun sur le plateau d'une balance. Le poids parlera...
HECTOR. Mon poids ? Ce que je pèse, Ulysse ? Je pèse un homme jeune, une femme jeune, un enfant à naître. Je pèse la joie de vivre, la confiance de vivre, l'élan vers ce qui est juste et naturel.
ULYSSE. Je pèse l'homme adulte, la femme de trente ans, le fils que je mesure chaque mois avec des encoches, contre le chambranle du palais... Mon beau-père prétend que j'abîme la menuiserie... Je pèse la volupté de vivre et la méfiance de la vie.
HECTOR. Je pèse la chasse, le courage, la fidélité, l'amour.
ULYSSE. Je pèse la circonspection devant les dieux, les hommes, et les choses.
HECTOR. Je pèse le chêne phrygien tous les chênes phrygiens feuillus et trapus, épars sur nos collines avec nos bœufs frisés.
ULYSSE. Je pèse l'olivier.
HECTOR. Je pèse le faucon, je regarde le soleil en face.

ULYSSE. Je pèse la chouette.

HECTOR. Je pèse tout un peuple de paysans débonnaires, d'artisans laborieux, de milliers de charrues, de métiers à tisser, de forges et d'enclumes... Oh ! pourquoi, devant vous, tous ces poids me paraissent-ils tout-à-coup si légers !

ULYSSE. Je pèse ce que pèse cet air incorruptible et impitoyable sur la côte et sur l'archipel.

HECTOR. Pourquoi continuer ? la balance s'incline.

ULYSSE. De mon côté ?.. Oui, je le crois.

Notons une première ressemblance entre cette scène XIII et la scène VIII du même Acte II : déjà Andromaque et Hélène pesaient, en somme, leurs défenses contre l'angoisse de la mort : l'une pesait l'amour, l'autre l'indifférence. Contre les forces de mort, Hector se défend par l'élan même de la vie physique et procréatrice. Il est jeune. Ulysse, plus âgé, est plus lourd d'une autre expérience ; il s'est en partie détaché d'une vie que le temps altère et corrompt. Il a reconnu la valeur de l'impondérable, de l'incorruptible. Les mots importants de son discours sont : méfiance — circonspection — olivier — chouette — air.

Or le résultat de cette pesée confirme celui de la pesée précédente. Ulysse l'emporte (Hector le reconnaît) parce qu'il tient compte des forces de mort et se cuirasse contre elles ; il ressemble en cela à Hélène. Le jeune élan d'Hector, l'amour maternel d'Andromaque, tendres et vulnérables, rêvent trop, en guise de protection, que ces forces de mort n'existent pas. Ulysse explique à Hector cette réalité dont Hélène ne faisait que prévoir les cruautés. Résumons ses discours.

a) Le développement historique crée des adversaires (plutôt que des ennemis haineux) et les confronte. Pourquoi se battent-ils au lieu de se compléter ?

ULYSSE. Mais quand le destin, depuis des années, a surélevé deux peuples, quand il leur a ouvert le même avenir d'invention et d'omnipotence, (...) quand il leur a fait inventer le toit en charpente troyen et la voûte thébaine, le rouge phrygien et l'indigo grec, l'univers sait bien qu'il n'entend pas préparer ainsi aux hommes deux chemins de couleur et d'épanouissement, mais se ménager son festival, le déchaînement de cette brutalité et de cette folie humaines qui seules rassurent les dieux. C'est de la petite politique, j'en conviens. Mais nous sommes chefs d'Etat, nous pouvons bien entre nous deux le dire : c'est couramment celle du Destin.

Ce destin n'est rien d'autre que la fatalité même de la « petite politique », c'est-à-dire d'une politique de puissance, simple reproduction sur le plan collectif des appétits et des réflexes de l'animal individuel. Platon parlait déjà ainsi de la « grosse bête ». Les comportements agressifs, interdits dans la vie personnelle, sont tolérés dans les relations internationales où l'égoïsme est tenu pour sacré. La fatalité n'est ici que celle d'un psychisme primitif.

b) Le seul frein est celui d'une culpabilité très fruste. Pour justifier une guerre ou un duel, il faut que l'adversaire ait apparemment commis une faute, ordinairement une « imperceptible impolitesse ». Ainsi, dit Ulysse, « vous avez sans doute mal enlevé Hélène... ».

c) La faute irrémédiable est d'ailleurs de toucher à un objet ou à un être souvent minime, mais tabou. Hélène était tabou. Ici encore, Ulysse exprime une des lois objectives du psychisme primitif. Les agressivités amassées se déchargent soudain pour un motif apparemment futile, mais significatif par quelque symbolisme. Ulysse est d'une sensibilité extrême aux objets tabous car il sait que l'inconvenance qui les touche devient très grave. Ulysse tient compte de forces et de mécanismes qui dépendent de la vie et peuvent pourtant la détruire. Hector, plus simple, veut les réduire à une volonté d'agression. Comme Hélène, Ulysse répond : cette obstination n'est pas mienne.

Comme Hélène donc, il enregistre une détermination, en l'expliquant mieux parce qu'il est intelligent. Lui aussi s'est adapté à une réalité sans amour. Sa défense n'est pas une indifférence animale, en deçà de l'humain ; elle est plutôt le détachement d'un homme qui domine et juge l'existence humaine. Mais que propose-t-il contre la guerre et l'angoisse de la guerre ? Autrement dit, dans quelle mesure ce personnage, qui est une figure de compromis et qui fait, dans ce compromis, une part si large à la réalité cruelle, garde-t-il tout de même un contact humain avec ce désir de bonheur et cette foi centrale que représentent Hector et Andromaque ? Le texte nous offre deux réponses successives :

1. Ulysse offre à Hector la réconciliation personnelle des adversaires les plus évolués. C'était la solution de Forestier et de Zelten.

> HECTOR. C'est une conversation d'ennemis que nous avons là ?
> ULYSSE. C'est un duo avant l'orchestre. C'est le duo des récitants avant la guerre. Parce que nous avons été créés sensés, justes et courtois, nous nous parlons, une heure avant la guerre, comme nous nous parlerons longtemps après, en anciens combattants. Nous nous réconcilions avant la lutte même, c'est toujours cela.

2. Sous l'effet d'une pulsion plus profonde, qui n'est plus amicale mais amoureuse, il offre à Hector son aide, au dernier moment, contre la fatalité de la guerre, toujours à titre personnel.

> HECTOR. Eh bien, le sort en est jeté, Ulysse ! Va pour la guerre ! A mesure que j'ai plus de haine pour elle, il me vient d'ailleurs un désir plus incoercible de tuer... Partez, puisque vous me refusez votre aide...
> ULYSSE. Comprenez-moi, Hector !... Mon aide vous est acquise. Ne m'en veuillez pas d'interpréter le sort. J'ai voulu seulement lire dans ces grandes lignes que sont, sur l'univers, les voies des caravanes (...) et des races. Donnez-moi votre main. Elle aussi a ses lignes. Mais ne cherchons pas si leur leçon est la même. Admettons que les trois petites rides au fond de la main d'Hector disent le contraire de ce qu'assurent les fleuves, les vols et les sillages. Je suis curieux de nature, et je n'ai pas peur. Je veux bien aller contre le sort. J'accepte Hélène, Je la rendrai à Ménélas. Je possède beaucoup plus d'éloquence qu'il n'en faut pour faire croire à un mari à la vertu de sa femme. J'amènerai même Hélène à y croire elle-même. Et je

pars à l'instant, pour éviter toute surprise. Une fois au navire, peut-être risquons-nous de déjouer la guerre.

HECTOR. Est-ce là la ruse d'Ulysse, ou sa grandeur ?

ULYSSE. Je ruse en ce moment contre le destin, non contre vous. C'est mon premier essai et j'y ai plus de mérite. Je suis sincère, Hector... Si je voulais la guerre, je ne vous demanderais pas Hélène, mais une rançon qui vous est plus chère... Je pars...

....

Vous savez ce qui me décide à partir, Hector...

HECTOR. Je le sais. La noblesse.

ULYSSE. Pas précisément... Andromaque a le même battement de cils que Pénélope.

Le couple Hector-Andromaque représente un moi rêvant de vivre heureux, en paix. Une réalité cruelle vient angoisser ce rêve et le transforme en cauchemar. Les deux figures majeures de ce cauchemar sont Hélène et Ulysse. Ces personnages représentent des formations de compromis, car d'une part ils insistent sur la réalité du danger, inéluctable et imminent, d'autre part, ils proposent des systèmes de défense — l'indifférence stoïque ou le détachement amical des hommes supérieurs. Mais ces faibles consolations n'atténuent pas l'horreur du cauchemar. Une partie du moi, Andromaque, se pétrifie ; l'autre, représentée par Hector, joue nerveusement sa dernière chance, et perd.

Du point de vue psychocritique, ce phantasme résume assez bien la pièce et en révèle le dynamisme. Le jeu affectif profond se joue entre ces quatre figures : Hector, Andromaque, Hélène, Ulysse. La personnalité créatrice de Giraudoux les a évidemment choisies pour représenter ses propres conflits intérieurs. Elles ont ainsi acquis des traits et jouent un rôle qui s'ajustent sans doute aux données extérieures, mais n'étaient pas imposés par elles ou même suggérés avec insistance. Par données extérieures, entendons celles que pouvaient fournir la légende grecque ou l'actualité française. Elles ne pressaient pas Giraudoux de transformer Hector en combattant de la paix, Ulysse en Stresemann ; le contraste opposant Andromaque et Hélène ne leur doit pas davantage. C'est à l'imagination de Giraudoux, c'est à la source intérieure qu'il faut attribuer les situations dramatiques où se disposent et s'affrontent ces quatre figures. Tout le reste est bien davantage suggéré par l'histoire ou la lecture.

Dans le phantasme ainsi isolé, cependant, deux éléments sont surtout dignes de remarque :

1. La réalité objective n'est pas placée du côté d'Hector et d'Andromaque, mais du côté d'Hélène et d'Ulysse. Le malheur et la mort sont donnés comme plus « lourds » que la vie, avant même que le dénouement tragique ne s'affirme.

2. Les systèmes de défense proposés, illustrés par Hélène et Ulysse, font certainement partie de la personnalité de Giraudoux. *L'Ecole des Indifférents* s'oppose partout, dans son œuvre, aux fugues vers le pathétique. Une série de traits chez l'écrivain et dans ses personnages se rattachent à ce refus du sentiment[1]. Hélène apparaît ainsi comme un des mois partiels de Giraudoux. On peut en dire autant d'Ulysse, rattaché par des ressemblances nombreuses à d'autres personnages — Moïse, Brossard ou le Président du *Cantique des Cantiques* — personnages âgés, subtils, puissants, qui représentent à coup sûr, sinon le moi idéal, du moins l'un des mois idéaux du Giraudoux écrivain et diplomate, épris de succès social. Ainsi, disons que dans la personnalité de Giraudoux, une sorte d'écorce extérieure, plus disposée à transiger avec la réalité et à se cuirasser contre elle, incline à adopter le système d'Hélène et d'Ulysse. Mais une telle protection paraît acquise aux dépens d'un pathétique intérieur, plus vivant et plus créateur. L'angoisse accuse une division de la personnalité entre une couche corticale et une couche profonde.

Il faut bien constater, enfin, que la catastrophe est finalement déclenchée par Hector lui-même. Le discours d'Ulysse comportait d'inquiétantes allusions à Androma-

---

1. « Est-ce pour cela que ceux que je croyais aimer me deviennent indifférents ? Dès que quelque objet brille et m'attire, par le seul fait que je m'approche pour l'admirer, que je me penche, que je respire... est-ce pour cela que je le ternis ? » *Ecole des Indifférents,* 1911, pp. 45-46.

que : « Si je voulais la guerre, je ne vous demanderais pas Hélène, mais une rançon qui vous est plus chère... (...) Andromaque a le même battement de cils que Pénélope [2]. » Oiax ne fera que traduire brutalement ce désir dangereux, qui ressemble tant à celui de Jupiter. La colère d'Hector s'éveille. Il la maîtrise. Mais on ne peut douter qu'elle entre dans l'impulsion agressive qui le fait frapper, par déplacement, Démokos. Nerveusement épuisé, il perd le contrôle de soi. En un quiproquo où mensonge et vérité se mêlent, la première violence déchaîne la guerre.

2. Cf. variante inédite de la sc. XIII, Acte II, où Ulysse demande crûment, au nom des Grecs, Andromaque à la place d'Hélène récusée.

CHAPITRE VI

ELECTRE

Nous devons consacrer un chapitre important à l'analyse d'*Electre* et il est aisé de comprendre pourquoi. Riche en ombres et en lumières, à maints égards énigmatique, cette pièce occupe une place éminente dans l'œuvre de Giraudoux. Electre est une figure mythique du drame des Atrides. Pourquoi Giraudoux l'emprunte-t-il soudain aux tragiques grecs ? Quel nouveau visage lui donne-t-il ? Il y a là un premier problème qui appartient plutôt à la critique classique qu'à la psychocritique, mais nous ne pouvons pas l'ignorer : car c'est la déformation de l'image traditionnelle par le champ de forces du mythe personnel qui peut avoir produit la nouvelle Electre. Mais il y a plus. Nous savons quelle part occupe l'actualité dans le théâtre de Giraudoux, quel rôle y joue l'allégorie. *La Guerre de Troie n'aura pas lieu* exprimait clairement l'angoisse des Français en 1935. *Electre* a-t-elle un sens analogue ? Cela est au moins possible. Ainsi, avant même d'aborder notre analyse du texte, avec l'espoir d'y voir se préciser le mythe personnel, nous devons consentir un rapide et premier examen à ces sources extérieures, tragédies grecques d'une part, réactions de Giraudoux aux événements contemporains d'autre part. Nous n'avons pas à tirer de conclusions de cette exploration préalable, mais nous aurons clarifié nos idées avant toute étude du texte.

La situation dramatique où est engagé le personnage d'Electre appartient à l'*Orestie* d'Eschyle. Les élaborations antérieures de la légende mycénienne ne nous concernent pas. L'*Orestie* nous présente trois tableaux qui se suivent chronologiquement et constituent autant de tragédies : *Agamemnon, Les Choéphores, Les Euménides.*

Premier tableau : le crime. Agamemnon, à son retour de Troie, est tué par son épouse Clytemnestre, sœur d'Hélène. Son amant Egisthe participe à cet assassinat. Des deux enfants d'Agamemnon, Oreste est envoyé en exil, Electre gardée dans une condition inférieure. *Deuxième tableau : le châtiment.* Huit ans plus tard, Oreste, devenu jeune homme, revient ; il retrouve sa sœur Electre, chaste et pieusement attachée à la mémoire de leur père. Sur l'ordre d'Apollon, et malgré soi, Oreste, pour effacer le crime selon la loi prescrite, tue sa mère et Egisthe. Il est poursuivi par les Erinnyes, à qui il appartient comme matricide, selon un droit antérieur à celui d'Apollon. *Troisième tableau : Oreste dément va embrasser l'autel d'Athéné.* La déesse le fait juger par l'Aréopage qu'elle-même institue et préside. Les voix se partagent ; Athéné accorde à Oreste sa grâce. Les Erinnyes deviennent les Euménides et reçoivent en compensation un culte.

Ainsi, ce que l'*Orestie* illustre, c'est une sorte de leçon sur l'histoire du droit. Familial d'abord et, cela va de soi, profondément religieux, le sentiment de justice voue à l'exécration, abandonne aux Furies celui qui tue son père ou sa mère. Mais, d'autre part, la justice du talion, abstraite et sociale, exige que tout crime soit puni et charge le parent du mort de châtier le coupable. Oreste présente le cas tragique où les deux conceptions de la justice se contredisent, provoquant le plus angoissant des conflits. Un nouveau droit doit être créé pour sortir de l'impasse : Athéné y pourvoit.

De ces trois épisodes successifs, nous n'avons à considérer ici que celui où paraît Electre — le deuxième. Apollon y contraint Oreste, fils du mort, à tuer la meurtrière, sa mère. Quel rôle joue la jeune fille ? Elle demeure, dans Eschyle, à l'écart du meurtre justicier. Elle l'approuve dans Sophocle. Elle en devient, dans Euripide, le principal moteur. Car Euripide ne croit pas aux dieux, mais à la psychologie trop humaine de ses personnages : il voit en Electre une fille humiliée, chassée du palais paternel, mariée à un laboureur (qui, par pitié, la respecte), nourrissant donc pour sa mauvaise mère une haine féroce qu'elle assouvit sous couvert de justice. Enfin, vengée, elle revient à des sentiments plus filiaux et se lamente ; mais Euripide, pressé d'en finir, la donne en mariage à Pylade. Ainsi, déjà dans l'Antiquité, nous voyons changer le personnage d'Electre : d'abord tendre et pieuse, occupant un coin du tableau, elle y remplace peu à peu Apollon et vient au centre y incarner cette Diké, cette justice impitoyable — Giraudoux dira « intégrale » — dont l'esprit athénien redoutait l'outrance antinaturelle. Notons que sur ce dernier point Eschyle et Euripide sont d'accord. L'un nous dit : « Une justice qui fait de l'enfant le meurtrier de sa mère doit être dépassée dans la cité. » L'autre perçoit, sous cette justice, une haine personnelle. La vérité est du côté d'Electre ; logiquement, elle a raison ; mais cette raison inquiète quand elle accuse et châtie passionnément.

Voilà, très grossièrement dessinés, les personnages et la situation dramatique fixés par les tragiques grecs. Disons-le par avance : Giraudoux ne les modifie pas sur des points essentiels. Comme il n'attribue aucun rôle à Apollon et adopte, au fond, le point de vue psychologique, il se rapproche d'Euripide. Comme lui, il souligne la haine d'Electre pour sa mère, mais en l'idéalisant sous la forme d'une violence pure, et comme chauffée à blanc : ce n'en est pas moins de la haine. Giraudoux a aussi emprunté à Euripide son laboureur, dont il a fait le Jardinier. C'est pour son mariage avec Electre que les personnages se rassemblent au premier Acte, mais le vent de la tragédie balaie ce projet. Les principaux changements apportés par Giraudoux sont les suivants :

1. Tandis que chez les tragiques grecs la culpabilité de Clytemnestre et d'Egisthe est connue de tous dès le début,

elle est d'abord ignorée dans la pièce de Giraudoux. Une version officielle a expliqué la mort d'Agamemnon par un accident. Electre devra donc découvrir la vérité, la pressentir, la suivre à la piste, en faire éclater le scandale. A cet égard, l'Electre de Giraudoux rappelle Œdipe ; mais, derrière le camouflage, c'est le crime d'autrui qu'elle chasse.

2. Clytemnestre et Egisthe ne tombent pas dans des pièges. Face à Electre accusatrice et agressive, ils finissent par plaider coupables ; Egisthe accepte même d'expier. Tous deux pourraient aisément défendre leur vie, mais ne le font pas.

3. Oreste est faible. « Sans Electre, dit le Mendiant, il ne serait qu'un pinson. » Les autres personnages sont des spectateurs du drame.

4. Ainsi Electre reçoit, de Giraudoux, les pleins pouvoirs. Elle est libre de juger et de punir. Rien ne fléchit sa justice implacable, pas même la certitude qu'elle va ruiner sa patrie et vouer au carnage des milliers d'innocents en exigeant un châtiment immédiat. Giraudoux a imaginé, en effet, qu'avant le dénouement une guerre éclate ; Egisthe seul sauverait la patrie. Electre ne le permet pas. Tout doit être sacrifié à la satisfaction de la justice intégrale.

Une comparaison rapide de la pièce française avec ses sources antiques conduit ainsi à la conclusion suivante : l'essentiel a été conservé ; Electre reste une Diké exigeant l'expiation totale du crime, afin que la souillure en soit lavée, quel que soit le prix à payer pour cette purification. Nous connaissons cette justice amère. Dans la vie personnelle, c'est souvent celle des adolescents qui perçoivent soudain les fautes de leurs parents et les iniquités du monde. Dans la vie collective, c'est celle des révolutionnaires qui, jugeant un régime corrompu, veulent d'abord l'abattre et, fût-ce dans les ruines, retrouver une pureté. En humanisant cette image, Euripide l'avait plutôt avilie. Giraudoux a voulu lui rendre sa noblesse, la teinter d'absolu, sans la diviniser. Mais dans quel sens vont les changements qu'il apporte ? Les camouflages officiels du crime rendent Clytemnestre et son amant hypocrites. Electre, leur victime, les démasque avant de les châtier, et elle y goûte, indiscutablement, une jouissance orgueilleuse et cruelle. Ce plaisir de la chasse policière, cette insolence du triomphe, cette exaltation dans la destruction totale ne se retrouvent certainement dans aucune des Electres de l'Antiquité. Cependant, tous les autres changements apportés par Giraudoux semblent concourir à un même but : une fois démasqués, les coupables n'ont plus de défense ; leur puissance réelle ne leur sert plus de rien ; ils comparaissent, impuissants, devant une Electre omnipotente. Cela n'est nullement l'effet d'une naïveté, mais d'un rêve. Le triomphe d'Electre prend ainsi un caractère magique.

Tournons-nous maintenant vers la France de 1936-1937. Nous pouvons, en effet, faire l'hypothèse qu'*Electre* répond à des préoccupations actuelles et possède un sens politique : de grandes œuvres antérieures — *Siegfried, Bella, La Guerre de Troie n'aura pas lieu* — nous y invitent. Or, à cette date, la menace de guerre s'est doublée de troubles intérieurs ; ces derniers l'emportent même dans l'esprit public. Le Front populaire est au pouvoir ; dans le pays, les partis de gauche et de droite s'affrontent. Les uns et les autres, d'ailleurs, jugent comme Hamlet qu'il y a quelque chose de pourri dans Elseneur et jouent avec l'idée d'une révolution violente. La France, angoissée, traverse une crise, dans une atmosphère d'accusations justicières, car chaque Français, rendu anxieux par la double menace de guerre étrangère et de guerre civile, recherche un coupable, responsable de son état. La passion d'Electre pour une justice intégrale n'est certainement pas sans rapport avec cette crise affective qui rappelle, à tant d'égards, les crises précédentes de l'âme française, par exemple l'affaire Dreyfus, ou même 1789.

Il serait pourtant téméraire d'aller plus loin et d'attribuer à Giraudoux une intention, à *Electre* une orientation politique précise. Deux textes chronologiquement très proches — *L'Impromptu de Paris* (1937) et *Pleins Pouvoirs* (1939) — révèlent une pensée politique qui, bien loin d'épouser les lignes connues de droite ou de gauche, semble aimantée par des valeurs semi-privées : santé, propreté, agrément, bien-être. *Pleins Pouvoirs* traite de démographie, de sport, d'urbanisme. Giraudoux voit la France comme une demeure encore provinciale où bâtiments, jardins et vergers doivent être entretenus ou rénovés pour que des Français sains de corps et vifs d'esprit y vivent heureux. Dans cet ensemble, il attribue au théâtre une fonction biologique et spirituelle : chaque soir, l'homme, empoisonné par les toxines de sa vie sociale harassante, devrait venir se ré-oxygéner au contact de purs sentiments, de pures valeurs et de pur langage, qui lui redonnent la joie de vivre, l'innocence, la force de recommencer le lendemain. Comme Louis XIV soutenait Molière, l'Etat, dit Giraudoux, devrait soutenir le théâtre en le chargeant précisément de cet office, fonction et mission à la fois ; il devrait aussi, en rendant plus heureuse et plus saine la vie sociale, envoyer chaque soir au théâtre des Français moins harassés. A comparer ces textes, on s'avise bientôt, par une suite d'homologies, que l'ambition de Giraudoux serait d'être, sur les deux plans — celui du théâtre et celui de la vie publique — le purificateur. Il aspire à servir un équilibre vital, celui de la France, ou plutôt celui de « sa » France, qu'il a de grandes chances de confondre avec le sien propre. De ce point de vue, il interprète l'angoisse qu'il éprouve à cette époque comme le signe d'un mal à dépister, d'une souillure à purifier. Déjà dans *Combat avec l'Ange,* Maléna a le sentiment qu'on lui cache un crime collectif et c'est ce qui l'entraîne du côté d'un malheur où la pauvreté et la maladie se mêlent à l'adultère ; Maléna préfigure ainsi Electre, mais une Electre passive, et finalement victime du malheur. Andromaque partageait encore cette passivité. Electre, par sa révolte, y met fin. On dirait qu'à travers son personnage, Giraudoux rêve déjà de s'accorder les pleins pouvoirs en vue de quelque purification vengeresse. On ne peut guère douter qu'Electre représente un aspect de sa personnalité, l'aspect qu'il juge le plus public, le plus français, et qu'il finit ainsi par identifier à la France comme le prouve le texte suivant, extrait de l'*Impromptu de Paris :*

> Laisse-moi rire quand j'entends proclamer que la destinée de la France est d'être ici-bas l'organe de la rete-

nue et de pondération ! La destinée de la France est d'être l'embêteuse du monde. Elle a été créée, elle s'est créée pour déjouer dans le monde le complot des rôles établis, des systèmes éternels. Elle est la justice, mais dans la mesure où la justice consiste à empêcher d'avoir raison de ceux qui ont raison trop longtemps. Elle est le bon sens, mais au jour où le bon sens est le dénonciateur, le redresseur de tort, le vengeur. Tant qu'il y aura une France digne de ce nom, la partie de l'univers ne sera pas jouée, les nations parvenues ne seront pas tranquilles, qu'elles aient conquis leur rang par le travail, la force ou le chantage. Il y a dans l'ordre, dans le calme, dans la richesse, un élément d'insulte à l'humanité et à la liberté que la France est là pour relever et punir. Dans l'application de la justice intégrale, elle vient immédiatement après Dieu, et chronologiquement avant lui. Son rôle n'est pas de choisir prudemment entre le mal et le bien, entre le possible et l'impossible. Alors elle est fichue. Son originalité n'est pas dans la balance, qui est la justice, mais dans les poids dont elle se sert pour arriver à l'équité, et qui peuvent être l'injustice... La mission de la France est remplie, si le soir en se couchant tout bourgeois consolidé, tout pasteur prospère, tout tyran accepté, se dit en ramenant son drap : tout n'irait pas trop mal, mais il y a cette sacrée France, car tu imagines la contre-partie de ce monologue dans le lit de l'exilé, du poète et de l'opprimé. (sc. IV.)

Il serait difficile de ne pas reconnaître, dans ce texte, le portrait d'Electre ; et cela pourrait nous conduire à ne voir, dans cette dernière, qu'une allégorie politique, plaquée sur la légende grecque. Mais précisément, la psychocritique doit nous éviter cette demi-erreur. Car nous retrouverons les traits d'Electre dans d'autres personnages, dans d'autres œuvres, qui n'ont plus rien à faire avec les Atrides ou la France de 1936, mais tout à faire, en revanche, avec la personnalité de Giraudoux. La genèse d'*Electre* ne s'explique donc pas à partir des seules deux sources extérieures : tragédie grecque, actualité politique française. Comme toujours, il faut compter avec la source intérieure, et c'est vers elle que va tendre notre analyse.

*
* *

Nous n'aborderons, tout d'abord, que l'exposition du drame, et en nous limitant comme d'ordinaire, aux points affectivement chargés donc, pour nous, significatifs. Le mariage projeté rassemble peu à peu sur la scène une suite de personnages importants, mais dont nous réserverons l'étude : le Jardinier, futur époux d'Electre, l'Etranger où nul encore n'a reconnu Oreste, des petites filles à la langue vipérine et qui deviendront les Erinnyes, Egisthe, régent et non roi, car il n'a pas épousé Clytemnestre, un Président et son épouse (les Théocathoclès, parents bourgeois du Jardinier), enfin le mystérieux Mendiant. Leurs conversations sont des plus révélatrices.

Cependant, la scène où Clytemnestre et Electre apparaissent ensemble retiendra d'abord notre attention, parce qu'Euripide a déjà souligné le dissentiment qui dresse la fille contre la mère, et aussi parce que nous avons saisi, en analysant la pièce précédente — *La Guerre de Troie* —, l'importance capitale des deux figures féminines centrales et de leurs rapports. Voici le début de cette scène IV du premier Acte :

LE PRÉSIDENT. Les voici toutes deux.

CLYTEMNESTRE. Toutes deux est beaucoup dire. Electre n'est jamais plus absente que du lieu où elle est.

ELECTRE. Non. Aujourd'hui, j'y suis.

EGISTHE. Alors, profitons-en. Tu sais pourquoi ta mère t'a menée jusqu'ici ?

ELECTRE. Je pense que c'est par habitude. Elle a déjà conduit une fille au supplice.

CLYTEMNESTRE. Voilà Electre en deux phrases. Pas une parole qui ne soit perfidie ou insinuation.

ELECTRE. Pardonne-moi, mère. L'allusion se présente si facilement dans la famille des Atrides.

LE MENDIANT. Qu'est-ce qu'elle veut dire ? Qu'elle va se fâcher avec sa mère ?

LE JARDINIER. Ce serait la première fois qu'on verrait se fâcher Electre.

LE MENDIANT. Ça n'en serait que plus intéressant.

EGISTHE. Electre, ta mère t'a avertie de notre décision. Depuis longtemps tu nous inquiètes. Je ne sais si tu t'en rends compte : tu n'es plus qu'une somnambule en plein jour. Dans le palais et dans la ville, on ne prononce plus ton nom qu'en baissant la voix, tant on craindrait, à le crier, de t'éveiller et de te faire choir...

LE MENDIANT, *criant à tue-tête.* Electre !

EGISTHE. Qu'y a-t-il ?

LE MENDIANT. Oh, pardon, c'est une plaisanterie. Excusez-moi. Mais c'est vous qui avez eu peur et pas elle. Elle n'est pas somnambule.

EGISTHE. Je vous en prie...

LE MENDIANT. En tout cas, l'expérience est faite. C'est vous qui avez bronché. Qu'est-ce que cela aurait été si j'avais crié tout à coup : Egisthe.

LE PRÉSIDENT. Laissez notre régent parler.

LE MENDIANT. Je vais crier Egisthe tout à l'heure, quand on ne s'y attendra pas.

EGISTHE. Il faut que tu guérisses, Electre, quel que soit le remède.

ELECTRE. Pour me guérir, c'est simple. Il suffit de rendre la vie à un mort.

EGISTHE. Tu n'es pas la seule à pleurer ton père. Mais il ne demande pas que ton deuil soit une offense aux vivants. Nous faisons une situation fausse aux morts en les raccrochant à notre vie. C'est leur enlever, s'ils en ont une, leur liberté de mort.

ELECTRE. Il a sa liberté. C'est pour cela qu'il vient.

EGISTHE. Crois-tu vraiment qu'il se plaise à te voir le pleurer, non comme une fille, mais comme une épouse ?

ELECTRE. Je suis la veuve de mon père, à défaut d'autre.

Relevons trois points importants :

A. L'acuité du conflit entre mère et fille, le parti pris d'Electre et la nature de son accusation éclatent dès la première phrase : « Elle a déjà conduit une fille au supplice. » C'est « l'habitude » de Clytemnestre de tuer ses enfants. Nous retrouvons le vers de Vigny :

On me dit une mère, et je suis une tombe.

qu'avait suggéré l'indifférence naturelle d'Hélène, elle-même superposée à celle de Gladys, la femme riche et belle qui écrase l'enfant.

B. Egisthe croit avoir les pieds sur la terre tandis qu'Electre vit dans un rêve. Le Mendiant lui démontre objectivement que c'est l'inverse. La puissance de prévision objective d'Hélène et d'Ulysse est attribuée, cette fois, au Mendiant.

C. Electre, hantée par un mort — « C'est pour cela qu'il vient. » —, uniquement préoccupée de lui rendre la vie et se proclamant sa veuve « à défaut d'autre », nous rappelle naturellement, la première Isabelle, celle qui, par pitié et par obéissance à son rêve le plus ancien et le plus cher, allait au-devant du malheur et, du coup, on ne sait pourquoi, ramenait la vérité dans sa ville, en chassait l'hypocrisie. En revanche, les conseils d'Egisthe — ne pas faire du deuil « une offense aux vivants », ne pas raccrocher les morts à notre vie — résument ceux que prodiguaient à Isabelle ses amis et ses maîtres. Renoncer à ce somnambulisme et à ce pathos ridicules, oublier les morts, les crimes passés, les suicides, vivre et se marier avec un homme simple, aimant, ami de la nature — voilà le sort commun proposé à Isabelle et à Electre. Mais la première seule s'engagera dans cette voie.

Electre, fidèle à sa hantise, veut demeurer la veuve de son père, « à défaut d'autre ». Elle ajoute, par ces derniers mots, à l'accusation déjà portée contre Clytemnestre (Tu supplicies tes enfants) celle de n'avoir pas pleuré son époux. Electre ne relie pas encore les deux accusations. Elle ignore encore le meurtre d'Agamemnon par Clytemnestre. Pour l'instant, elle cherche à tâtons une voie qui lui permette de passer de l'accusation d'indifférence (celle qu'Andromaque faisait à Hélène) à l'accusation de cruauté criminelle. La bataille entre mère et fille va se livrer d'abord sur ce point, et Clytemnestre répondra en accusant à son tour sa fille de sadisme, ce qui ne paraît nullement invraisemblable. Voici l'épisode de la chute du petit Oreste :

EGISTHE. Veuve ou non, nous fêtons aujourd'hui tes noces.

ELECTRE. Oui, je connais votre complot.

CLYTEMNESTRE. Quel complot ! Est-ce un complot de vouloir marier une fille de vingt-et-un ans ? A ton âge, je vous portais déjà tous les deux dans mes bras, toi et Oreste.

ELECTRE. Tu nous portais mal. Tu as laissé tomber Oreste sur le marbre.

CLYTEMNESTRE. Que pouvais-je faire ? Tu l'avais poussé.

ELECTRE. C'est faux ! je n'ai pas poussé Oreste !

CLYTEMNESTRE. Mais qu'en peux-tu savoir ! Tu avais quinze mois.

ELECTRE. Je n'ai pas poussé Oreste ! D'au-delà de toute mémoire, je me le rappelle. O Oreste, où que tu sois, entends-moi ! Je ne t'ai pas poussé.

EGISTHE. Cela va, Electre.

LE MENDIANT. Cette fois, elles y sont. Ce serait curieux que la petite se déclare juste devant nous.

ELECTRE. Elle ment, Oreste, elle ment !

....

CLYTEMNESTRE. Elle l'a poussé. Elle ne savait pas évidemment ce qu'elle faisait, à son âge. Mais elle l'a poussé.

ELECTRE. De toutes mes forces je l'ai retenu. Par sa petite tunique bleue. Par son bras. Par le bout de ses doigts. Par son sillage. Par son ombre. Je sanglotais en le voyant à terre, sa marque rouge au front !

CLYTEMNESTRE. Tu riais à gorge déployée. La tunique, entre nous, était mauve.

ELECTRE. Elle était bleue. Je la connais la tunique d'Oreste. Quand on la séchait, on ne la voyait pas sur le ciel.

EGISTHE. Vais-je pouvoir parler ! N'avez-vous pas eu le temps, depuis vingt ans, de liquider ce débat entre vous !

ELECTRE. Depuis vingt ans, je cherchais l'occasion. Je l'ai.

CLYTEMNESTRE. Comment n'arrivera-t-elle pas à comprendre que même de bonne foi, elle peut avoir tort ?

LE MENDIANT. Elles sont de bonne foi toutes deux. C'est ça la vérité.

LE PRÉSIDENT. Princesse, je vous en conjure ! Quel intérêt présente maintenant la question !

CLYTEMNESTRE. Aucun intérêt, je vous l'accorde.

ELECTRE. Quel intérêt ? Si c'est moi qui ai poussé Oreste j'aime mieux mourir, j'aime mieux me tuer... Ma vie n'a aucun sens !...

EGISTHE. Va-t-il falloir te faire taire de force ! Etes-vous aussi folle qu'elle, reine !

CLYTEMNESTRE. Electre, écoute. Ne nous querellons pas. Voici exactement comme tout s'est passé. Il était sur mon bras droit.

ELECTRE. Sur le gauche !

EGISTHE. Est-ce fini, oui ou non, Clytemnestre ?

CLYTEMNESTRE. C'est fini, mais un bras droit est droit, et non gauche, une tunique mauve est mauve et non bleue.

ELECTRE. Elle était bleue. Aussi bleue qu'était rouge le front d'Oreste.

CLYTEMNESTRE. Cela est vrai... Tout rouge. Tu touchas même la blessure du doigt, tu dansais autour du petit corps, étendu, tu goûtais en riant le sang...

ELECTRE. Moi ! Je voulais me briser la tête contre la marche qui l'avait blessé ! J'ai tremblé toute une semaine...

EGISTHE. Silence !

ELECTRE. Je tremble encore.

LE MENDIANT. La femme Narsès s'attachait le sien avec une bande élastique. Il avait du jeu... Souvent il était de biais, mais il ne tombait pas.

EGISTHE. Cela suffit. Nous verrons bientôt comment Electre portera les siens... Car tu es d'accord, n'est-ce pas ? Tu acceptes le mariage ?

ELECTRE. J'accepte.

Une remarque au passage : la guerre vient de se déclarer entre les deux femmes et l'on ne sait qui a raison. « *Depuis vingt ans, je cherchais l'occasion. Je l'ai.* » dit Electre. Cela rappelle la parole d'Ulysse, qui attendait une « espèce de consentement à la guerre » : « *Nous ne l'avions pas. — Vous l'avez maintenant ! — Je crois que nous l'avons.* » Comme dit le Mendiant, « la petite se déclare ». Elle se déclare comme la guerre, sur un incident, « elles sont de bonne foi toutes deux », ajoute le Mendiant. Nous connaîtrons plus tard ses réflexions sur ce problème des responsabilités.

Pour l'instant, le débat paraît opposer l'objectivité et la passion. C'est Clytemnestre qui semble objective, comme jadis Hélène : « un bras droit est droit, et non gauche, une tunique mauve est mauve et non bleue. » L'accent mis sur les couleurs (mauve, bleu, rouge) rappelle aussi les « chromos » d'Hélène. Mais surtout nous sentons que ces précisions positives et l'apparente modération de Clytemnestre servent à étayer la thèse qui rend Electre responsable et la met dans son tort. Ainsi parlait Ulysse à Hector : Le destin a préparé le malheur ; mais, en fait, c'est bien vous qui l'avez provoqué : vous avez « mal enlevé Hélène ». Admettant la faute, non son importance, Hector offrait réparation. Electre nie avec violence. D'abord parce que la moindre culpabilité lui est intolérable (« Si c'est moi qui ai poussé Oreste, j'aime mieux mourir »), mais aussi parce qu'à ses yeux, la vraie faute, la vraie cause du malheur, c'est le manque d'amour de Clytemnestre : en quoi elle rappelle invinciblement Andromaque. « Moi, j'ai voulu sauver l'enfant » proteste-t-elle. Ainsi Electre se superpose à Maléna et à Andromaque, comme Clytemnestre à Gladys et à sa sœur Hélène.

Egisthe, excédé de cette querelle, en revient à la question du mariage. Electre l'accepte ; mais Clytemnestre, soudain, refuse son accord pour des motifs complexes : retour d'orgueil, mais aussi volonté de prouver qu'elle n'est pas une mauvaise mère. Cependant, à la première occasion, la querelle rebondit :

> EGISTHE, *à Electre et au jardinier.* Approchez tous les deux !
>
> CLYTEMNESTRE. Electre, je t'en prie.
>
> ELECTRE. C'est vous qui l'avez voulu, mère !
>
> CLYTEMNESTRE. Je ne le veux plus. Tu vois bien que je ne le veux plus.
>
> ELECTRE. Pourquoi ne le veux-tu plus ? Tu as peur ? Trop tard.

CLYTEMNESTRE. Que faut-il donc te dire pour te rappeler qui je suis, qui tu es !

ELECTRE. Il faut me dire que je n'ai pas poussé Oreste.

CLYTEMNESTRE. Fille stupide !

EGISTHE. Vont-elles recommencer !

LE MENDIANT. Oui, oui, qu'elles recommencent.

CLYTEMNESTRE. Et injuste ! Et obstinée ! Laisser tomber Oreste ! Jamais je ne casse rien ! Jamais je n'échappe un verre ou une bague... Je suis si stable que les oiseaux se posent sur mes bras... De moi on s'envole, on ne tombe pas... C'est justement ce que je me disais, quand il a perdu l'équilibre : Pourquoi, pourquoi la malchance veut-elle qu'il ait eu sa sœur près de lui !

EGISTHE. Elles sont folles !

ELECTRE. Et moi je me disais, dès que je l'ai vu glissant : au moins si c'est une vraie mère, elle va se courber pour amortir la chute. Ou elle va se plier, ou se voûter, pour créer une pente, pour le rattraper avec ses cuisses ou ses genoux. On va voir s'ils deviennent prenants, s'ils comprennent, les cuisses et les genoux altiers de ma mère ! On en doutait ! On va le voir !

CLYTEMNESTRE. Tais-toi.

ELECTRE. Ou elle va s'incliner en arrière, de façon que le petit Oreste glisse d'elle comme un enfant de l'arbre où il a déniché un nid. Ou elle va tomber, pour qu'il ne tombe pas, pour qu'il tombe sur elle. Tous les moyens dont une mère dispose pour recueillir son fils, elle les a encore. Elle peut encore être une courbe, une conque, une pente maternelle, un berceau, Mais elle est restée figée, dressée, et il a chu tout droit, du plus haut de sa mère !

EGISTHE. La cause est entendue, Clytemnestre, nous partons !

CLYTEMNESTRE. Qu'elle se souvienne ainsi de ce qu'elle a vu à quinze mois, de ce qu'elle n'a pas vu ! Jugez du reste !

EGISTHE. Qui la croit, qui l'écoute, excepté vous !

ELECTRE. Qu'il soit tant de moyens pour empêcher un fils de tomber, j'en vois mille encore, et qu'elle n'ait rien fait !

CLYTEMNESTRE. Le moindre mouvement et c'est toi qui tombais.

ELECTRE. C'est bien ce que je dis. Tu raisonnais. Tu calculais. Tu étais une nourrice, pas une mère !

CLYTEMNESTRE. Ma petite Electre...

ELECTRE. Je ne suis pas ta petite Electre. A frotter ainsi tes deux enfants contre toi, ta maternité se chatouille et s'éveille. Trop tard.

CLYTEMNESTRE. Je t'en supplie.

ELECTRE. C'est cela ! Ouvre les bras tout grands. Voilà comme tu as fait ! Regardez tous ! C'est juste ce que tu as fait !

CLYTEMNESTRE. Partons, Egisthe...

Elle sort.

L'accusation d'Electre se précise. Sa mère, indifférente, altière, se frottant à ses enfants comme Hélène à ses hommes, a laissé choir froidement Oreste, comme Hélène laisse choir Pâris. Le jeu de mots ne doit pas surprendre : l'imagination profonde en fait un usage constant, par exemple dans le symbolisme du rêve. « Laisser tomber » l'objet qu'on prétend aimer, c'est avouer qu'on n'est pas attaché à lui. La femme Narsès, cette pauvresse dont parle le Mendiant, était au contraire attachée à son fils par une bande élastique, image persistante du cordon ombilical. Clytemnestre, retranchée, « figée », rigide, apparaît morte ou pétrifiée ; les oiseaux s'envolent d'elle, ce qui nous rappelle encore Hélène ; et si elle laisse échapper les êtres vivants, elle tient les objets, comme Hélène oubliait les visages mais se souvenait des bijoux. Elle aussi prévoit le malheur, voit l'enfant glisser vers le marbre, et ne fait rien. La haine qui rend Electre clairvoyante, l'aveugle pourtant sur un point : elle ne perçoit pas que si Clytemnestre aime quelqu'un, c'est sa fille, parce qu'elles sont femmes toutes deux, mais femmes viriles, l'une crispée sur le pouvoir qu'elle a ravi à l'époux mort, l'autre sur sa pureté virginale et cette haine qu'elle emprunte au souvenir du même mort. Electre justicière devient aussi froide à l'égard de sa mère que Clytemnestre à l'égard de ses enfants.

*
* *

Notre analyse d'*Electre* a dépassé à peine l'exposition. Nous souvenant pourtant à la fois de la psychologie d'Euripide et de notre propre étude sur *La Guerre de Troie n'aura pas lieu,* nous avons pressenti que le conflit entre Clytemnestre et Electre devait se placer au cœur même de la tragédie, et nous avons vu, en effet, s'engager la bataille dès la scène 4 de l'Acte I. Plusieurs signes nous ont donné alors le sentiment que cette scène correspondait à la déclaration de guerre dans la pièce précédente, et nous ont invité à superposer d'une part Hélène et Clytemnestre, d'autre part Andromaque et Electre. Celles-ci dénoncent, chez les premières, une froide indifférence, une absence d'amour et de pitié où elles voient non seulement l'origine mais l'horreur de la catastrophe imminente. Notons combien le conflit s'est aggravé, en dépit des apparences. Certes, dans l'actualité, une menace de guerre pèse plus lourd que la chute d'un bébé, fût-il mal retenu par sa mère ou poussé par sa sœur. Mais cela n'est plus vrai dans l'art tragique. Rien n'y pèse plus lourd que l'infanticide ou le parricide. Les deux figures féminines qu'opposait *La Guerre de Troie* n'étaient que de lointaines belles-sœurs ; les voici, dans *Electre,* mère et fille. Andromaque implorait : « Aimez votre amant ! » Electre accuse : « Tu n'as pas aimé ton fils, tu conduis tes filles à la mort. » Nous sommes entré dans la vraie tragédie, l'originelle, la familiale. Sophocle et Freud sont d'accord sur ce point ; mais Racine ne l'est pas moins, et c'est Giraudoux qui le dit :

> ... le drame (...) est une de ces conflagrations hebdomadaires qui surgissent dans les familles passionnées. Tous les héros de Racine forment une seule famille effroyablement dramatique dès avant le drame (...) Tout le théâtre de Racine est un théâtre d'inceste. Cette impression d'inceste qui se précise dans *Phèdre* plane sur toutes ses tragédies principales, Roxane veut son beau-frère, Mithridate sa double belle-fille, Oreste sa cousine, Néron sa belle-sœur. Pyrrhus lui-même, Titus lui-même, habitent avec leur amante dans une équivoque promiscuité. Inceste du crime aussi : Athalie veut tuer son petit-fils, Agamemnon

sa fille, Etéocle et Polynice leur frère. C'est l'inceste qui a attiré Racine vers le sérail.

(*Littérature*, pp. 48-50.)

Ainsi, l'escarmouche qui met aux prises, dès leur entrée en scène, Clytemnestre et Electre annonce la plus tragique des luttes.

C'est une « conflagration familiale » qui va éclater ; la dispute à propos d'Oreste en est la première manifestation. Mais comment évolue la situation ? Le Jardinier est bientôt mis hors de cause, d'abord, nous l'avons vu, par l'hostilité de Clytemnestre, puis par l'arrivée d'Oreste, qui prend en fait, auprès d'Electre, la place d'un époux. Dans cette mesure au moins, Oreste doit être superposé à Hector, comme Egisthe à Ulysse. Nous préciserons leur rôle par la suite. Notre première tâche est de rechercher comment Electre démasque sa mère, car leur relation résume le drame. La question des responsabilités se pose aussitôt. Qui a tort ou raison dans la dispute ? Clytemnestre accuse Electre d'avoir poussé Oreste. Si elle ment, la faute lui revient et c'est un manque d'amour. Déjà mensonge, manque d'amour et culpabilité sont liés. Il faut donc décider qui ment ou se trompe. Giraudoux choisit-il ? La méditation du Mendiant, auprès d'Electre et d'Oreste endormis, à la fin de l'Acte I, nous apporte sans doute une réponse sur ce point : morceau inutile à l'action, il n'aurait plus de sens s'il n'exprimait pas le jugement de l'auteur.

LE MENDIANT. C'est l'histoire de ce poussé ou pas poussé que je voudrais bien tirer au clair. Car, selon que c'est l'un ou l'autre, c'est la vérité ou le mensonge qui habite Electre, soit qu'elle mente sciemment, soit que sa mémoire devienne mensongère. Moi je ne crois pas qu'elle ait poussé. Regardez-la : à deux pouces au-dessus du sol, elle tient son frère endormi aussi serré qu'au-dessus d'un abîme. Il va rêver qu'il tombe, évidemment, mais cela vient du cœur, elle n'y est pour rien. Tandis que la reine a une ressemblance : elle ressemble à ces boulangères qui ne se baissent même pas pour ramasser leur monnaie, et aussi à ces chiennes griffonnes qui étouffent leur plus beau petit pendant leur sommeil. Après, elles le lèchent comme la reine vient de lécher Oreste, mais on n'a jamais fait d'enfant avec la salive. On voit l'histoire comme si l'on y était. Tout s'explique, si vous supposez que la reine s'est mis une broche en diamants et qu'un chat blanc est passé. Elle tient Electre sur le bras droit, car la fille est déjà lourde ; elle tient le bébé sur l'autre, un peu éloigné d'elle, pour qu'il ne s'égratigne pas à la broche ou qu'il ne la lui enfonce pas dans la peau... C'est une épingle à reine, pas une épingle à nourrice... Et l'enfant voit le chat blanc, c'est magnifique un chat blanc, c'est de la vie blanche, c'est du poil blanc : ses yeux le tirent, et il bascule... Et c'est une femme égoïste. Car, de toutes façons, en voyant chavirer l'enfant, elle n'avait pour le retenir qu'à libérer son bras droit de la petite Electre, à lancer la petite Electre au loin sur le marbre, à se ficher de la petite Electre. Qu'elle se casse la gueule, la petite Electre, pourvu que vive et soit intact le fils du roi des rois ! Mais elle est égoïste. Pour elle, la femme compte autant que l'homme, parce qu'elle en est une ; le ventre autant que la souche, parce qu'elle est un ventre ; elle ne songe pas une seconde à détruire cette fille à ventre pour sauver ce fils à souche, et elle garde Electre. Tandis que voyez Electre. Elle s'est déclarée dans les bras de son frère. Et elle a raison. Elle ne pouvait trouver d'occasion meilleure. La fraternité est ce qui distingue les humains. (...) Electre n'a donc pas poussé Oreste ! Ce qui fait que tout ce qu'elle dit est légitime, tout ce qu'elle entreprend sans conteste. Elle est la vérité sans résidu, la lampe sans mazout, la lumière sans mèche. De sorte que si elle tue, comme cela menace, toute paix et tout bonheur autour d'elle, c'est parce qu'elle a raison ! C'est que si l'âme d'une fille, par le plus beau soleil, se sent un point d'angoisse, si elle renifle, dans les fêtes et les siècles les plus splendides, une fuite de mauvais gaz, elle doit y aller, la jeune fille est la ménagère de la vérité, elle doit y aller jusqu'à ce que le monde pète et craque dans les fondements des fondements et les générations des générations, dussent mille innocents mourir la mort des innocents pour laisser le coupable arriver à sa vie de coupable !

Ce texte est important. Il fixe les responsabilités de la guerre. Le Mendiant ne s'était pas prononcé pendant la querelle : « Elles sont de bonne foi toutes deux. » avait-il dit. Maintenant, il prononce un arrêt pour Electre contre sa mère, marquant la sympathie de Giraudoux. Nous sommes ainsi confirmé dans l'idée que le moi central de l'auteur s'identifie avec Electre et Oreste, comme, dans l'œuvre précédente, avec Andromaque et Hector. Cela n'était pas évident. Par exemple, dans son livre sur le théâtre de Giraudoux, M. Mercier-Campiche prend violemment parti contre Electre, qu'elle juge orgueilleuse et perverse [1]. Si cette interprétation était celle de l'auteur, on ne voit pas pourquoi ce dernier aurait fait prononcer au Mendiant un arrêt désapprouvé par lui et inutile à l'action. J'ajouterai d'ailleurs trois brèves remarques :

A. Le Mendiant juge sur des « ressemblances ». L'image d'un être révèle son comportement probable. C'est ainsi que Sartre reprochait à Giraudoux de nous offrir un monde où la détermination était remplacée par la logique aristotélicienne : chacun agit selon son archétype.

B. Clytemnestre, selon le Mendiant, a laissé choir son fils parce qu'elle préférait sa fille, parce qu'elle est du parti des femmes. Le Mendiant désapprouve cette attitude. Pourtant son jugement ne porte pas sur elle, mais sur le fait que Clytemnestre la dissimule.

C. Il raisonne dès lors ainsi : Clytemnestre ment, donc Electre a raison ; car, « ménagère de la vérité », la jeune fille doit expulser le mensonge, cette ordure. S'il y a des dégâts, tant pis. Elle a raison parce qu'elle obéit à sa nature.

Sur ce raisonnement, il y aurait fort à dire. Mais l'important, ici, reste qu'aux yeux de Giraudoux, il justifie la thèse d'Electre (« Elle ment, Oreste, elle ment ! ») et la haine qui l'accompagne. Cette insistance sur un mensonge de bonne foi dans une tragédie qui comporte *trois* meurtres a de quoi surprendre. Nous retrouvons l'étonnement qui nous avait saisi devant le jugement d'Andromaque : la

---

1. Marianne Mercier-Campiche, *Le Théâtre de Giraudoux et la Condition humaine,* Domat, Paris, 1954.

guerre serait tolérable si Hélène ne mentait pas quand elle dit aimer Pâris. Mais, si nous comprenons bien Giraudoux, nous avons tort de nous étonner. Ruse ou protection, le mensonge fait déjà partie de la guerre. Surtout, il constitue une rupture des relations et de la foi qu'elles nourrissent. Sa pellicule supprime le contact, coupe la communication. La violence et la haine peuvent n'être alors que des moyens désespérés pour rétablir le contact à tout prix. Clytemnestre et Electre cherchent peut-être à se rejoindre et l'un des meilleurs moyens qui s'offrent à la fille est, à coup sûr, de découvrir le point faible de sa mère, le point resté sensible et pathétique de souffrance et de culpabilité. C'est le Jardinier, plus profond que le Mendiant, qui découvre cette possibilité et l'exprime dans son *lamento : « Elle se cherche une mère, Electre. (...) Il se peut qu'à chercher ainsi sa mère dans sa mère, elle soit obligée de lui ouvrir la poitrine...* » La haine apparaît ainsi comme une variété cruelle de l'amour. Du moins ont-ils en commun le contact. Leur ennemi est ce qui sépare : la pellicule de mensonge, la distance d'indifférence, la mort. Donc Electre cherchera surtout à toucher, chez sa mère, un point sensible et sincère, l'aveu de quelque sentiment vrai, haine ou amour. Une fois ce but atteint, la jeune héroïne de Giraudoux redonnera la parole au mythe grec, laissera Oreste punir le crime.

Notre analyse, par conséquent, portera essentiellement sur la chasse d'Electre. A la fin du premier Acte, lorsque la jeune fille retrouve Oreste et va s'endormir dans ses bras, elle ne sait rien du crime de leur mère. Sa haine le pressent. La scène VIII de l'Acte I fixe ce point.

> ORESTE. Pourquoi détestes-tu les femmes à ce point ?
>
> ELECTRE. Ce n'est pas que je déteste les femmes, c'est que je déteste ma mère. Et ce n'est pas que je déteste les hommes, je déteste Egisthe.
>
> ORESTE. Mais pourquoi les hais-tu ?
>
> ELECTRE. Je ne le sais pas encore. Je sais seulement que c'est la même haine. C'est pour cela qu'elle est si lourde, pour cela que j'étouffe. Que de fois j'ai

essayé de découvrir que je haïssais chacun d'une haine spéciale. Deux petites haines, cela peut se porter encore dans la vie. C'est comme les chagrins. L'un équilibre l'autre. J'essayais de croire que je haïssais ma mère parce qu'elle t'avait laissé tomber enfant, Egisthe parce qu'il te dérobait ton trône. C'était faux. En fait j'avais pitié de cette grande reine, qui dominait le monde, et soudain, terrifiée, humble, échappait un enfant comme une aïeule hémiplégique. J'avais pitié de cet Egisthe, cruel, tyran, et dont le destin était de mourir un jour misérablement sous tes coups... Tous les motifs que je trouvais de les haïr me les laissaient au contraire humains, pitoyables, mais dès que les haines de détail avaient bien lavé, paré, rehaussé ces deux êtres, au moment où vis-à-vis d'eux je me retrouvais douce, obéissante, une vague plus lourde et plus chargée de haine commune s'abattait à nouveau sur eux. Je les hais d'une haine qui n'est pas à moi.

ORESTE. Je suis là. Elle va cesser.

ELECTRE. Crois-tu ? Autrefois je pensais que ton retour me libérerait de cette haine. Je pensais que mon mal venait de ce que tu étais loin. Je me préparais pour ta venue à ne plus être qu'un bloc de tendresse, de tendresse pour tous, de tendresse pour eux. J'avais tort. Mon mal, en cette nuit, vient de ce que tu es près. Et toute cette haine que j'ai en moi, elle te rit, elle t'accueille, elle est mon amour pour toi. Elle te lèche comme le chien la main qui va le découpler. Je sens que tu m'as donné la vue, l'odorat de la haine. La première trace, et maintenant, je prends la piste... Qui est là ? C'est elle ?

....

Notre mère que j'aime parce qu'elle est si belle, dont j'ai pitié à cause de l'âge qui vient, dont j'admire la voix, le regard... Notre mère que je hais.

ORESTE. Electre, sœur chérie ! Je t'en supplie, calme-toi.

ELECTRE. Alors, je prends la piste, je pars ?

ORESTE. Calme-toi.

ELECTRE. Moi. Je suis toute calme. Moi ? Je suis toute douce. Et douce pour ma mère, si douce... C'est cette haine pour elle qui gonfle, qui me tue.

ORESTE. A ton tour, ne parle pas. Nous verrons demain pour la haine.

(Acte I, sc. VIII.)

Notons aussitôt combien cette recherche apparente d'un crime extérieur ressemble à une interrogation de soi. Electre évoque à la fois Cassandre et Œdipe. Cassandre, qui double Andromaque dans *La Guerre de Troie n'aura pas lieu*, se compare, dans l'*Agamemnon* d'Eschyle, à une chienne flairant le sang. Quant à Œdipe, nous en avons déjà parlé en soulignant qu'il se distingue d'Electre car il est lui-même le coupable ; mais cette différence pourrait disparaître si, par exemple, nous considérions Electre comme la conscience de Clytemnestre. En tout cas, Electre recherche le crime en s'interrogeant.

Passons maintenant au début du second Acte, par dessus la méditation du Mendiant, le lamento du Jardinier et le sommeil des deux jeunes gens. Dès son réveil, Electre échange avec le Mendiant quelques paroles qui témoignent du progrès de son introspection :

LE MENDIANT. Il n'est plus bien loin, n'est-ce pas, Electre ?

ELECTRE. Oui. Elle n'est plus bien loin.

LE MENDIANT. Je dis Il. Je parle du jour.

ELECTRE. Je parle de la lumière.

LE MENDIANT. Cela ne va pas te suffire que les visages des menteurs soient éclatants de soleil ? Que les adultères et les assassins se meuvent dans l'azur ? C'est cela le jour. Ce n'est déjà pas mal.

ELECTRE. Non. Je veux que leur visage soit noir en plein midi, leurs mains rouges. C'est cela la lumière.

La haine est devenue, maintenant, justicière. Puis les deux coupables et les deux crimes apparaissent. Electre annonce à son frère les deux nouvelles certitudes, mystérieusement conjuguées, mais distinctes : leur père a été assassiné, leur mère se prostitue. Elle tient ces assurances d'un rêve :

ORESTE. Il t'est apparu ?

ELECTRE. Non. Son cadavre cette nuit m'est apparu, tel qu'il était le jour du meurtre, mais c'était lumineux, il suffisait de lire : il y avait dans son vêtement un pli qui disait, je ne suis pas le pli de la mort, mais le pli de l'assassinat. Et il y avait sur le soulier une boucle qui répétait : je ne suis pas la boucle de l'accident, mais la boucle du crime. Et il y avait dans la paupière retombée une ride qui disait : je n'ai pas vu la mort, j'ai vu les régicides.

ORESTE. Pour notre mère, qui te l'a dit ?

ELECTRE. Elle-même. Encore elle-même.

ORESTE. Elle a avoué ?

ELECTRE. Non. Je l'ai vue morte. Son cadavre d'avance l'a trahie. Aucun doute. Son sourcil était le sourcil d'une femme morte qui a eu un amant.

(Acte II, sc. III.)

Electre poursuit donc son enquête en elle-même. Deux images révélatrices ont affleuré à la conscience ; mais, comme il arrive souvent dans le rêve, le lien qui les unit est demeuré inconscient. Electre est persuadée maintenant que le nom de l'amant lui fournira ce lien. Il faut avouer qu'un vrai policier en eût bientôt fait l'hypothèse. Mais Electre recherche tout le contraire d'un crime passionnel : le crime par absence d'amour. Après avoir renvoyé Oreste, qui la gêne plus qu'il ne l'aide, elle engage avec sa mère la seconde vraie bataille.

CLYTEMNESTRE. Aide-moi, Electre !

ELECTRE. T'aider à quoi ? A dire la vérité, ou à mentir ?

CLYTEMNESTRE. Protège-moi.

ELECTRE. Voilà la première fois que tu te penches vers ta fille, mère. Tu dois avoir peur.

CLYTEMNESTRE. J'ai peur d'Oreste.

ELECTRE. Tu mens. Tu n'as point peur d'Oreste. Tu le vois comme il est : passionné, changeant, faible. Il rêve encore d'une idylle chez les Atrides. C'est moi que tu redoutes, pour moi que tu joues ce jeu dont le sens m'échappe encore. Tu as un amant, n'est-ce pas ? Qui est-il ?

. . . .

CLYTEMNESTRE. Ecoute-moi ! Je n'ai pas d'amant. J'aime.

ELECTRE. N'essaye pas de cette ruse. Tu jettes dans mes pieds l'amour comme les voituriers poursuivis par les loups leur jettent un chien. Le chien n'est pas ma nourriture.

CLYTEMNESTRE. Nous sommes femmes, Electre, nous avons le droit d'aimer.

ELECTRE. Je sais qu'on a beaucoup de droits dans la confrérie des femmes. (...) Tu n'avais le droit d'aimer que mon père. L'aimais-tu ? Le soir de tes noces, l'aimais-tu ?

CLYTEMNESTRE. Où veux-tu en venir ? Tu veux m'entendre dire que ta naissance ne doit rien à mon amour, que tu as été conçue dans la froideur ? Sois satisfaite.

. . . .

ELECTRE. ... pourquoi lances-tu maintenant dans mes jambes, pour me retenir, la froideur au lieu de l'amour ?

CLYTEMNESTRE. Pour que tu comprennes que j'ai le droit d'aimer. Pour que tu saches que tout dans ma vie a été dur comme ma fille à son premier jour.

. . . .

ELECTRE. Dis-moi le nom de ton amant, mère et je te dirai si tu aimes. Et il restera entre nous pour toujours.

CLYTEMNESTRE. Jamais.

ELECTRE. Tu vois ! Ce n'est pas ton amant, c'est ton secret que tu me caches. Tu as peur que son nom me donne la seule preuve qui m'échappe encore, dans cette chasse !

CLYTEMNESTRE. Quelle preuve ? Tu es folle !

ELECTRE. La raison du forfait. Tout me dit que tu l'as commis, mère. Mais ce que je ne vois pas encore, ce qu'il faut que tu m'apprennes, c'est pourquoi tu l'aurais commis, mère. Toute les clefs, comme tu dis, je les ai essayées. Aucune n'ouvre encore. Ni l'amour. Tu n'aimes rien. Ni l'ambition. Tu te moques d'être reine. Ni la colère. Tu es réfléchie, tu calcules. Mais le nom de ton amant va tout éclairer, va tout nous dire, n'est-ce pas ? Qui aimes-tu ? Qui est-ce ?

(Acte II, sc. v.)

Combien ces deux femmes se ressemblent, en une sorte de symétrie ! Electre, au premier Acte, disait à sa mère : « Ton fils avait droit à ton amour et tu le lui as refusé. » Au second Acte, Clytemnestre dit à sa fille : « J'avais droit à l'amour, puisque je suis femme. Tout me l'a refusé, même ma fille, surtout ma fille. » Second point : Clytemnestre plaide coupable sans que rien ne l'y oblige. Electre s'empare aussi cruellement des aveux qu'elle rejetait les excuses : « Tu n'as pas pris un amant parce qu'on t'avait privée d'amour ; tu as pris un amant comme tu fais tout : sans amour. » La jeune fille propose alors un étrange marché : « Si tu me dis son nom, et s'il me révèle que tu l'aimais, j'abandonnerai ma poursuite. » Le meurtre du père cesserait-il, dans ce cas, d'être une injustice intolérable, comme la guerre de Troie, si Hélène aimait Pâris ? C'est bien ce qu'implique le texte : le meurtre demeurerait, mais, justifié par la passion, cesserait d'être intolérable puisque Electre pourrait « garder le secret ». Nous mesurons l'importance de ce fait pour notre recherche psychocritique. Il confirme nos superpositions de figures féminines, mais, surtout, il révèle la disjonction entre sources extérieures et source intérieure.

Superposons, en effet, *Electre* et *La Guerre de Troie* : le drame de l'Europe et celui de Clytemnestre se brouillent parce qu'ils n'ont aucun lien réel. En revanche, les deux figures féminines s'accusent ; leur conflit n'appartient ni à l'Europe, ni aux Atrides, mais à Giraudoux et l'on voit bien qu'il a été projeté tour à tour sur chacune des deux réalités extérieures, afin de les organiser et de les expliquer de façon satisfaisante pour l'auteur. La figure pathétique — Andromaque, Electre — constate avec désespoir puis avec horreur que la figure indifférente feint seulement d'aimer. Electre ne croit pas un mot du roman d'amour que sa mère lui « jette dans les jambes ». Mais alors où trouvera-t-elle le lien entre le faux amour de Clytemnestre et le meurtre d'Agamemnon ? Tel est le sens des questions posées par

Electre dans la dernière partie du dialogue. Quel a été le motif de ce meurtre qu'aucune passion n'explique puisque la reine est incapable de passion ?

Le couple grotesque et boulevardier des Théocathoclès va fournir à Electre la clé de l'énigme. Hector, d'ailleurs, nous avait déjà dit en passant pourquoi Hélène aurait pu haïr Ménélas :

> HECTOR. ... C'est comme pour Ménélas. Vous ne le haïssez pas ?
> HÉLÈNE. Pourquoi le haïrais-je ?
> HECTOR. Pour la seule raison qui fasse vraiment haïr. Vous l'avez trop vu.
> (Acte I, sc. VIII.)

Agathe Théocathoclès révèle donc à son mari jaloux (dont la question « Qui est-ce ? » vient de faire comiquement écho à celle d'Electre) que les femmes trompent d'abord leur époux avec tous les objets de l'univers puis — pourquoi pas ? — avec les hommes ; tous les hommes. Ainsi faisait Hélène, comparant ses amants à des savons ; ainsi, Alcmène, selon Jupiter, devait glisser des objets au dieu. Ce thème est un des lieux communs de Giraudoux : nous l'avons rencontré dès le début de notre analyse, à propos de *Jérôme Bardini* et de *Choix des Elues*. Mais dans cette fuite hors du mariage, dans cette fugue vers « l'autre », la haine vient de s'introduire, l'ennui vient de prendre son sens fort (*in odio est mihi*). Electre pressent donc que Clytemnestre a tué son époux parce qu'elle l'avait « assez vu », parce que sa seule image lui était devenue intolérable. Cependant, l'horreur précise de cette image restera longtemps encore ignorée de la jeune fille. Une longue péripétie — invasion d'Argos, métamorphose d'Egisthe — vient interrompre l'enquête d'Electre et suspendre l'aveu. La tragédie s'engage en un crescendo qui serait haletant si Giraudoux n'était prolixe. L'émeute gronde ; une décision presse ; Egisthe prend la stature d'un roi ; évidemment amoureux d'Electre, il vient se mettre à son tour, entre la jeune fille et sa mère, à la place qu'ont occupée, l'un après l'autre, le Jardinier, puis Oreste (toujours absent) et qui est, en réalité, la place vide d'Agamemnon. Mais il doit être écarté, lui aussi, pour que mère et fille se retrouvent face à face dans leur troisième et dernière bataille.

Clytemnestre cesse de mentir ; elle avoue sa haine pour Agamemnon ; passionnée à son tour, elle en vomit l'image :

> CLYTEMNESTRE. Ah ! tu veux que j'achève !
> ELECTRE. Je t'en défie !
> (...)
> CLYTEMNESTRE. Oui, je le haïssais. Oui, tu vas savoir enfin ce qu'il était, ce père admirable ! Oui, après vingt ans, je vais m'offrir la joie que s'est offerte Agathe !... Une femme est à tout le monde. Il y a tout juste au monde un homme auquel elle ne soit pas. Le seul homme auquel je n'étais pas, c'était le roi des rois, le père des pères, c'était lui ! Du jour où il est venu m'arracher à ma maison, avec sa barbe bouclée, de cette main dont il relevait toujours le petit doigt, je l'ai haï. Il le relevait pour boire, il le relevait pour conduire, le cheval s'emballât-il, et quand il tenait son sceptre,... et quand il me tenait moi-même, je ne sentais sur mon dos que la pression de quatre doigts : j'en étais folle, et quand dans l'aube il livra à la mort ta sœur Iphigénie, horreur, je voyais aux deux mains le petit doigt se détacher sur le soleil ! Le roi des rois, quelle dérision ! Il était pompeux, indécis, niais. C'était le fat des fats, le crédule des crédules. Le roi des rois n'a jamais été que ce petit doigt et cette barbe que rien ne rendait lisse. Inutile, l'eau du bain, sous laquelle je plongeais sa tête, inutile la nuit de faux amour, où je la tirais et l'emmêlais, inutile cet orage de Delphes sous lequel les cheveux des danseuses n'étaient plus que des crins ; de l'eau, du lit, de l'averse, du temps, elle ressortait en or, avec ses annelages. Et il me faisait signe d'approcher, de cette main à petit doigt, et je venais en souriant. Pourquoi ?... Et il me disait de baiser cette bouche au milieu de cette toison, et j'accourais pour la baiser. Et je la baisais. Pourquoi ?... Et quand au réveil, je le trompais, comme Agathe, avec le bois de mon lit, un bois plus relevé, évidemment, plus royal, de l'amboine, et qu'il me disait de lui parler, et que je le

savais vaniteux, vide aussi, banal, je lui disais qu'il était la modestie, l'étrangeté, aussi, la splendeur. Pourquoi ?... Et s'il insistait tant soit peu, bégayant, lamentable, je lui jurais qu'il était un dieu. Roi des rois, la seule excuse de ce surnom est qu'il justifie la haine de la haine. Sais-tu ce que j'ai fait, le jour de son départ, Electre ; son navire encore en vue ? J'ai fait immoler le bélier le plus bouclé, le plus indéfrisable, et je me suis glissée vers minuit, dans la salle du trône, toute seule, pour prendre le sceptre à pleines mains ! Maintenant tu sais tout. Tu voulais un hymne à la vérité : voilà le plus beau !

(Acte II, sc. VIII.)

La bataille est gagnée : Electre a mis au jour la vérité ; elle a fait avouer sa mère ; elle a restitué la coupable à sa vie de coupable. Mais coupable de quoi ? De manque d'amour, de mensonge. Certes, Clytemnestre a tué Agamemnon. Mais le crime et la vengeance, empruntés au mythe grec dont ils constituent des points fixes, doivent être distingués des interprétations psychologiques qui sont propres à chaque auteur. Dans la pièce de Giraudoux, Electre a gagné la bataille quand sa mère avoue qu'elle n'aimait pas son mari et qu'elle a menti. Si nous revenons à notre superposition des figures féminines (Andromaque en face d'Hélène — Electre en face de Clytemnestre), nous pouvons constater les différences.

Le mensonge constitue l'élément nouveau, et il est lié à l'agressivité. Autant que Clytemnestre, Hélène manquait d'amour, de pitié. Mais elle mentait peu, point du tout avec Andromaque, et gardait une sorte de pureté dans l'adultère. Aussi n'y avait-il pas de haine entre les deux femmes, mais une impuissance à se joindre. Le mensonge est lié à la guerre, comme Andromaque le dit déjà. Ils s'engendrent l'un l'autre. Clytemnestre a feint d'aimer Agamemnon ; quand elle l'a jugé pesant et fat, elle n'a pas fui, comme Hélène, ou Jérôme Bardini, ou Edmée ; une haine sans issue s'est donc amassée en elle ; ainsi le mensonge l'a conduite au meurtre. Mais elle a encore caché le meurtre. Par un nouveau mensonge, elle a feint d'être mère et reine, et son hostilité s'est amassée contre ses enfants qui pourraient devenir ses juges. D'où l'exil d'Oreste, le mariage humiliant d'Electre. Electre s'éprouve victime d'une injustice et réagit par une haine qui se gonfle à son tour comme le sein des Euménides. La défense du persécuté-persécuteur s'amorce : Electre devient justicière et, plus que l'adultère (elle l'eût pardonné si Clytemnestre avait aimé vraiment), plus même que le meurtre (elle le pardonnerait à Egisthe s'il tuait Clytemnestre), elle condamne le mensonge qui a tout altéré, corrompu. Dans *La Guerre de Troie n'aura pas lieu,* le mensonge flottait encore autour des deux femmes, mais jusque dans leur dissentiment, elles, du moins, restaient sincères, conservaient dans leur relation une transparence. Dans *Electre,* la duplicité et la guerre ont infesté cette transparence même, isolant la mère de l'enfant.

Pourtant, répétons-le, combien elles se ressemblent ! Toutes deux viriles et toutes deux privées d'amour, solitaires. A maints égards, sous sa froideur, Clytemnestre apparaît aussi blessée, aussi pathétique qu'Electre. Comme Athalie, cette « Phèdre ridée », elle esquisse des gestes de tendresse qu'on rabroue. Sur son mensonge même, il y aurait fort à dire. Si elle a tué Agamemnon, c'est que la feinte lui était devenue intolérable. Le moyen qu'elle choisit pour se délivrer appartient, en vérité, au mythe tragique. Dans les romans de Giraudoux, les héroïnes qui étouffent dans la vie conjugale se contentent d'en sortir. Quand Edmée, comme Clytemnestre, juge son mari pesant et un peu ridicule, elle l'abandonne et, elle aussi, laisse choir son fils, car elle préfère sa fille (qui d'ailleurs en viendra plus tard à la haïr, dans une crise d'adolescence qui rappelle trait pour trait celle d'Electre). Nous reviendrons sur cette superposition. Retenons seulement pour l'instant que le meurtre d'Agamemnon pourrait bien n'être que la forme, imposée par la tragédie, d'une simple rupture du couple légitime. Or cette rupture, dans de telles conditions, est bien tenue par Giraudoux pour un triomphe de la vérité sur le mensonge social. Clytemnestre, incapable de supporter plus longtemps son propre mensonge et le visage fermé de sa fille, est-elle si éloignée d'Electre que la froideur et l'hypocrisie de sa mère exaspèrent ? Comme le crime et le talion, la coupable et la justicière se ressemblent — c'est bien ce qui, déjà, inquiétait Eschyle.

Ainsi, tout en maintenant la différence entre les deux figures de Clytemnestre et d'Electre (car le drame même en dépend), nous ne devons pas exclure l'idée qu'elles représentent deux aspects d'une seule figure originelle. Clytemnestre est peut-être un moi ancien qu'Electre, nouveau moi, rejette. Cette hypothèse ne serait-elle pas rendue plausible par les métamorphoses de Jérôme Bardini ou d'Edmée ? Il faudrait en déduire qu'Hélène et Andromaque représentent aussi deux aspects d'une seule figure, manifestant elle-même quelque chose comme l'âme de Giraudoux. Elle semble avoir toujours hésité entre deux systèmes de défense : le durcissement dans l'indifférence ou l'abandon à la mélancolie — les rares instants d'équilibre édénique n'exigeant, naturellement, l'usage d'aucun d'entre eux. Longtemps, l'indifférence, l'oubli, le rire paraissent avoir prévalu contre l'angoisse. Ce mode de défense s'est-il révélé, par la suite, insupportablement mensonger ? Des explosions périodiques de mélancolie en firent-elles reconnaître à Giraudoux le manque d'amour puis l'hypocrisie ? Ce recours à l'indifférence devait convenir au plus extérieur des Giraudoux, en contact avec la réalité sociale, au bon élève, à l'écrivain brillant, au diplomate. La défense mélancolique, — l'amer plaisir d'être malheureux —, était sans doute réservée à l'écrivain, plus sincère ou se croyant tel, admettant en tout cas l'angoisse. Elle comporte un danger évident : le désespoir, et c'est à lui que pare la révolte justicière. *Electre* semble née d'une évolution de ce genre. Elle n'accepte ni l'amère soumission de Judith, ni le reniement un peu facile d'Isabelle. Elle tourne contre l'indifférence et le mensonge, et du même coup contre la réalité sociale, l'agressivité née de l'angoisse. Voilà du moins une hypothèse vraisemblable : il nous restera à la vérifier.

***

Notre tâche, maintenant, est double : d'abord achever hâtivement l'analyse de la tragédie dont Electre forme le centre. La relation entre Electre et sa mère y est d'une telle importance que nous nous sommes attardé à son étude. Mais nous ne pouvons négliger les rapports entre Electre et Oreste, Electre et Egisthe. La structure du drame apparaîtra dès lors, car tous les autres personnages n'en sont que les témoins, d'ailleurs significatifs. Une seconde tâche se présentera ensuite : rechercher ce que signifient, par rapport aux précédents, les nouveaux résultats ainsi acquis, et un bref rappel dira suffisamment l'enjeu de cet effort. Dans l'espoir de saisir le mythe personnel de Giraudoux, nous avons plus ou moins comparé cinq pièces de théâtre et leur contexte romanesque. Deux structures principales ont paru se dessiner : la première est l'histoire d'un héros — Jérôme Bardini, Judith, Edmée de *Choix des Elues* — dont le développement semble passer par les mêmes étapes : 1. rupture avec le milieu social et départ vers l'aventure ; 2. couple édénique, indifférent aux dieux et aux hommes ; 3. épisode religieux. L'insuccès de *Judith* fut peut-être dû à ce fait que la pièce déroule ainsi le devenir d'une héroïne, au lieu d'offrir le conflit dramatique, l'unité d'action qu'attendait le public français. D'autres œuvres, cependant, nous ont offert l'image d'une crise, plutôt que d'un cheminement : dans *Amphitryon, Intermezzo, La Guerre de Troie n'aura pas lieu,* comme dans *Simon le Pathétique* ou *Combat avec l'Ange,* nous retrouvons le même couple brusquement menacé de rupture par quelque apparition inquiétante, hantise d'amour et de mort.

Ces deux structures ne sont nullement irréductibles l'une à l'autre ; nous avons même toute raison de supposer que la seconde n'est qu'un fragment, ou un agencement de fragments de la première. Depuis *La Guerre de Troie n'aura pas lieu,* cependant, un élément nouveau se fait jour : la violente mise en accusation des personnages centraux, qui représentent la réalité objective, régnante, et en qui sont dénoncés le manque d'amour, le mensonge, l'intention criminelle, et même, dans *Electre,* le crime déjà perpétré. Bref, nous ne trouvons plus, au centre du tableau psychique un moi qui protège sa paix en fuyant d'étape en étape, comme Jérôme Bardini, ou en s'isolant de son mieux dans une close privauté, comme Amphitryon et Alcmène, mais un moi divisé contre lui-même, déchiré par un conflit interne, luttant contre des ennemis qui sont déjà dans la place, depuis longtemps peut-être, parce qu'ils sont des vôtres, et peut-être vous. Mais cela ne tient-il pas tout simplement aux sujets choisis — la guerre, les Atrides — plutôt qu'à un creusement psychique ? Les deux hypothèses ne sont pas contradictoires. Au contraire, il est raisonnable de penser qu'un auteur choisit un sujet ou un genre parce que celui-ci s'accorde avec son état d'âme. Nous avons d'ailleurs déjà insisté sur le fait qu'en superposant *La Guerre de Troie n'aura pas lieu* et *Electre,* on brouillait la guerre et les Atrides, tandis qu'on renforçait, non point l'idée abstraite de conflit, mais la forme personnelle qu'il prend entre les deux femmes au centre, la figure pathétique accusant l'autre, l'objective, de manquer d'amour, singulièrement d'amour maternel, et de mentir. Voilà bien ce que nous ont dit les textes, et non notre interprétation. Il faudra donc ajuster ces nouveaux résultats aux anciens et voir quelle hypothèse surgit de leur ensemble, car c'est à sa lumière que nous étudierons les dernières œuvres de Giraudoux.

Achevons d'abord notre tableau d'*Electre*. Nous ne pouvons laisser Clytemnestre sans dire un mot des Euménides. Car si nous mettons bout à bout les répliques de ces petites filles, qui ont huit ans au début de la pièce et l'âge d'Electre à la fin, nous comprenons qu'elles plaident la cause de Clytemnestre, avant que celle-ci ne soit tuée, au lieu de venger seulement sa mort en poursuivant le meurtrier, comme dans la tragédie grecque. Voici leurs paroles résumées : — Clytemnestre a peur ; Electre n'est que haine, elle a fait tomber Oreste ; Clytemnestre avait le droit de prendre un amant, puisqu'elle était veuve ; sept ans ont passé depuis le meurtre d'Agamemnon : il y a prescription ; — à Oreste : toute ta joie de vivre va être gâchée ; même le printemps et le petit déjeûner seront abominables ; tu ferais mieux de tuer Electre ; Egisthe vieillit ; tu n'attendras pas longtemps le trône ; quelle joie d'être un jeune roi, aimé et glorieux ! — à Electre, au dénouement :

voilà où t'a menée ton orgueil ; tu ne dormiras plus ; Oreste va se tuer en te maudissant. Elles parlent du « venin de la vérité » que sécrète Electre. Elles-mêmes sont tenues pour vénéneuses par le Jardinier et sans doute Giraudoux. Mais somme toute, elles prêchent, au profit de Clytemnestre qui a peur, l'immobilité, l'acceptation réaliste des faits, la jouissance du bonheur présent, la prudence circonspecte, le rejet des hantises dangereuses venant troubler cette quiétude. Elles jugent ainsi, naturellement, comme Clytemnestre et Egisthe, mais aussi comme Hélène et Ulysse. La différence est que Giraudoux les tient pour « effroyables », glissant ainsi du point de vue d'Hector à celui d'Andromaque, et au delà. Dans l'action de *La Guerre de Troie n'aura pas lieu,* le point de vue d'Hector comptait pour beaucoup, et celui d'Andromaque paraissait secondaire ; le rapport s'est ici inversé ; le jugement d'Oreste et son faible désir de bonheur (ou d'entente) sont légers au regard de la haine d'Electre. Or la haine d'Electre se déduit de deux jugements d'Andromaque : devant Hélène : « Je suis perdue », devant Ulysse : « Cet homme est effroyable ».

Cela nous conduit à superposer la relation Electre-Oreste à celle unissant Andromaque et Hector. Si la création esthétique ne mettait en jeu que des sources extérieures et la raison de l'auteur, cette superposition serait impossible. Car Andromaque est épouse et mère, Electre, sœur. Giraudoux reçoit ainsi de la tradition deux personnages bien distincts, deux figures archétypiques très pures puisque l'une symbolise aux yeux de tous l'amour conjugal et maternel, l'autre la piété filiale et fraternelle. Si Giraudoux tend à confondre les deux figures, s'il dépeint une Electre épouse d'Oreste, mère d'Oreste, il faudra bien voir là l'effet d'un autre facteur que les sources extérieures ou le sentiment commun. Or voici ce que dit le texte :

A. Les Théocathoclès substituent l'Etranger (Oreste) au Jardinier comme futur époux d'Electre. (Dans les Fragments inédits, Oreste se présente en prétendant, écarte le Jardinier et mime, sur l'ordre d'Egisthe, une scène d'amour avec Electre.)

B. Electre entre dans le jeu et annonce à sa mère qu'elle épouse l'Etranger.

C. Electre et Oreste s'endorment enlacés.

D. Le Mendiant parle du « fruit » de leur étreinte. (« *Regardez les deux innocents. C'est ce qui va être le fruit de leurs noces : remettre à la vie pour le monde et les âges un crime déjà périmé et dont le châtiment lui-même sera un pire crime. Comme ils ont raison de dormir pendant cette heure qu'ils ont encore.* » Acte I, scène XIII.)

E. Mais Electre elle-même, quand elle exprime son amour à son frère, parle plus nettement que ces allusions ou symboles. D'abord dans la scène VIII de l'Acte I :

> ORESTE. Tu m'étouffes.
>
> ELECTRE. Je ne t'étouffe pas... Je ne te tue pas... Je te caresse. Je t'appelle à la vie. De cette masse fraternelle que j'ai à peine vue dans mon éblouissement, je forme mon frère avec tous ses détails. Voilà que j'ai fait la main de mon frère, avec son beau pouce si net. Voilà que j'ai fait la poitrine de mon frère, et que je l'anime, et qu'elle se gonfle et expire, en donnant la vie à mon frère. (...) Et voilà que je fais la bouche de mon frère, doucement sèche, et je la cloue toute palpitante sur mon visage... Prends de moi ta vie, Oreste, et non de ta mère !
>
> ORESTE. Pourquoi la hais-tu ?... Ecoute !
>
> ELECTRE. Qu'as-tu ? Tu me repousses ? Voilà bien l'ingratitude des fils. Vous les achevez à peine, et ils se dégagent, et ils s'évadent.

puis dans une variante :

> ELECTRE. Quand un être inconnu survient au fond de vous-même par lueurs, par échos, par sons, quand il s'y dépose peu à peu par atomes, grâce à des fraudes du ciel, du soleil, quand il se forme en vous, de lumière, de joie, presque de chair, et qu'il devient pesant, chaque jour plus pesant, je te l'apprends, que ce soit un père, un frère, ou un amant, c'est cela l'amour.

A ces paroles, Clytemnestre répond qu'il s'agit d'un fils. (Théâtre complet, Variantes III.)

Aucun doute donc : Giraudoux a imaginé une Electre qui, tout en demeurant vierge et sœur d'Oreste, s'éprouve sa femme et sa mère. Pourquoi cette confusion que rien, dans l'action, n'exigeait ? Une des réponses de la critique classique est reflétée par l'opinion de M. Mercier-Campiche. Pour cet auteur, Giraudoux a voulu peindre Electre non seulement orgueilleuse et outrée, mais perverse. Tout, au contraire, dans la pièce et singulièrement l'amour du Jardinier comme le jugement du Mendiant, sans parler de l'identification d'Electre avec le bon théâtre et la France redresseuse de torts dans *L'Impromptu de Paris,* me semble manifester la pleine sympathie de Giraudoux pour son héroïne. La « perversité » amoureuse de celle-ci n'a donc pas l'origine que M. Mercier-Campiche lui prête.

L'explication que propose la psychocritique est la suivante : Electre succède à Andromaque dans le rôle fonctionnel que lui attribuait le mythe personnel de l'écrivain ; les deux figures se mêlent parce que l'une se prolonge dans l'autre ; elles se différencient parce que les sources extérieures le veulent, mais peut-être aussi parce que le mythe personnel évolue, que Giraudoux change.

Passons maintenant à la relation Electre-Egisthe. Elle doit recouvrir plus ou moins celle qui unissait Andromaque à Ulysse. Reprenant le raisonnement précédent, je dirai que cela seul explique la surprenante conversion que Giraudoux prête également aux personnages d'Ulysse et d'Egisthe. Nous avons montré qu'il existait deux Ulysse : car le diplomate hostile et rusé, ému soudain par la beauté d'Andromaque et manifestant sa noblesse, accepte généreusement de servir le parti d'Hector contre son propre intérêt politique. Or Egisthe suit la même courbe, il n'est qu'un homme d'état réaliste, circonspect, rusé ; soudain, il se révèle roi, jeune, chevaleresque, prêt à servir Oreste au mépris de sa vie — et tout cela par amour pour Electre, ce sentiment étant d'ailleurs aussi légèrement indiqué que le rapide émoi d'Ulysse au battement de cils d'Andromaque. Electre, qui a le pouvoir, comme Andromaque ou comme Isabelle, de contraindre les gens à avouer leur vérité, révèle les vrais sentiments d'Egisthe, sa culpabilité, son désir d'expiation.

> Ainsi donc, au moment même où je te vois, où je t'aime, où je suis tout ce qui peut s'entendre avec toi, le mépris des injures, le courage, le désintéressement, tu persistes à engager la lutte ? (...) Electre, tu es en mon pouvoir. Ton frère aussi. Je peux vous tuer. Hier je vous aurais tués. Je m'engage au contraire, dès que l'ennemi sera repoussé, à quitter le trône, à rétablir Oreste dans ses droits.
>
> (Acte II, sc. VIII.)

Ainsi se manifeste chez Egisthe comme chez Ulysse un désir de rapprochement. Mais la conversion, dans les deux cas, n'est pas assez profonde : ni Andromaque, ni Electre n'y attachent foi. Voilà bien des coïncidences ! Or il s'agit toujours d'éléments imaginés par Giraudoux, étrangers aux sources extérieures, assez surprenants et dont l'utilité dramatique n'est que de retarder d'un instant la catastrophe. Il semble raisonnable de leur donner pour origine la source intérieure, et même une source inconsciente, car il devient de plus en plus douteux que tant de coïncidences entre les quatre personnages occupant le centre d'Electre et de *La Guerre de Troie n'aura pas lieu* aient été voulues par l'auteur.

Nous pouvons maintenant grouper de façon compréhensive tous les personnages d'*Electre*.

1. Electre — (Agamemnon) ;
2. Oreste || Egisthe II ;
3. *Clytemnestre* — *Euménides* — *Egisthe I* — les Théocathoclès ||
4. Les Narsès — les humbles — le monde animal — Le Mendiant ;
5. Le monde végétal — Le Jardinier.

Electre et l'ombre d'Agamemnon occupent, plutôt que le sommet d'une hiérarchie, le centre de l'univers dramatique, dont le monde végétal, représenté par le Jardinier, forme l'horizon. Si nous allons de la périphérie au centre, soit ici de 5 en 1, nous trouvons les végétaux, les animaux, les humbles jusqu'aux Narsès, qui sont des témoins du drame (chœur). Les Théocathoclès, impliqués mais rejetant le drame sur les Atrides, marquent la limite entre chœur et acteurs. Au centre, la famille des Atrides. Elle comporte les éléments néfastes, rejetés, puis les éléments fastes, dont Electre est le noyau. La ligne de partage entre néfaste et faste, passe entre Oreste et Egisthe II, ce dernier étant tout de même roi comme Oreste. Le nom des coupables a été souligné. Au delà des Théocathoclès, l'univers redevient en sympathie avec Electre.

Si nous comparions ce tableau à son analogue groupant les personnages de *La Guerre de Troie n'aura pas lieu,* nous verrions se recouvrir les personnages centraux. Mais nous verrions aussi combien s'est modifiée la structure périphérique. L'univers qui fait cercle autour des Atrides — monde des humbles, des animaux, des végétaux — avait pour équivalent, dans la tragédie précédente, une foule d'hommes et de femmes divisés eux-mêmes par la menace de la guerre. Le conflit s'est resserré et universalisé à la fois. Si nous comparions maintenant cette même structure à celle d'*Intermezzo,* nous verrions que la première Isabelle correspond à Electre, l'Inspecteur à Egisthe, le Contrôleur au Jardinier. Mais l'agressivité a changé de sens au centre (Isabelle est seulement persécutée, nullement justicière), et l'univers, à la périphérie, n'a pas de regard. Dans *Electre,* sous le regard des êtres vivants des trois règnes, le drame qui se joue met en cause la valeur spécifique de l'homme. C'est une grande et belle structure, où s'expriment probablement les plus hautes ambitions de Giraudoux. Reste à juger la qualité du drame représenté en son centre — par « qualité », nous n'entendons pas « valeur littéraire » (question toujours réservée jusqu'ici) mais la « gravité psychologique ». Or une telle appréciation implique la seconde tâche évoquée tout à l'heure.

***

Pour un psychologue, et du point de vue le plus général,

le sujet d'*Electre* a un poids humain comparable à celui d'*Œdipe* ou d'*Hamlet*. Prenons plutôt ce dernier comme exemple. Hamlet, à l'instar d'Electre, est resté fidèle à la mémoire de son père assassiné et ne vit que pour le venger. Dans les deux cas, les meurtriers sont les mêmes : l'épouse du roi et son amant (un proche parent), qui a pris ainsi le pouvoir. Dans les deux cas, le meurtre n'a pas été avoué : Hamlet l'apprend d'une apparition, Electre d'un songe. Hamlet traite donc sa mère de prostituée et tient son oncle pour un assassin. Mais, avant même de venger son père, il veut contraindre les coupables à avouer leur crime. Longtemps humilié, il est alors persécuté par son oncle mis en éveil. Il hésite d'ailleurs à frapper et, si l'on tient compte qu'Hamlet combine les personnages d'Electre et d'Oreste, on retrouvera cette hésitation devant le parricide dans toutes les tragédies d'*Electre*. Tout cela montre assez l'analogie profonde des sujets. Les différences ne sont pas moins remarquables : on peut opposer à la vierge résolument justicière le jeune homme qu'inhibent le doute et l'angoisse. L'amour d'Ophélie, le meurtre de Polonius que ses fils veulent venger viennent aussi broder d'un contre-sujet le thème initial. Enfin, il y a toute la différence des temps, des lieux, des créateurs. Mais ce que je nommais la « gravité psychologique » du drame n'est pas moins manifeste pour *Hamlet* que pour *Electre*.

Elle tient évidemment à la double angoisse qu'inspire un crime mêlant intimement le parricide à l'adultère familial. Dans le mythe d'Hamlet, en effet, comme dans celui des Atrides, le meurtrier du roi épouse toujours la reine, *qui était déjà sa parente*. Le parricide est donc étroitement lié à un adultère qui frôle l'inceste. Autrement dit, nous avons affaire à des dérivés du mythe œdipien, avec cette complication qu'Electre manifeste l'œdipe inverse, celui de la fille dont la tendresse s'oriente vers son père, l'hostilité vers sa mère. Bien entendu, en chaque individu, et quel que soit son sexe, les deux œdipes peuvent se former et s'opposer car ils sont antagonistes. Par exemple, dans l'Hippolyte de *Phèdre,* la tentation incestueuse que représente la reine est repoussée avec horreur au bénéfice du culte d'Artémis, chasseresse chaste et virile. Dans le mythe d'Electre, c'est Clytemnestre qui représente l'adultère familial et le parricide, et qui prend ainsi, plus ou moins, la place de Phèdre, provoquant l'horreur de ses enfants, que leur piété filiale et leur virginité virile situent du côté d'Hippolyte et d'Artémis. De ce point de vue, les trois tableaux de l'*Orestie* d'Eschyle représentent, sous l'histoire du droit dont nous avons parlé, et sans la moindre contradiction avec elle, une histoire du développement affectif. Car le crime familial du premier tableau — *Agamemnon* — s'apparente de très près à l'œdipe, meurtre du père et adultère incestueux ; le deuxième tableau — celui des *Choéphores* où Electre apparaît — constitue une réaction au premier : le matricide venge le parricide, l'œdipe inverse refoule l'œdipe direct ; le troisième tableau — les *Euménides* — montre comment se liquide normalement le conflit : Athéné offre la voie de la sublimation, l'élargissement conscient, la cité plus vaste où devraient s'apaiser les conflits instinctifs et familiaux.

Voilà, sur notre plan (celui des mythes psychiques profonds), l'héritage que Giraudoux recueille. Qu'en a-t-il fait? L'a-t-il personnellement revécu? Autrement dit, son *Electre* reflète-t-elle le conflit personnel en lui de deux œdipes et peut-être de deux Giraudoux ? Nous risquons ici une simplification grossière, la réduction d'une personnalité à un conflit archétypique. Il faut savoir, cependant, que ces schémas structurels existent et qu'ils ont une importance humaine, spécifique : c'est pourquoi nous les avons évoqués ici, mais non pour abandonner, à leur profit, la connaissance concrète, singulière que nos analyses nous ont apportée des constances de Giraudoux.

Si nous nous en tenons à notre lecture, il faut bien constater que dans ce mythe archétypique d'Electre, et se branchant sans doute sur sa polarisation, Giraudoux a logé un mythe personnel qui se distingue de lui.

Son Electre reproche moins à sa mère son infidélité que son manque d'amour, moins son crime que la frustration ainsi infligée à ses enfants. Un amour liait la jeune fille à son père que le crime a rompu. Elle dit en substance :

« Tu ne l'aimais pas, donc il n'était pas à toi ; il était à moi, qui l'aimais ; et tu l'as coupé de moi. » Plutôt que de jalousie, il s'agit bien de frustration : « tu m'as tout volé ». Sur ce fond vient s'étendre le mensonge. Ces deux reproches — manque d'amour et mensonge — sont étrangers au drame antique et appartiennent en propre à Giraudoux ; ses autres personnages, Andromaque par exemple, le confirment. Clytemnestre, aux yeux de sa fille, a raté sa vie : elle s'est mariée sans amour ; elle a engendré ses enfants dans la froideur ; elle a feint la tendresse pour un mari qu'elle détestait ; elle l'a tué sans même avoir avoué sa haine ; elle a vécu ensuite avec son amant sans l'aimer davantage et sans plus l'avouer. Un peu de haine, beaucoup de peur, une solitude totale — voilà le bilan de vingt années. Tout cela est mort et néfaste, tout cela doit être expulsé. Telle est la vérité d'Electre.

Si nous la rapportons à notre première structure, celle de *Bardini*, de *Judith* et d'Edmée, nous pouvons constater que cette destinée de Clytemnestre coïncide avec celle du héros (ou de l'héroïne) jusqu'à l'épisode religieux. Bardini, Judith, Edmée sont d'abord engagés dans un premier lien social qu'ils rompent ; ils ne tuent pas, parce que le meurtre appartient aux Atrides, non à Giraudoux, mais ils fuient dans leur solitude, parce que le contact avec l'autre est devenu négatif ou nul. Puis, dans un second épisode, celui de Stéphy pour Bardini, d'Holopherne pour Judith, d'Hollywood et de Frank pour Edmée, le héros tente d'établir un second couple. Nous avons souligné dans les textes quelques-unes de ses caractéristiques : l'indifférence aux dieux, l'isolement des hommes, la liberté édénique, l'importance donnée au corps, le confort matériel, l'absence de pathétique, le secret. Nous ajouterons que ce couple édénique n'a pas d'enfant. Ce second épisode semble correspondre à la liaison de Clytemnestre et d'Egisthe, comme le premier à la vie conjugale de Clytemnestre et d'Agamemnon.

Or le point essentiel paraît être que ce second couple, cette seconde tentative pour établir un contact avec autrui, aboutit à un nouvel échec. Le héros (ou l'héroïne) rentre dans sa solitude et l'épisode religieux commence, dans une atmosphère de persécution. Le Kid de *Bardini,* l'Acte III de *Judith,* la retraite d'Edmée à San Francisco marquent cette étape. Electre surgit au même point. Ce qui la caractérise, c'est qu'elle se retourne avec haine vers cette expérience humaine qui a été la sienne. Ni Jérôme, ni Edmée ne regardent ainsi en arrière. Judith seule écoute Suzanne lui révéler qu'elle n'a pas plus aimé Holopherne que Jean ; elle seule écoute le garde la traiter de prostituée et de meurtrière, puis lui révéler que Dieu même lui a refusé tout contact réel avec son amant, autorisant seulement son meurtre. Ce que Judith apprend ainsi, pour son humiliation, de Suzanne et de l'archange, ce qui devient dès lors sa vérité, c'est Electre qui le dit à Clytemnestre : « Tu as manqué d'amour ; tu as menti ; tu t'es trompée toi-même. » Judith est d'ailleurs condamnée à devenir justicière ; Electre l'est devenue. Humiliée, persécutée, elle persécute à son tour et fait passer d'abord en jugement sa mère, c'est-à-dire son propre passé. Car elle s'identifie à la justice intégrale, la justice divine, qui a même le droit de transgresser l'équité dans son redressement, pourvu que le mensonge soit détruit et que le coupable apparaisse dans sa vérité de coupable. Psychologiquement, nous connaissons cette structure : une partie du moi, pour conserver à tout prix sa propre estime, s'identifie au surmoi et décharge sur tout le reste du monde (moi coupable compris) une haine justifiée par la condamnation.

Nous situons donc ainsi *Electre* par rapport à notre première structure : l'histoire du héros, fuyant d'étape en étape, à la recherche d'un équilibre avec autrui. Mais nous ne situons pas moins *Electre* par rapport à l'autre structure, celle du couple édénique dont le bonheur est momentanément cru stable, en dépit des hantises qui l'assiègent. Dans *La Guerre de Troie,* ce couple édénique s'est comme divisé transversalement, selon la faille qui, depuis longtemps, séparait le Giraudoux indifférent du Giraudoux pathétique. A l'intérieur même du mythe personnel, Andromaque a reconnu, en Hélène, l'ennemie, Hector s'est opposé à Ulysse. Puis le couple pathétique, devenu celui d'Electre et d'Oreste, a fait, semble-t-il, passer l'autre en jugement.

L'indifférence est devenue mensonge, essayant de cacher aux yeux divins un peu de haine, beaucoup de peur et point d'amour. Bien entendu, ce n'est là qu'un état passager du mythe personnel. Il se modifiera encore, non toutefois sans demeurer marqué par l'épisode passionné que fut la création d'*Electre*.

Chapitre VII

ONDINE

Les analyses précédentes ont conduit à la considération puis à l'ajustement de deux structures pour le mythe personnel de Giraudoux. Reprenons-les brièvement :

Structure A : l'histoire d'un héros ou d'une héroïne dont l'aventure comporte trois épisodes principaux : 1. rupture d'un équilibre social et départ ; 2. couple édénique ; 3. épisode religieux.

Structure B : le couple édénique est menacé de scission par des hantises ; quand il se rompt, il donne naissance à deux couples, l'un objectif et indifférent, l'autre pathétique.

Cette rupture du couple, étroitement associée et presque confondue avec la guerre, est évitée de justesse dans *Combat avec l'Ange* (1934), elle se manifeste dans *La Guerre de Troie n'aura pas lieu* (1935), et se confirme enfin tragiquement dans *Electre* (1937). A cet instant d'ailleurs, l'analyse nous fait saisir de façon plus nette que le couple objectif, indifférent par manque d'amour (et surtout d'amour maternel), stoïque et non sans grandeur humaine, ment et tue ; tandis que, pour sa part, le couple pathétique dit la vérité, veut la justice et peut aussi tuer en leurs noms. Le couple indifférent se situe du côté de la réalité extérieure et possède la puissance sociale ; le couple pathétique, humilié, lui oppose une sorte d'omnipotence religieuse, idéale, magique ; il châtie l'infidélité.

Du point de vue ainsi atteint, la structure d'*Electre* révélerait sans doute mieux son dynamisme intérieur si nous la représentions sous la forme suivante :

CLYTEMNESTRE	Egisthe	(les Théocathoclès)

....

ELECTRE	Oreste	
(Agamemnon)		
Le Mendiant —	les humbles —	le monde animal
Le Jardinier		le monde végétal

Ce second schéma, en effet, traduit mieux que le premier ce fait essentiel que, dans le conflit opposant les deux couples, les humbles et la nature elle-même, bien que simples témoins du drame, sont du parti d'Electre et d'Oreste. Or cette remarque présente un intérêt immédiat, car toute la critique s'accorde pour donner à la nature un rôle exceptionnel dans l'œuvre de Giraudoux, et en particulier dans *Ondine*. Dans la mesure où cette pièce féérique peut être lue comme une allégorie, Ondine elle-même ne représente-t-elle pas, en même temps que l'amour, la nature extra-humaine, animale, mais plus encore élémentaire, sous les espèces de l'eau ? Comme nous retrouvons, au centre de cette œuvre, le conflit attendu des deux figures féminines — Ondine et Bertha — il y a fort à parier pour qu'Ondine, dans une nouvelle superposition vienne se placer sur Electre ou Andromaque, et qu'en face d'elle, Bertha coïncide avec Clytemnestre ou Hélène. L'une aurait pour milieu la société humaine, et surtout celle des puissants ; l'autre surgirait du monde des humbles, des animaux, des éléments. Voilà, reformée dans ses grandes lignes, la structure du conflit d'*Electre*.

Je voudrais prévenir ici une objection. Tant de structures, de superpositions appliquées à une œuvre littéraire n'en faussent-elles pas la vie ? Ne nous enferment-elles pas dans une sorte de jeu abstrait, lassant, et finalement puéril ? Il me semble au contraire que leur apparente roideur est nécessaire pour briser des idées toutes faites et retrouver la vie. Par exemple, nous acceptons aisément l'idée qu'Ondine, cette créature des eaux, à la fois fée et femme, toute transparence, tout amour, nous représente la nature, opposée aux lourdeurs, aux laideurs, aux méchancetés humaines. Mais cette opposition a-t-elle quoi que ce soit d'objectif ? Quelle nature est-ce là ? Sûrement pas celle des biologistes. Bien entendu, nous avons droit à une, et à même plusieurs natures imaginaires. Autant celle de Bernardin de Saint-Pierre qu'une autre. Mais il faut admettre alors son caractère subjectif et son origine humaine. Que de confusions, dès lors, si on l'oppose à l'humanité ! Dans la nature, telle que la voit Giraudoux ou telle qu'il veut nous la faire voir, les poissons forment des couples fidèles jusqu'à la mort, tandis que les hommes trompent et trahissent ; évidemment l'auteur a projeté, selon le jeu des métaphores, sur la nature certaines vertus, certains vices sur la société. C'est là opposer l'humain à l'humain, et même le personnel au personnel, non l'extra-humain à l'humain, comme les critiques le répètent à l'envi. Ceux-ci obéissent à l'idée toute faite qu'ils doivent croire ce que l'auteur leur dit, et parler sérieusement, par exemple, du conflit ou de l'harmonie entre l'homme et l'univers parce que l'auteur a poétiquement extériorisé un conflit intérieur, en projetant un des termes de ce conflit sur l'homme, et l'autre sur l'univers. Pensée scientifique et pensée poétique se brouillent, ici, l'une l'autre. Nos schémas établissent la distinction ; tous les éléments qu'ils ordonnent sont psychiques ; la nature n'y est pas la nature, mais la représentation que Giraudoux s'en fait, au moment où il écrit *Ondine,* et plus précisément le groupe d'images verbales qu'il associe à ce mot. S'il a voulu inclure, dans ce groupe d'associations, l'image d'une femme fidèle, cela ne concerne que l'écrivain. Nous n'avons qu'à constater le fait. Et si cette image de la femme fidèle était, avant Ondine, Andromaque ou Electre, de nouveau nous constaterons le fait. Ainsi nous atteignons, au lieu d'idées toutes faites faussement objectives et mal définies, comme « la nature », la vie même des associations d'images dans le psychisme de Giraudoux.

Laissant toute interprétation allégorique, revenons à l'architecture de la pièce. Giraudoux a voulu adapter au théâtre la nouvelle de La Motte-Fouqué, étudiée trente ans plus tôt en vue de l'agrégation. Dans sa dédicace à Louis Jouvet, il assimile plaisamment son œuvre à un « commentaire » : « *En 1909,* écrit l'auteur dans le programme d'*Ondine, Charles Andler, qui dirigeait les études de littérature allemande à la Sorbonne, chargea son étudiant Jean Giraudoux de lui apporter, la semaine suivante, un commentaire d'*Ondine. *Une excursion à Robinson, puis un siècle et une carrière particulièrement occupés ont retardé jusqu'à cette année ce commentaire qui a pris, grâce à Louis Jouvet, la forme d'une pièce, et qui est donc dédié, comme le fut* Siegfried, *à la mémoire de ce maître.* » En vérité, il a modifié le sens du conte allemand, dont il a suivi la fable, qui lui convenait puisque la rupture d'un couple édénique en forme le sujet principal. Le héros est un chevalier allemand — Hans. D'abord fiancé à Bertha, il part à l'aventure et, dans l'Acte I, rencontre Ondine à peu près comme Jérôme Bardini rencontre Stéphy : le square est seulement devenu une cabane de pêcheurs. Fille adoptive de ces pauvres gens, Ondine, douée de pouvoirs magiques, retire de ceux-ci le bénéfice d'une indépendance toute moderne. Le couple édénique se forme donc, les résistances étant, de part et d'autre, intérieures : car Hans sait qu'il abandonne Bertha, et Ondine sait qu'elle abandonne sa vraie famille, dans le royaume enchanté des eaux que gouverne le Roi des Ondins. L'Acte II conte la rupture du couple édénique : Hans, repris par la cour et ses prestiges, revient vers Bertha ; les deux femmes s'affrontent. Quand le rideau se lève pour l'Acte III, la rupture du couple édénique paraît consommée : Ondine a fui, et Hans va épouser Bertha. C'est l'épisode religieux qui commence. Il éclate, comme celui de *Jérôme Bardini* ou de *Judith,* dans une atmosphère de persécution. Poursuivie et traquée comme le Kid, Ondine est condamnée à mort dans un procès en sorcellerie ; la situation dramatique rejoint alors celle d'*Electre :* condamnée par les hommes,

Electre retourne contre eux le jugement, au nom d'une justice universelle et, nous l'avons marqué, par la vertu d'une sorte d'omnipotence magique (car derrière elle se profilent l'ombre du père mort et la puissance du Mendiant). Ainsi, derrière Ondine, surgit la figure toute-puissante du Roi des Ondins ; le bourreau est changé en statue de neige rouge ; Hans reçoit la mort, Ondine, l'oubli. A l'approche du dénouement, d'ailleurs, leur couple se reforme et leur rêve édénique se réalise dans l'anéantissement. Bornons-nous, pour l'instant, à ces traits essentiels.

Comme la superposition de Hans et de Bardini le prouve, nous retrouvons, une fois de plus, la structure de l'aventure héroïque avec ses trois étapes : rupture d'un lien social et départ — couple édénique — épisode religieux. Mais plus que sur l'histoire du héros, l'intérêt se concentre sur la formation, puis la désintégration du couple central, et, dans cette seconde structure (simple fragment de la première, mais fragment où l'auteur voit sans doute le cœur du problème), c'est l'héroïne qui devient la figure principale. Déjà, dans l'épisode central des *Aventures de Jérôme Bardini,* Stéphy prend la première place. Alcmène, Andromaque, Ondine luttent désespérément pour maintenir la cohésion d'un couple qui est leur seule raison de vivre. Cependant, la scission horizontale qui divise le couple, créant, au centre du mythe, quatre personnages et non deux, ne cesse de s'accuser, de pièce en pièce. Jupiter et Léda disparaissent comme des hantises laissant intact le bonheur d'Alcmène et d'Amphitryon ; Hélène et Ulysse ne se dissipent plus, ils sont réels ; Clytemnestre et Egisthe doivent être tués, car non contents d'être réels, ils ont pris le pouvoir, et Electre doit sacrifier Oreste ; dans *Ondine,* enfin, Bertha et le Hans infidèle ne possèdent pas seulement la réalité et la puissance sociale, ils ont pris à Ondine son amour. Tout se passe comme si, bien avant le dénouement, Amphitryon se détachait d'Alcmène, Hector d'Andromaque, Oreste d'Electre. Dans l'aventure du héros — par exemple Bardini — cette dissociation du couple édénique était tenue pour presque indolore ; le héros tendait à nier le pathétique ; l'héroïne elle-même le fuyait. Mais plus la seconde structure s'accuse, plus le pathétique l'emporte et plus la souffrance de la déchirure s'avoue.

La dissociation atteint le moi lui-même, puisqu'il y a deux Hans, non plus successifs mais simultanés, déchirés par le conflit. Cette ambivalence rend le Chevalier malheureux et nerveux pendant tout le second Acte. Car il aime encore en Bertha, outre une beauté fière (qui est celle d'Hélène, de Clytemnestre, de Gladys, voire de Léda), une ambition sociale, un rang, un sens de la culture et de l'honneur chevaleresque qui sont aussi les siens. Il veut grandir et Bertha l'aiderait à grandir. Il ne faut pas oublier que Giraudoux a aimé les grands hommes, qu'il a partagé, tout en le raillant, le culte germanique des héros. Le Hans attaché à Bertha et Bertha elle-même possèdent donc une authenticité certaine. En fait, ils sont Siegfried, tandis qu'Ondine est du côté du Limousin. Mais naturellement, le Hans épris d'Ondine n'est pas d'une moindre authenticité. Comme le Limousin, il se nourrit certainement à l'enfance de Giraudoux. Ondine est née dans des rivières françaises. Le contraste entre les deux Hans, ou entre Bertha et Ondine, ne peut, cependant, se réduire à l'expression allégorique de l'opposition France-Allemagne (bien qu'on imagine sans peine un Giraudoux méditant, en 1939, sur son œuvre de 1924). Partiellement vraies, mais extérieures, les explications allégoriques se détruisent l'une l'autre : comment accorder le couple Allemagne-France avec le couple humanité-nature ? Si Giraudoux les associe, c'est que chacun, pour lui, exprime symboliquement, à sa façon, un conflit unique, intérieur, un déchirement de sa personnalité. Voilà pourquoi Hans devient fou, ou presque, avant de mourir ; le mot « fou » est prononcé lorsque Hans, se sentant à la fois responsable de la condamnation à mort d'Ondine et convaincu de son innocence, lié à elle par un amour total et sur le point d'en épouser une autre, délire soudain et voit apparaître (comme Judith, l'archange dans un garde ivre), l'Ange de la mort dans une laveuse de vaisselle. « *Il est fou...* », dit alors le second juge. Il est en tout cas brisé, comme le Roi des Ondins le montre à sa nièce :

ONDINE. J'ai cédé ma place à Bertha. Tout s'arrange.

LE ROI DES ONDINS. Crois-tu ! (...) Il n'est pas près de Bertha, on l'attend en vain à l'église ; il est près de son cheval... Son cheval lui parle : Maître chéri, adieu, lui dit son cheval, je te rejoins en dieu !... Car son cheval aujourd'hui lui parle en vers...

ONDINE. Je ne te crois pas. Ecoute ces chants ! C'est son mariage.

LE ROI DES ONDINS. Il se moque bien du mariage !... Le mariage tout entier a glissé de lui comme l'anneau d'un doigt trop maigre. Il erre dans le château. Il se parle à lui-même. Il divague. C'est la façon qu'ont les hommes de s'en tirer, quand ils ont heurté une vérité, une simplicité, un trésor... Ils deviennent ce qu'ils appellent fous. Ils sont soudain logiques, ils n'abdiquent plus, ils n'épousent pas celle qu'ils n'aiment pas, ils ont le raisonnement des plantes, des eaux, de Dieu : ils sont fous.

ONDINE. Il me maudit !

LE ROI DES ONDINS. Il est fou... Il t'aime !

(Acte III, sc. v.)

Enfin, parce que Hans est brisé, il abandonne le monde réel et recompose, dans un Eden que vont isoler la mort et l'oubli, l'enchantement de l'amour unique, non sans souffrir d'abord une passion, non sans goûter au fiel que lui tend l'autre (ainsi parlait Edmée dans *Choix des Elues*), non sans proférer, comme en *a parte*, une accusation amère que dissipera seule l'évocation, par une Ondine déjà somnambule, d'un « inexhaustible veuvage ». Ce glissement de la démence à la mort occupe les deux dernières scènes de la pièce.

Ce dénouement dépasse en tragique celui d'*Electre*, où la démence et la mort d'Oreste sont comme escamotées, tandis qu'Electre voit se lever, sur la réalité détruite, une sorte d'aube révolutionnaire. Ici, Ondine et Hans sont vaincus ensemble. Cette communion dans la mort, avec un arrière-goût d'injustice, est un phantasme mélancolique. Ce qui survit au drame, c'est la réalité sociale, détruite dans *Electre* : Bertha, la cour et la comédie humaine. Dans *Choix des Elues,* Edmée, son aventure religieuse terminée et toute passion éteinte, revient à sa maison pour y refaire les gestes quotidiens, sans souvenir et sans souffrance, comme la ménagère Ondine au fond des eaux. Edmée reste « *une experte en Paix suprême* » et juge n'avoir jamais été que cela. Nous reconnaissons, en effet, jusque dans cette fin, cette intolérance à l'angoisse qui marquait déjà l'équilibre pourtant plus vivant du couple édénique. Les héros de Giraudoux voudraient aimer l'autre, mais l'amour suppose un contact et ils ne tolèrent pas le contact ; il y a donc fuite, d'étape en étape. Le couple édénique semble représenter un rêve d'équilibre protégé, que rompt l'antagonisme de deux forces inverses, l'une extravertie, orientée vers la réussite sociale, l'autre introvertie, commandée par une fixation profonde. Le moi connaît alors une bouffée de persécution et d'exaltation religieuse.

Ainsi, peu à peu, se précise le sens psychologique de la première structure, (l'histoire du héros avec ses trois étapes), conçue comme une aventure psychique. Nous entrevoyons pourquoi Hans se brise et ce que signifie la faille qui, depuis trois œuvres déjà, semble se creuser entre deux parties de la personnalité. Le conflit oppose l'attrait d'une réussite réelle, c'est-à-dire sociale, et le retrait vers une fixation profonde, d'origine évidemment infantile. Le conflit a toujours existé en Giraudoux, mais il est plus ou moins découvert, plus ou moins douloureux.

Tâchons de préciser les formes qu'il prend dans *Ondine.* Que signifie la phrase de Hans : « *J'ai aimé Ondine parce qu'elle le voulait, je l'ai trompée parce qu'il le fallait.* (...) *J'ai été pris entre toute la nature et toute la destinée, comme un rat.* » (Acte III, sc. VI.) ? La volonté d'Ondine, c'est la fixation profonde, la fidélité au passé. Mais pourquoi fallait-il qu'elle fût trompée ? Parce que la destinée d'un homme est de grandir en contact avec une réalité sociale qui a ses propres exigences. Hans nomme « nature » les gravitations de sa vie d'enfant, celles qu'il suit avec plaisir, même si elles expriment une volonté qui n'est pas la sienne ; en revanche, il donne le nom de « destinée » et la qualité d'une contrainte subie aux gravitations de la réalité sociale. Déjà lorsque Bertha lui demandait de faire son métier de chevalier, il avait vu là une preuve d'abandon et d'indifférente cruauté. Cela ressort de leur explication au second acte ; dont voici les dernières répliques :

BERTHA. Mon secret, Hans ? Mon secret et ma faute ? Je pensais que vous l'aviez compris. C'est que j'ai cru à la gloire. Pas à la mienne. A celle de l'homme que j'aimais, que j'avais choisi depuis l'enfance, que j'ai attiré un soir sous le chêne où petite fille j'avais gravé son nom... Le nom aussi grandissait chaque année !... J'ai cru qu'une femme n'était pas le guide qui vous mène au repas, au repos, au sommeil, mais le page qui rabat sur le vrai chasseur tout ce que le monde contient d'indomptable et d'insaisissable. Je me sentais de force à rabattre sur vous la licorne, le dragon, et jusqu'à la mort. Je suis brune. J'ai cru que dans cette forêt mon fiancé serait dans ma lumière, que dans chaque ombre il verrait ma forme, dans chaque obscurité mon geste. Je voulais le rouler au cœur de cet honneur et de cette gloire des ténèbres dont je n'étais que l'appeau et le plus modeste symbole. Je n'avais pas peur. Je savais qu'il serait vainqueur de la nuit, puisqu'il m'avait vaincue moi-même. Je voulais qu'il fût le chevalier noir... Pouvais-je penser qu'un soir tous les sapins du monde allaient écarter leurs branches devant une tête blonde ?

LE CHEVALIER. Pouvais-je le penser moi-même ?

BERTHA. Voilà ma faute... Elle est avouée. Il n'en sera plus question. Je ne graverai plus de nom sur les chênes-lièges... Un homme seul avec la gloire, c'est déjà bête. Une femme seule avec la gloire, c'est ridicule...Tant pis pour moi... Adieu...

LE CHEVALIER. Pardon, Bertha...

(Acte II, sc. IV.)

On sent poindre ici une sympathie pour Bertha. Giraudoux n'en a pas moins pris le parti d'Ondine. Dès lors, nous retrouvons sans étonnement, en Bertha, les traits précédemment attribués à Clytemnestre : manque d'amour, orgueil, mensonge. Mais ne reste-t-il pas surprenant de voir l'histoire du bouvreuil étouffé remplacer si exactement celle du petit Oreste jeté à terre ? Voici le fait :

BERTHA. Ne serrez pas ma main. Elle tient un oiseau.

LE CHEVALIER. J'aime ma femme. Et rien ne me séparera d'elle.

BERTHA. C'est un bouvreuil. Vous allez l'étouffer !

LE CHEVALIER. Si la forêt m'avait englouti, vous n'auriez pas pour moi un souvenir. Je reviens heureux et mon bonheur vous est insupportable... Lâchez cet oiseau !

BERTHA. Non. Son cœur bat. A côté du mien, j'ai besoin en cette minute de ce petit cœur.

LE CHEVALIER. Quel est votre secret ? Avouez-le !

BERTHA, *lui montrant l'oiseau mort.* Voilà... Vous l'avez tué.

(Acte II, sc. IV.)

Comme Clytemnestre, Bertha rejette sur autrui la responsabilité : « Vous l'avez tué » remplace « Tu l'avais poussé ». Electre, indignée, répondait par une accusation véhémente — et voici celle d'Ondine :

LE ROI. Bertha est une fille douce, loyale et qui ne demande qu'à t'aimer.

ONDINE. Ah non ! Erreur complète !

LE CHEVALIER. Je te prie de te taire.

ONDINE. Toi, tu appelles douce une fille qui tue des bouvreuils ?

LE ROI. Quelle est cette histoire de bouvreuils ? Pourquoi Bertha irait-elle tuer des bouvreuils ?

ONDINE. Pour troubler Hans !

LE ROI. Je puis te jurer que Bertha...

BERTHA. Mon père, je venais de rattraper mon bouvreuil quand Hans m'a saluée et m'a pris la main. Il a pressé trop fort.

ONDINE. Il n'a pas pressé trop fort. Le poing de la plus faible femme devient une coque de marbre [1]

---

1. Petite coïncidence verbale : la coque de *marbre* aurait dû défendre la vie : elle la meurtrit ; la première accusation d'Electre précise : « Tu as laissé tomber Oreste sur le *marbre.* »

pour protéger un oiseau vivant. Si j'en avais un dans ma main, votre Hercule, Altesse, pourrait presser de toutes ses forces. Mais Bertha connaît les hommes. Ce sont des monstres d'égoïsme que la mort d'un oiseau bouleverse. Le bouvreuil était en sûreté dans sa main, elle l'a mollie...

LE CHEVALIER. C'est moi qui ait pressé trop fort.

ONDINE. C'est elle qui l'a tué !...

(Acte II, sc. X.)

Autre coïncidence : Ondine voit Bertha en Euménide, avec des serpents autour de la tête ; surtout, elle la fait passer en jugement, la convainc devant tous de mensonge et de manque d'amour : Bertha, qui se prétend noble, est roturière et refuse d'embrasser ses parents. Inversement, comme Clytemnestre donnait Electre à un jardinier, Bertha repousse Ondine, la renvoie à sa cabane de pêcheurs ; et bientôt ce refoulement prend le sens d'un arrêt de mort.

La relation unissant Ondine et Bertha coïncide donc sur des points essentiels avec celle unissant Electre et Clytemnestre. Nous en dirons autant des rapports entre Ondine et Hans, Electre et Oreste. Les deux femmes sont maternelles, physiquement et spirituellement. Ondine voudrait être unie à Hans par un bourrelet de chair, et elle le guide comme Electre, son frère. Les deux femmes sont fascinées par les mêmes détails physiques :

ELECTRE. (...) Voilà que je fais son oreille. Je te la fais petite, n'est-ce pas, ourlée, diaphane comme l'aile de la chauve-souris ?... Un dernier modelage, et l'oreille est finie. Je fais les deux semblables. Quelle réussite, ces oreilles !

(Acte I, sc. VIII.)

ONDINE. (...) Qu'il est beau ! Regarde cette oreille, père, c'est un coquillage ! Tu penses que je vais lui dire vous, à cette oreille ?... A qui appartiens-tu, petite oreille ?... Comment s'appelle-t-il ?

(Acte I, sc. III.)

Electre permettait à Oreste d'aimer Clytemnestre, à condition qu'il ne trahisse pas, qu'il obéisse, comme elle, au père. *Mutatis mutandis,* on retrouve chez Ondine ce mélange de libéralité et de rigueur. Nous ne pouvons malheureusement pas nous attarder à une analyse qui ne devrait pas moins porter d'ailleurs sur la relation entre Ondine et la cour et ses analogies avec la relation Electre-Egisthe : nous retrouverions alors aisément Egisthe I et Ulysse I dans le chambellan qui enseigne le mensonge diplomatique, et Egisthe II ou Ulysse II dans les hommes de cour, poète ou chevalier que séduit le charme d'Ondine.

Ces indications, dont chacun peut retrouver le détail dans les textes, doivent suffire à confirmer les grands traits structurels. Le mythe persiste. Mais quelle forme singulière a-t-il prise dans *Ondine ?* Le fait nouveau semble ce désarroi de Hans, sur lequel nous avons été empiriquement contraint d'insister. Du point de vue littéraire, théâtral, Ondine occupe le centre de l'œuvre. Comme dit Hans « *C'est le titre, Ondine... Cela va s'appeler Ondine...* ». Mais du point de vue psychique, Hans est le personnage important. Brisé, il dit deux fois « *Ce n'est pas très juste* », corrigeant ainsi le cri d'Electre : « *J'ai la justice !* » La justice suffit au surmoi (avec lequel Electre s'identifie), non au moi (que représente Hans). Ce dernier doit vivre et grandir : il n'en peut rien faire s'il est « *pris comme un rat* » entre deux systèmes d'impératifs trop rigides, l'un extérieur, l'autre intérieur.

Remarquons combien Ondine est rêvée plus souple qu'Electre ; elle ne mêle plus intimement amour et haine justicière parce qu'elle s'est détachée du surmoi, ici le Roi des Ondins, parce qu'elle lui désobéit en aimant et lui laisse le soin de démasquer et de frapper, alors qu'Electre, confondue avec l'ombre de son père, sacrifiait sa tendresse à la nécessité de punir. Le même effort fait comprendre à Ondine qu'abandonner Hans ou l'emmener ne constituent pas des solutions valables : elle le dit très clairement à la reine Yseult, ajoutant qu'elle doit sauver Hans sur *sa* terre. Mais quand elle pousse l'amour jusqu'à admettre l'infidélité, ou même à la feindre, elle se heurte à l'exigence du surmoi : le Roi des Ondins punit de mort l'infidélité. Les efforts du héros et de l'héroïne vont donc dans le même sens. Pourtant l'assouplissement était illusoire et les efforts voués à l'échec. La tentative qui a été faite n'en est pas moins significative. Elle prouve que la personnalité n'accepte pas la dissociation et prend conscience de sa profondeur. Puisque Hans se trouve de part et d'autre, il n'est plus possible d'ignorer qu'il s'agit d'une déchirure, ou d'une mutilation, et non de quelque repliement sur soi, après une distinction de valeur. Hans meurt si les deux Hans ne se rejoignent pas, et les oscillations du héros entre Bertha et Ondine, interprétées de part et d'autre comme des infidélités ou des folies, n'ont d'autre but que la restauration d'une unité. Quand le couple édénique se rompt de façon irrémédiable, l'oscillation du héros entre le niveau social et le niveau religieux n'est plus possible. Sur la qualité de cette expérience religieuse, la phrase du Roi des Ondins — « *... quand ils ont heurté une vérité, une simplicité, un trésor... Ils deviennent ce qu'ils appellent fous. Ils sont soudain logiques, ils n'abdiquent plus, ils n'épousent pas celle qu'ils n'aiment pas, ils ont le raisonnement des plantes, des eaux, de Dieu : ils sont fous.* » — paraît révélatrice : elle juxtapose la folie, l'amour, les plantes, les eaux, Dieu. Pour Giraudoux, Dieu se trouve donc du côté de la nature, c'est-à-dire de l'enfant limousin. L'évocation de la province natale nous permettra un retour en arrière et l'étude de *Siegfried.*

Chapitre VIII

SIEGFRIED

Jacques Forestier, écrivain français, est parti pour le front en 1914, laissant à Paris son amie, Geneviève Prat, sculpteur. A la suite d'un combat, il est porté disparu. En fait, il a été recueilli par les Allemands, blessé au front, totalement amnésique et sans aucun signe d'identité. Son infirmière Eva le prend pour un Allemand et lui ré-apprend à parler en allemand, enfin le baptise Siegfried von Kleist. Une nouvelle existence commence pour lui. Sept ans plus tard, il est juriste, conseiller d'Etat et l'homme le plus populaire d'Allemagne, celui qui doit sauver la patrie du désastre. Cependant le Baron von Zelten, incarnation de la vieille Allemagne romantique, au surplus ami de la France et familier de Montparnasse, a reconnu la vraie nationalité de Siegfried. Sur le point de faire lui-même un coup d'état, il mande Geneviève en Allemagne. Ensemble, ils rétablissent la vérité. Zelten révèle à Siegfried, devant son état-major politique et militaire, qu'il n'est pas Allemand. Geneviève lui révèle qu'il est Jacques Forestier. Dans un premier dénouement imaginé par Giraudoux, Jacques retrouve la mémoire et meurt ; dans un second, il demeure amnésique et, plus brisé que joyeux, rentre à Paris avec Geneviève.

Il est presque pénible de superposer *Siegfried* et *Ondine,* tant l'opération révèle le caractère obsédant de la structure :

Bertha — Hans	Eva — Siegfried
Ondine — Hans	Geneviève — Jacques
le Roi des Ondins	Zelten

Réservons la coïncidence du Roi des Ondins et de Zelten : sa validité sera examinée plus loin. Nous retrouvons, face à face, les deux couples qui nous sont maintenant familiers. Notons les analogies structurelles :

A. Le conflit, qui se manifeste dramatiquement par l'opposition presque statique des deux figures féminines, divise un seul héros en deux figures masculines. Siegfried et Forestier, comme les deux Hans, ne sont qu'un seul homme.

B. Le conflit est donc psychique, il déchire le moi. L'ambivalence du héros prend, dans *Siegfried,* le caractère discontinu d'une double oscillation entre deux fidélités. Mais dans les deux cas il y a angoisse, impossibilité de choisir, inhibition douloureuse quand les deux partis s'affrontent dans la conscience du héros.

C. Dans chacune des pièces, les figures qui s'opposent représentent des réalités qui les dépassent — moins cependant l'Allemagne et la France, ou l'humanité et la nature, que deux façons d'être et de vivre. Eva, comme Bertha, offre au héros la réussite sociale : devenir, pour Hans, le gendre du roi, et pour Siegfried, le futur chancelier d'Allemagne. Ondine, comme Geneviève, en revanche, offre une vie humble, retirée, qu'empliraient un amour fidèle et la magie d'une communion avec l'univers.

D. Le héros est également passif à l'égard des champs de forces qui se disputent ainsi son orientation. Hans déclarait avoir été « pris entre la nature et la destinée, comme un rat » — Siegfried n'a pas davantage le choix. Il obéit successivement à la destinée que lui impose son amnésie, puis à cette nature que représente son identité passée, soudain irrécusable.

E. Le choix final et le dénouement sont précipités par une volonté étrangère — celle du Roi des Ondins ou de Zelten. Mais dans les deux cas cette décision de rupture part du même camp, celui d'Ondine et de Geneviève, celui de la fidélité, de la nature, de la magie ; dans les deux cas elle garde la même qualité de démasquage.

Nous reviendrons sur les différences et nuancerons les analogies en étudiant la genèse de l'œuvre. Mais il faut souligner dès maintenant la permanence du mythe. *Ondine* a été jouée pour la première fois le 27 avril 1939, *Siegfried* le 3 mai 1928. Cependant où se trouve, dans cette première pièce, le couple édénique ? Il est tout à fait vraisemblable que Geneviève et Jacques, avant la guerre, avaient formé ce couple ; la guerre l'a rompu, selon l'équivalence que nous avons reconnue depuis longtemps et que nous comprenons mieux ici : la guerre n'est que la forme la plus impérieuse de la réalité sociale ; elle se prolonge au cœur de la paix dans la lutte pour quelque triomphe personnel. La guerre et l'après-guerre ont donc brisé le couple, au point de transformer Jacques en Siegfried. L'amnésie a le sens d'une infidélité au passé. Mais comme Hans et Ondine, coupés l'un de l'autre par une infidélité semblable du héros, cherchent obscurément à se rejoindre, Siegfried tâtonne pour retrouver sa famille, c'est-à-dire son passé, c'est-à-dire Geneviève, tandis que celle-ci est mystérieusement appelée à le rencontrer. Tous deux, produits de la désintégration du couple, cherchent à le reformer. Mais la crise d'angoisse éclate quand le compromis s'avère impossible. Nous l'avons étudiée dans *Ondine ;* voici comment elle se présente dans *Siegfried :*

> GENEVIÈVE. (...) Voir ce duel livré en dehors de lui, non dans un déchirement de son être, mais entre deux femmes étrangères, c'est peut-être le seul soulagement que nous puissions lui apporter... Je puis même vous tendre la main pour qu'il ne se croie pas déchiré par des puissances irréconciliables.
> ... Jacques doit choisir entre une vie magnifique qui n'est pas à lui, et un néant qui est le sien. Chacun hésiterait...

EVA. Il a à choisir entre une patrie dont il est la raison, dont les drapeaux portent son chiffre, qu'il peut contribuer à sauver d'un désarroi mortel, et un pays où son nom n'est plus gravé que sur un marbre, où il est inutile, où son retour ne servira, et pour un jour, qu'aux journaux du matin, où personne, du paysan au chef, ne l'attend...

....

GENEVIÈVE. Si. Quelqu'un l'attend cependant... (...) Son chien.

....

Le drame, Jacques, est aujourd'hui entre cette foule qui t'acclame, et ce chien, si tu veux, et cette vie sourde qui espère. Je n'ai pas dit la vérité en disant que lui seul t'attendait... Ta lampe t'attend, les initiales de ton papier à lettres t'attendent, et les arbres de ton boulevard, et ton breuvage (...) C'est seulement quand tu retrouveras tes animaux, tes insectes, tes plantes, ces odeurs qui diffèrent pour la même fleur de chaque pays, que tu pourras vivre heureux, même avec ta mémoire à vide, car c'est eux qui en sont la trame. Tout t'attend en somme en France, excepté les hommes. Ici, à part les hommes, rien ne te connaît, rien ne te devine.

....

EVA. (...) On illumine en ton honneur. On t'acclame. Entends la voix de ce peuple qui t'appelle... Entre cette lumière et cette obscurité, que choisis-tu ?

SIEGFRIED. Que peut bien choisir un aveugle [1] !

Rideau

(Fin Acte III.)

Cette scène appelle plusieurs remarques immédiates.

Le désarroi de Siegfried correspond bien à celui de Hans : il est aussi impossible au héros de poursuivre son ascension sociale que de rentrer dans son passé comme si rien n'était advenu.

La crise n'a pas lieu, apparemment, dans une atmosphère de persécution justicière. Les juges en sorcellerie condam-

1. « Le plus bête des hommes voit toujours assez clair pour devenir aveugle », disait Yseult de Hans.

naient Ondine à mort et le Roi des Ondins, justicier à son tour, condamnait Hans à mort ainsi que le bourreau. Nous avions déjà retrouvé le même échange d'agressivité dans *Electre*. Ici, Eva et Geneviève ne se haïssent pas au niveau le plus superficiel (Eva ne prend cependant pas la main que lui tend Geneviève : « Je n'irai pas jusque-là », dit-elle). Mais au niveau proprement tragique du mythe, nous percevons, derrière Geneviève, l'agressivité de Zelten (qui projette un coup d'état pour éliminer politiquement Siegfried) ; et derrière Eva, il y a le général de Fontgeloy qui menace Geneviève de mort (et fera tuer Siegfried dans le premier dénouement). Cependant la pièce affirme bien, au premier plan, un désir de porter le conflit sur un plan dépourvu de passion, où les compromis sont possibles et où la décision semble, en tout cas, être laissée au moi conscient. Le niveau de *Siegfried* est intermédiaire entre le niveau comique (celui d'*Amphitryon,* où le couple résiste) et le niveau de persécution et de passion religieuse où se dénouent les tragédies de Giraudoux. L'angoisse s'y résout en mélancolie, mêlée d'un peu de bonheur et d'espoir. Il ne faut pas, cependant, exagérer sur ce point la différence entre *Siegfried* et *Ondine,* car on retrouve dans la première pièce les agressivités en arrière-plan et dans la seconde la volonté de compromis (cf. la conversation Ondine-Yseult, où la reine est si comparable au Prince).

Giraudoux a certainement joué avec les allégories. Il a même accusé cet aspect de son œuvre dans le commentaire qu'il en donna pour la presse :

> J'ai voulu apporter au théâtre « une idée si puissante qu'elle rompe le cadre habituel et mette toute question d'habileté au second plan.
>
> ....
>
> J'ai, pendant ma jeunesse, beaucoup vécu en Allemagne, j'y ai même pendant quelques années fait des études, et c'est ce que les Allemands m'ont appris d'eux-mêmes et de leur pays qu'avec mon âme de Français j'ai voulu mettre dans *Siegfried.*
>
> (*Intransigeant,* 8-5-1928.)

Dans l'œuvre même, cependant, il a tenu à marquer l'insuffisance de ces interprétations trop faciles. Eva accepterait sans doute d'être le symbole de son pays ; Geneviève n'y consent pas ; elle se veut un être de chair, sous la dernière robe à la mode. La pièce de Giraudoux a certainement la même ambition. Psychiquement, cela signifie que chaque figure n'y représente pas une pensée claire, mais un groupe d'images associées, ayant même tonalité affective. Geneviève ou Eva sont des accords. Ainsi l'image de l'humble chien fidèle entre dans l'accord de Geneviève ; Giraudoux a évidemment songé au chien de Pénélope, mais il n'a pas voulu qu'un caniche représentât la France. En revanche, ce chien fidèle ne peut manquer d'être associé à l'image des « chiens de mer » dont, avec insistance, Ondine fait le symbole même de la fidélité conjugale, donc de la permanence du couple, symbole à son tour de l'intégrité du moi. Beaucoup plus qu'une France allégorique, à cet instant, Geneviève, le chien et tout ce qui leur est associé figurent cette partie de lui-même que le héros a laissé en arrière dans son développement discontinu. Eva nous représente l'Allemagne au niveau de l'action publique, Geneviève la France au niveau de l'abandon le plus intime. C'est sur ce plan profond que nous rencontrons Geneviève et son chien, comme Ondine et ses chiens de mer, et nous comprenons que cette image de la fidélité animale se soit imposée à Giraudoux, au risque de lui faire frôler le mauvais goût : le mythe personnel exigeait que fût marquée la présence, auprès de Geneviève, de l'univers naturel, du Mendiant d'*Electre,* du Roi des Ondins, des puissances magiques de l'enfance.

Cela nous conduit à une étude de Zelten. Si le drame était une allégorie du conflit de la France et de l'Allemagne, Zelten devrait être du côté de l'Allemagne, du côté d'Eva et de Siegfried. Or, dramatiquement, il est contre eux, pour Geneviève et Forestier ; romantique allemand, il est pour la France. Son action dans la pièce ne laisse aucun doute à ce sujet : il contrecarre les desseins d'Eva, de Siegfried, des généraux et politiciens ; il démasque le mensonge du héros allemand. En revanche, il est l'ami de Geneviève et de Robineau et, lorsque son coup d'état échoue, il est renvoyé chez lui, c'est-à-dire à Paris.

GENEVIÈVE. C'est Zelten que je viens de croiser, entre ces militaires ?
SIEGFRIED. Oui, c'est Zelten.
GENEVIÈVE. On le fusille ?
SIEGFRIED. Rassurez-vous, on le mène au train qui le débarquera dans son vrai royaume.
GENEVIÈVE. Son vrai royaume ?
SIEGFRIED. Oui. Au carrefour du boulevard Montmartre et du boulevard Montparnasse.
GENEVIÈVE. C'est bien impossible...
SIEGFRIED. N'en doutez pas...
GENEVIÈVE. Je parlais de ces deux boulevards... Ils sont parallèles, Monsieur le Conseiller, l'un tout au nord, l'autre tout au sud, et il est peu probable qu'ils forment jamais un carrefour...

(Acte III, sc. IV.)

En fait, pour saisir la signification de Zelten, il faut se référer au roman dont la pièce n'est qu'une adaptation. Nous apprenons alors que Zelten est associé aux étoiles, aux quatre éléments, à tous les fluides poétiques ou démoniaques de l'univers, aux chiens, aux mendiants, qu'il est rattaché par des fils mystérieux à tous les réseaux d'espionnage, de conspiration, de correspondances occultes qui s'entre-croisent dans le monde. Lui-même est sans cesse traversé de pensées obsédantes qui s'expriment en phrases, puis en actes. Zelten rappelle donc de façon très nette non seulement le Roi des Ondins ou le Mendiant d'*Electre*, mais un aspect romantique et swedenborgien d'une foule de personnages auxquels Giraudoux prête les pouvoirs magiques qu'il croit, ou feint de croire les siens. Or Zelten vit à Paris, fait tatouer sur son bras qu'il ne haïra jamais la France, et veut instituer en Allemagne un gouvernement dont le premier article de foi serait l'alliance franco-allemande. Fait beaucoup plus significatif encore : à Paris, c'est lui, et non pas Jacques Forestier, qui est le mari de Geneviève. Somme toute, Zelten, Geneviève, Forestier et le narrateur Jean — tous artistes, tous parisiens, tous franco-allemands — ne sont que des aspects d'une seule personnalité, consciemment morcelée et qui est clairement celle de Giraudoux écrivain. Magicien romantique et provincial, Zelten tient, dans le roman, le rôle principal, le rôle actif. Il ne triomphe pas dans le monde réel, social ; mais il empêche Forestier d'y triompher par malentendu, erreur ou mensonge. Il détruit le faux Siegfried et ramène, dans le roman, l'écrivain Forestier vers sa province française, vers son Limousin natal. Bref, dans la dynamique du conflit intérieur, Zelten représente une fixation à l'enfance française, provinciale, naturelle, magique, qui a trouvé son moyen d'expression dans l'art parisien et le romantisme allemand, et qui s'oppose, à l'intérieur de la personnalité, aux tendances d'un autre projet — rêve d'une brillante réussite sociale sur le plan politique et diplomatique, représenté, lui, par Siegfried. Ce second personnage, déraciné et passif, demeure bien le héros que nous connaissons, l'équivalent de Hans, mais plus faible. Il nous est présenté, toujours dans le roman, de l'extérieur, et malgré sa réussite, presque falot, perdu dans une réalité de carnaval tragi-comique, où la destinée l'a plongé malgré lui. Au théâtre, Giraudoux a débroussaillé le carnaval, supprimé tout érotisme et presque toute farce. Une version intermédiaire, *Siegfried Von Kleist,* témoigne de l'ampleur de ce travail. On a pu voir ainsi que le héros était au centre et qu'il y vivait une aventure angoissante. La parole lui a été donnée et on l'a entendu se plaindre. En revanche, le resserrement théâtral n'a plus permis à Giraudoux de nous instruire sur Zelten. L'oscillation de Siegfried entre Eva et Geneviève était présente mais à peine esquissée dans le roman. Contraint de lui donner sa pleine force dramatique, Giraudoux a détaché Geneviève de Zelten pour en faire l'épouse fidèle de Forestier, Zelten devenant à la fois moins important et plus allemand d'apparence. Ainsi, l'allégorie a un peu gagné sur le mythe. Cependant, sur le plan profond du conflit et du drame, le vrai rapport de Siegfried à Zelten reste celui du héros passif à sa fixation au passé. Ce rapport, bien distinct du contraste France-Allemagne et de sa représentation allégorique, explique seul la fable et ses dénouements imaginés par Giraudoux.

Il paraît donc possible, à titre d'hypothèse, de proposer deux interprétations du mythe de *Siegfried.* La plus profonde constituerait une sorte de diagnostic et s'énoncerait à peu près ainsi : « Je sens deux hommes en moi ; l'un déraciné, oublieux de son enfance, prétend, non sans raison, à une réussite sociale ; l'autre, fidèle à son passé le plus lointain, fixé à sa magie, plus proche de la nature et de l'art, plus humble aussi et pathétique, nie l'effort du premier et y voit un mensonge ; un conflit me déchire donc, qu'il faudrait résoudre par un compromis. » La seconde interprétation, beaucoup plus proche d'une pensée politique, se formulerait à peu près ainsi : « Attaché à la France par mon enfance, à l'Allemagne par ma jeunesse, j'ai rêvé d'une union entre ces deux patries ; politiquement, collectivement, ce projet échoue ; sur le plan de l'art ou de l'amitié personnelle, il y a coexistence plutôt qu'union ; la coupure reste trop grave. »

Les deux interprétations ne sont pas contradictoires. Elles se concilient si l'on suppose que Giraudoux, pour créer son œuvre, et même dans sa pensée de chaque jour, a projeté confusément son conflit personnel sur le problème franco-allemand, qui l'intéressait d'ailleurs à un double titre : celui de jeune diplomate admirateur de Briand, et celui d'écrivain français sensible au romantisme allemand. Il serait naturellement plus facile — et plus agréable — de ne pas prendre les risques de la première interprétation, et même d'adoucir considérablement la seconde en nous bornant à constater que l'art de Giraudoux a su rendre dramatique un grand problème d'intérêt public. Mais l'honnêteté intellectuelle nous interdit ces évasions. Car, encore une fois, s'il ne s'agissait que du problème franco-allemand, il faudrait accuser Giraudoux de l'avoir brouillé par la figure de Zelten, ridiculisé par l'image du caniche. D'autre part, le problème franco-allemand n'a plus de rapport apparent avec le sujet d'*Ondine* ou d'*Electre*. La constance du conflit, telle que les superpositions nous l'ont tant de fois révélée, n'a donc rien de commun avec un problème politique. Notre première interprétation s'impose donc et nous ne pouvons éviter d'en prendre les risques.

Elle tâche de définir le conflit propre à Giraudoux et nous montre, chez l'écrivain, un homme pris entre deux pôles, fuyant sans cesse de l'un à l'autre, et toujours avec le sentiment de trahir l'un des deux partis, d'ailleurs inégaux. La solution serait de les concilier, et il garde longtemps l'espoir d'y parvenir dans cet état d'équilibre instable, cette quiétude très protégée, très élaborée, en fait, qui nous est présentée comme celle du couple édénique. Lentement, nous avons appris à connaître ce qui menace cet équilibre fugitif, comment il se rompt, les images et les affects qui naissent de sa désintégration. De pièce en pièce, nous commençons à pouvoir suivre ainsi l'évolution du mythe personnel. Bien entendu, il faut le faire sans perdre pour cela le goût de chaque œuvre distincte.

Les dénouements sont importants parce qu'un choix doit y être fait, qui précise la tonalité affective. Dans le cas de *Siegfried,* ni le roman, ni la pièce ne finissent bien. La France et l'Allemagne se séparent ; le héros revient vers son passé, avec l'espoir d'une renaissance, ce qui peut paraître heureux, mais renonce, en fait, à un projet trop hardi d'intégration.

Dans le roman, Forestier regagne son Limousin natal, et Geneviève meurt. Geneviève, femme de Zelten et que Siegfried commençait à aimer, nous a été dépeinte comme une pure artiste, sans famille, orpheline, socialement toujours en faute ou en marge, incapable de vivre seule, mais abandonnée de trois mois en trois mois, pathétique et lisant dans le secret des êtres et des choses, humblement ménagère et géniale. Création beaucoup plus riche dans le roman que dans la pièce, elle y représente, plutôt que la fidélité au couple, un des produits de sa rupture, l'art solitaire et pathétique. Sa mort en Allemagne coïncide avec sa dernière et vaine tentative pour se mettre en règle avec la société. Après un très bref épisode religieux, elle meurt comme Bella, dans une sorte d'enfance triste.

Dans la « marche funèbre » qui forme le premier dénouement de la pièce, c'est Siegfried qui meurt. Les ressemblances textuelles frappantes entre ces deux morts méritent de retenir notre attention. En voici quelques-unes :

> GENEVIÈVE. *On n'arrive jamais à la mort sans dot.* Je voudrais vous *léguer* ce qui peut subsister de ces trente-six ans, et deux ou trois commissions. Je tiens à ce que vous habitiez parfois ma maison de Solignac. Vous *hériterez de moi, de moi-même ;* j'ai écrit dans ce papier deux ou trois de *mes manies* que je voudrais ne pas voir périr (...) *Je tiens à ce que toutes les fois que vous entendrez le mot Prémisses...*
>
> SIEGFRIED. Et l'heure des *legs* approche, Geneviève. *Il n'y a pas de mort française sans héritage.* C'est une douce curée que tous ces visages français tendus vers moi. Il s'agit de *donner de moi* ce qui peut survivre. Qu'ai-je *de particulier à moi,* que je puisse *vous distribuer.* Deux, trois, quatre legs, tout au plus. Commençons par vous, jeune fille. *Toutes les fois que j'entends le mot délices,* cela date de mon enfance, je me demande qui m'a donné *cette habitude,* je ferme les yeux, je ressens une joie. *Je vous lègue ce privilège.* Les humains prononcent infiniment plus souvent qu'on ne croit, — fermez les yeux, vous verrez, — le mot délices.

Il ne s'agit pas d'un homme ou d'une femme, mais d'une instance psychique — le faible moi, orphelin, toujours en faute avec la réalité, pathétique et artiste, l'enfant aux yeux bandés au milieu des autos. C'est lui qui apparaît comme un produit de la désintégration du couple. Le Siegfried désemparé et « aveugle » ressemble à Geneviève. Celle-ci s'occupait de corps et des blessures du corps, comme une mère, comme la femme du couple édénique. Si donc Siegfried apparaît lui aussi comme un produit de cette désintégration, c'est qu'il avait lui-même, sur le plan allemand, tenté de reformer ce couple avec Eva, dont il était d'ailleurs comme l'enfant (elle avait été son infirmière et son éducatrice). Les couples apparaissent ainsi détruits aux deux niveaux.

Des analogies certaines relient encore Siegfried et Hans

au moment de leur mort. L'apparition de la mort, qui se retrouvera dans *Ondine,* marque l'épisode religieux. Les humbles, liés au souvenir de la province natale, sont figurés par les porcelainiers de Limoges. Le héros dit adieu à ses ambitions sociales sous la double forme du président Grévy (qui était proposé comme but suprême à Simon le Pathétique par son père), et, d'autre part, le bienveillant prince allemand (que nous retrouvons dans *la France sentimentale*). Ce prince a une importance certaine : il est, à Giraudoux, ce que Louis XIV fut à Racine, un espoir de père idéal. Mais nous ne pouvons nous attarder à cette analyse. Résumant ce premier dénouement, nous dirons qu'il est une fuite du héros, hors du conflit irrésolu, dans la mort.

Le second dénouement montre le héros toujours amnésique, donc également coupé de son enfance et de son aventure sociale, acceptant de recommencer à vivre. A l'instant de franchir à nouveau, sous l'œil des douaniers, la « ligne idéale » qui sépare les deux nations, Siegfried serre la main de ses généraux allemands et consent à la fiction d'une mort symbolique, légendaire. Il avoue alors, avec une netteté pour nous précieuse, la division constante de sa personnalité :

> SIEGFRIED. Vous êtes généreux, mes amis. Vous m'offrez une mort glorieuse. (...) Une mort, avec prime, avec une prime rarement réservée aux morts, la vie... Je n'accepte pas. (...)
>
> LEDINGER. Vous préférez vivre entre deux ombres ?
>
> SIEGFRIED. Je vivrai, simplement. Siegfried et Forestier vivront côte à côte. Je tâcherai de porter, honorablement, les deux noms et les deux sorts que m'a donnés le hasard. Une vie humaine n'est pas un ver. Il ne suffit pas de la trancher en deux pour que chaque part devienne une parfaite existence. Il n'est pas de souffrances si contraires, d'expériences si ennemies qu'elles ne puissent se fondre un jour en une seule vie, car le cœur de l'homme est encore le plus puissant creuset. Peut-être, avant longtemps, cette mémoire échappée, ces patries trouvées et perdues, cette inconscience et cette conscience dont je souffre

> et jouis également, formeront un tissu logique et une existence simple. Il serait excessif que dans une âme humaine, où cohabitent les vices et les vertus les plus contraires, seuls le mot « allemand » et le mot « français » se refusent à composer. Je me refuse, moi, à creuser des tranchées à l'intérieur de moi-même. Je ne rentrerai pas en France comme le dernier prisonnier relâché des prisons allemandes, mais comme le premier bénéficiaire d'une science nouvelle, ou d'un cœur nouveau... Adieu. Votre train siffle. Siegfried et Forestier vous disent adieu.
>
> (Acte IV, sc. III.)

L'amour de Geneviève promet alors de guérir cette blessure.

Cependant, il suffit de nous reporter dix ans plus tard au dénouement d'*Ondine* (sans parler de ceux qui l'ont précédé : *Electre* et *La Guerre de Troie n'aura pas lieu*) pour reconnaître que la guérison ne s'est pas produite. Au contraire, la tranchée dont parle Siegfried s'est creusée, la guerre intérieure a eu lieu. Disons plutôt que le conflit a toujours été là, mais que Giraudoux en a pris de plus en plus conscience. Il s'est d'abord diverti à jouer d'une ambivalence, puis en a perçu le sens tragique. Cependant le rire — un rire de plus en plus agressif — demeure une de ses meilleures défenses contre l'angoisse. En pleine guerre, l'œuvre succédant à *Ondine*, *La Folle de Chaillot*, prendra ainsi la tonalité d'une bouffonnerie tragique.

Chapitre IX

LA FOLLE DE CHAILLOT

Il faut repartir de l'interprétation la plus profonde à laquelle nous avait conduit l'analyse d'*Ondine* et de *Siegfried.* Elle prenait la forme d'un diagnostic. La personnalité du héros y apparaît irrémédiablement déchirée par l'effet de deux forces antagonistes. L'une est le désir d'une réussite sociale brillante, l'autre est une fixation maternelle — fidélité, attachement à la vie provinciale (jusque dans Paris), avec ses animaux et ses plantes, mais aussi rêve d'omnipotence magique. Réussite sociale — retraite provinciale : voilà deux termes qui ont une résonance biographique et c'est bien pour cela que nous les avons employés, car tout le monde sait que la diplomatie d'une part, Bellac d'autre part jouèrent un rôle important dans la vie de Giraudoux et, somme toute, la polarisèrent.

Nous sentons alors que le mythe personnel, objet de notre étude, n'est pas quelque chose d'étranger à l'existence de l'écrivain. Nous avons creusé une sorte de tunnel : parti des œuvres, et parfois de leur mot à mot textuel, sans référence autre qu'accidentelle à la biographie de l'auteur, nous avons superposé des figures et des situations dramatiques, dans un ordre chronologique rompu, à la recherche du mythe latent : or tout à coup, voici que la polarité affective de ce dernier prend une signification biographique, coïncide, en fait, avec la polarité de l'existence vécue. Qu'est-ce à dire, sinon que, parti de l'œuvre, à travers le mythe, nous avons rejoint la vie ?

Aussitôt, cependant, deux erreurs se présentent qu'il faut éviter de commettre. La première serait de croire que nous avons fait un travail inutile : ne pouvions-nous aller tout droit et en pleine lumière de l'œuvre à la vie, et inversement ? La critique classique n'a pas réussi cette liaison directe. Il est aisé, certes, de relier *Siegfried* à certaines circonstances biographiques — mais *Electre* ? Aucun critique ne se risquerait à établir un lien direct entre Clytemnestre et Giraudoux diplomate, Electre et Giraudoux provincial. Et, en effet, il n'y a sans doute pas de lien direct. Il faut descendre au niveau des associations d'idées pour voir qu'Electre appartient au même réseau obsédant que Geneviève, Isabelle ou Ondine, tandis que Clytemnestre s'inscrit dans le réseau opposé, celui d'Eva, d'Hélène et de Bertha, celui de la réussite sociale, où le héros peut se rêver roi. Ainsi, au niveau des réseaux associatifs, affectivement polarisés, nous pouvons relier chaque œuvre de Giraudoux, et quel qu'en soit le sujet, à la biographie de l'auteur, par des liens objectifs inscrits dans les textes. Notre travail seul nous a permis ce rattachement. Aussi, bien loin d'être inutile, notre cheminement souterrain a peut-être révélé la vraie nature de cette jonction entre l'œuvre et la vie — jonction que la critique classique a toujours pressentie, sans la découvrir jamais, de sorte qu'elle doit tantôt la nier, tantôt l'affirmer. Le même homme vit et écrit, disent avec bon sens Sainte-Beuve, Taine, Lanson et toute la critique historique. Le créateur n'a rien à faire avec l'homme social, répondent Proust, Valéry et presque toute la jeune critique. L'expérience nous a conduit à une position plus complexe et plus synthétique : en Giraudoux, comme en tout autre auteur, l'écrivain et l'homme opèrent leur jonction par ces structures profondes que sont les réseaux associatifs et, finalement, le mythe personnel, expression de la personnalité inconsciente commune à l'homme et à l'artiste.

Or la connaissance de ce fait nous permet d'éviter la seconde des erreurs dont nous parlions plus haut. Nous la commettrions si, satisfait de retrouver le plein jour de la biographie, nous oubliions le reste pour tout interpréter à sa lumière. Ce serait méconnaître la nature profonde, le niveau inconscient du vrai conflit dont la division, chez Giraudoux, entre diplomate et provincial n'est qu'un aspect superficiel. Les deux forces antagonistes — appétit de réussite et fixation régressive — ne nous sont connues qu'à travers des images de rêve. Siegfried est un rêve de Giraudoux, Zelten un autre rêve ; Siegfried est rêvé socialement puissant, Zelten magiquement puissant ; mais ni l'un ni l'autre ne peut être confondu avec un Giraudoux réel. Siegfried ne représente pas Giraudoux diplomate et Zelten, Giraudoux provincial. Si nous simplifiions ainsi les choses, nous perdrions tout le bénéfice de notre analyse, la richesse des associations et du mythe. Après avoir patiemment exploré le réseau de Zelten, après y avoir reconnu Andromaque auprès de Geneviève et le Mendiant auprès du Roi des Ondins, nous n'aurons pas la sottise de réduire à la pauvreté d'un mot abstrait un si riche tableau de figures et de nuances affectives. La première erreur eût été de croire qu'on pouvait relier l'œuvre et la vie sans passer par le mythe ; la seconde serait d'oublier le mythe après avoir passé par lui. La jonction se fait par un rêve, et c'est comme rêve que nous devons l'étudier.

***

Comment s'étonner, dès lors, que le mythe personnel de Giraudoux se soit chargé un peu plus d'angoisse en 1940 ? *Sodome et Gomorrhe* est un cauchemar, *La Folle de Chaillot*, un cauchemar renversé, ou plutôt recouvert par une fantaisie triomphale. Le rire fut toujours une des meilleures défenses de Giraudoux contre l'angoisse et j'ai montré ailleurs que la transformation en fantaisie triomphale d'une fantaisie tragique, toujours perceptible, était une des lois du genre comique. Je reviendrai plus précisément sur ce point en comparant la structure de *La Folle de Chaillot* à celle des comédies d'Aristophane. Mais d'abord pourquoi, dans notre analyse, ce passage d'*Ondine* à *La Folle de*

Chaillot, première œuvre posthume ? Simplement parce que les superpositions sont faciles et que notre marche s'en trouvera accélérée.

Nous retracerons à grands traits la fable, mais sans perdre le mythe de vue. Comme il était à prévoir, le cauchemar plaisamment traité a pris une nuance plus accusée de persécution. La plage néfaste, celle de la puissance sociale, allemande dans *Siegfried* comme dans *Ondine,* française ici, s'est peuplée d'êtres anonymes — présidents et administrateurs de sociétés financières, banquiers, affairistes, gros intermédiaires, prospecteurs, etc. Quand la scène s'ouvre, nous les trouvons attablés à la terrasse de Francis, un café situé place de l'Alma. Nous aurions tort, pourtant, de nous croire très éloigné de *Siegfried* et de l'Allemagne. Rappelons-nous la façon dont Zelten explique l'échec de son coup d'Etat :

> ZELTEN. (...) Ce qui m'expulse de ma patrie, ce qui a provoqué la résistance de l'empire et l'aide qu'il vous a donnée, ce n'est pas votre esprit de décision, ni vos ordres, tout géniaux qu'ils soient : ce sont deux télégrammes adressés à Berlin et que mon poste a interceptés. Les voici.
>
> ....
>
> Si Zelten se maintient Gotha, annulons contrat phosphate artificiel.
>
> ....
>
> Si Zelten reste pouvoir, provoquons hausse mark.
>
> (Acte III, sc. II.)

et dans *Siegfried Von Kleist* :

> Si Zelten se maintient Munich annulons contrat pétrole.

La dénonciation de la finance internationale et anonyme devint, au surplus, un des leit-motiv de la propagande hitlérienne ; celle-ci s'en était emparée précisément pour séduire les Zelten au profit de l'Allemagne moins romantique des généraux et d'Eva. Ainsi Giraudoux, qui composa son œuvre quelque part entre 1939 et 1943, se place à la fois dans la ligne de Zelten-Forestier (Allemagne romantique et province française) et dans celle de la propagande hitlérienne. Autre confusion : ces puissants affairistes ont « envahi » Paris ; le mot d'invasion est répété avec insistance ; or les personnages qui luttent contre l'invasion — les folles, les humbles — sont très évidemment associés à l'image de Geneviève, dont le chien Black a simplement pris le nom de Dicky. Puisque Geneviève et Black s'opposaient à l'Allemagne, l'envahisseur auquel s'opposent les folles, les humbles et Dicky pourraient bien ainsi avoir quelque chose de l'envahisseur allemand, possible ou actuel selon la date de composition. Mais comme *Pleins Pouvoirs,* en 1939, montrait déjà de la façon la plus évidente comment Giraudoux, consciemment ou non, déplaçait son angoisse et niait la réalité, négligeait la menace au delà des frontières pour ne parler que des maux, d'ailleurs très réels, en deçà, il est possible que, dans l'œuvre théâtrale, l'invasion allemande ait été transformée, consciemment ou non, de nouveau en invasion apparemment française, mais anonyme, étrangère en tout cas aux bonnes gens du quartier de Chaillot. On voit comme tout cela est confus et comme le rêve se défend des idées claires, se protège de la réalité et cependant exprime des nuances affectives précises. Car, qu'ils soient les mauvais Allemands de Zelten, ou les envahisseurs germains, ou les financiers internationaux, ou la classe capitaliste française que Giraudoux découvre, de toute façon ces hommes, assis à la terrasse du Café Francis, sont ceux que l'écrivain déteste de toute son âme. Leur vrai nom est celui qu'il leur donne : « les mecs ». Autant marquer sans plus tarder leur caractère par le portrait qu'en trace le chiffonnier à la vieille Aurélie, comtesse et folle de Chaillot :

> LE CHIFFONNIER. (..) Depuis dix ans nous les voyons débouler, de plus en plus laids, de plus en plus méchants.
>
> LA FOLLE. Vous parlez de ces quatre hommes, qui noyaient Fabrice ?
>
> LE CHIFFONNIER. Ah ! s'ils n'étaient que quatre ! C'est une invasion, Comtesse. Autrefois, quand vous circuliez dans Paris, les gens que vous rencontriez

étaient comme vous, c'était vous. Ils étaient mieux vêtus ou plus sales, contents ou en colère, pingres ou généreux, mais comme vous. Vous étiez soldat, l'autre était colonel. C'était tout, c'était de l'égalité. Mais voilà dix ans, un jour, dans la rue, le cœur m'a tourné. Entre les passants, je voyais un homme qui n'avait rien de commun avec les habituels, trapu, bedonnant, l'œil droit crâneur, l'œil gauche inquiet, une autre race. Il marchait bien au large, mais d'une drôle de façon, menaçant et pas à l'aise, comme s'il avait tué un de mes habitués pour prendre sa place. Il l'avait bien tué. C'était le premier. L'invasion commençait. (...)

LA FOLLE. Comment sont-ils ?

LE CHIFFONNIER. Ils sont tête nue dehors et dedans chapeau sur la tête. Ils parlent du coin des lèvres. Ils ne courent pas, ils ne se pressent pas. Vous n'en verrez jamais un suer. Ils tapent leur cigarette contre leur porte-cigarette quand ils vont fumer. Un bruit de tonnerre. Ils ont des plis et des poches d'yeux que nous n'avons pas. On dirait qu'ils ont d'autres péchés capitaux que les nôtres. Ils ont nos femmes, mais en plus riche et plus courant. Ils ont acheté les mannequins des vitrines, fourrures y compris, et leur ont fait donner la vie, avec un supplément. C'est leurs épouses.

LA FOLLE. Qu'est-ce qu'ils font ?

LE CHIFFONNIER. Ils n'ont aucun métier. Quand ils se rencontrent, ils chuchotent et se passent des billets de cinq mille. On les trouve près de la Bourse, mais ils ne crient pas, près des îlots de maisons qu'on va démolir, mais ils ne travaillent pas, près des tas de choux aux Halles, mais ils n'y touchent pas. Devant les cinémas, mais ils regardent la queue, ils n'entrent pas.

....

Alors le monde est plein de mecs. Ils mènent tout, ils gâtent tout. (...) Le boucher dépend du mec du veau, le garagiste du mec de l'essence, le fruitier du mec des légumes. (...) Il y a un mec de chaque consommation. Aussi tout renchérit, Comtesse. Vous buvez votre vin blanc cassis. Sur vos vingt sous, deux pour le mec vin blanc, deux pour le mec cassis. J'en viens à préférer les vrais mecs, Comtesse, ceux-là, je leur serre la main.

. . . .

L'époque des esclaves arrive. Nous sommes là les derniers libres. Mais ça ne tardera guère. Vous avez vu leurs quatre gueules aujourd'hui. Le chanteur va avoir à traiter avec le mec de la chanson, et moi avec le mec de la poubelle.

(Acte I.)

L'Acte I, dans une sorte de jonglerie bouffonne avec le vocabulaire boursier, nous montre tous ces affairistes fondant, à la terrasse du Francis, l'Union bancaire du sous-sol parisien. A la recherche de gisements inconnus, on éventrera Paris çà et là ; bien entendu personne ne songe à la beauté de la ville ou à la paix de ses habitants ; même les résultats des fouilles n'ont pas d'importance, pourvu que des actions soient émises et le conseil d'administration constitué. Cependant, le camp adverse manifeste sa présence et marque la frontière : « Notre pouvoir, constate le Président, expire là où subsistent la pauvreté joyeuse, la domesticité méprisante et frondeuse, la folie respectée et adulée. » Successivement, donc, le chanteur, la bouquetière, le chiffonnier, Irma la plongeuse (si proche de la fille de vaisselle d'*Ondine*), le marchand de lacets, le jongleur, l'hurluberlu, enfin Aurélie, la Folle de Chaillot viennent troubler les conversations financières. Puis l'action se noue. On apporte un noyé repêché dans la Seine. C'est Pierre, le héros, qui épousera Irma au dénouement. Prisonnier des mecs qui le tiennent par un chantage, il a reçu l'ordre de tuer le fonctionnaire français, cher au cœur de Giraudoux, dont la clairvoyance et l'intégrité les gênent. Pierre a préféré le suicide. On le ranime et la Folle de Chaillot, cette extravagante comtesse, venue ici chercher os et gésier pour ses chats, prend le désespéré sur ses genoux, parce qu'il lui rappelle Adolphe Bertaut (qui l'abandonna jadis) et rend au jeune homme espoir et goût de vivre.

PIERRE. Je veux me tuer !

LE SERGENT DE VILLE. Vous voyez. Vous ne le rattacherez pas plus à la vie que je ne l'ai fait.

LA FOLLE. Parions. Parions un de vos boutons d'uniforme. J'en ai besoin pour ma bottine. Je devine pourquoi vous vous êtes jeté à l'eau, Fabrice.

PIERRE. Sûrement pas.

LA FOLLE. Parce que ce prospecteur vous a demandé de commettre un crime.

PIERRE. Je vous assure que non.

....

LA FOLLE. Il n'est pas le premier, mais on ne me tue pas comme cela (...) je n'ai pas envie de mourir.

PIERRE. Vous avez bien de la chance.

LA FOLLE. Tous les vivants ont de la chance, Fabrice... Evidemment, au réveil, ce n'est pas toujours gai. En choisissant dans le coffret hindou vos cheveux du jour, en prenant votre dentier dans la seule coupe qui vous soit restée du service après le déménagement de la rue de la Bienfaisance, vous pouvez évidemment vous sentir un peu dépaysée en ce bas monde, surtout si vous venez de rêver que vous étiez petite fille et que vous alliez à âne cueillir des framboises. Mais pour que vous vous sentiez appelée par la vie, il suffit que vous trouviez dans votre courrier une lettre avec le programme de la journée. Vous l'écrivez vous-même la veille, c'est le plus raisonnable. Voici mes consignes de ce matin : repriser les jupons avec du fil rouge, repasser les plumes d'autruche au petit fer, écrire la fameuse lettre en retard, la lettre à ma grand-mère... etc., etc. Puis quand vous vous êtes lavé le visage à l'eau de roses, en le séchant, non pas à cette poudre de riz qui ne nourrit pas la peau, mais avec une croûte d'amidon pur, quand vous avez pour le contrôle mis tous vos bijoux, toutes vos broches, les boutons miniatures des favorites y compris, et les boucles d'oreilles persanes avec leurs pendentifs, bref quand votre toilette du petit déjeûner est faite, et que vous vous regardez non pas dans la glace, elle est fausse, mais dans le dessous du gong en cuivre qui a appartenu à l'amiral Courbet, alors, Fabrice, vous êtes parée, vous êtes forte, vous pouvez repartir...

....

PIERRE. Continuez, continuez, Madame ! Je vous en supplie.

La Folle. Ah, cela vous intéresse, la vie ?
Pierre. Continuez ! Que c'est beau !
La Folle. Vous voyez que c'est beau !

(Acte I.)

Que se passe-t-il ensuite ? La fable peut être brièvement résumée ainsi : la Folle de Chaillot est une femme d'action ; nous la voyons à la fin du premier Acte, tracer son plan de bataille. Elle convoque d'une part les folles de Passy, de Saint-Sulpice et de la Concorde chez elle, dans son sous-sol, pour une délibération morale et un jugement, d'autre part, toute la cohorte des mecs, de leurs correspondants et de leurs femmes, en les appâtant par l'annonce d'un gisement, la lettre de convocation étant parfumée au pétrole. Dans l'Acte II, ce plan est suivi point par point. Car l'égoutier a révélé à la Folle de Chaillot que dans la cave où elle habite, un pan de mur peut pivoter : la voie qui s'ouvre ainsi conduit à un abîme par une pente que l'on peut descendre mais non remonter. C'est le moyen de faire disparaître d'un seul coup tous les méchants de cette terre. Les folles instaurent donc leur cour de justice. Après un procès en règle, d'où les accusés sont absents mais où les droits de la défense sont respectés, la condamnation des mecs est prononcée. Lorsqu'ils surgissent en cortège, humant le pétrole, ils sont dirigés vers la trappe qui se referme sur eux. Alors survient l'épisode religieux que nous connaissons bien. Comme Siegfried avait vu seul apparaître la Mort, Judith l'archange caché dans le garde, puis Hans la transfiguration de la fille de vaisselle, la Folle de Chaillot voit seule surgir du mur opposé le cortège des hommes qui ont aimé les plantes ou sauvé une espèce animale — Jussieu avec son cèdre, Jean Cornell avec son castor ; enfin la troupe des Adolphe Bertaut, c'est-à-dire des hommes qui, comme l'ancien fiancé de la Folle, reculent devant le bonheur, abandonnent celle qu'ils aiment pour choisir celle qu'ils n'aiment pas. Il est trop tard, maintenant, pour que la Folle et Adolphe reforment leur couple édénique, mais Pierre le désespéré et Irma la plongeuse doivent former le leur. Le rideau tombe sur leur accord et sur la joie de tous les humbles, dans un monde libéré des mecs.

En possession des principaux éléments de la fable, nous pouvons maintenant superposer cette nouvelle œuvre aux deux précédemment étudiées. Nous obtenons le tableau suivant :

PLAGE NÉFASTE (puissance sociale)		
Eva-Siegfried	Bertha-Hans	Irma-Pierre
....	....	....
Geneviève-Jacques	Ondine-Hans	Irma-Pierre
Zelten	Roi des Ondins	Folle de Chaillot
PLAGE FASTE (humbles, animaux, plantes)		

La ligne de points marque la frontière entre plages néfaste et faste ; elle est aussi la ligne de rupture du couple édénique et, du point de vue psychique, la ligne de dissociation de la personnalité.

C'est maintenant par rapport à ce tableau que nous poursuivrons notre étude. Comment procéderons-nous ? Deux objets méritent notre attention : le couple édénique d'une part, et, d'autre part, les champs de forces antagonistes qui s'exercent sur lui, le conflit dont il est l'enjeu. Nous étudierons d'abord le couple, réservant pour la suite l'examen plus approfondi du conflit ; car l'analyse des angoisses et des défenses conduira nécessairement à celle de l'atmosphère et du style, avec son mélange si original de tragique et de comique, de réalité et d'illusion. Nous nous référerons à Aristophane et nous tâcherons de préciser, d'*Amphitryon* à la *Folle de Chaillot,* l'évolution de cette fantaisie comique si propre à Giraudoux. Revenons pour l'instant au couple central.

Notre tableau impose déjà une première remarque. Dans *Siegfried* et *Ondine,* nous avons retrouvé les deux figures féminines qui, de façon presque statique, s'opposent et représentent les deux termes du conflit, Eva étant confrontée à Geneviève comme Bertha à Ondine ; en revanche, il n'y a qu'un seul héros, déchiré par le conflit (Siegfried-Jacques et Hans). Dans *La Folle de Chaillot,* la dissociation s'est étendue à l'héroïne. Dans la plage néfaste, nous découvrons une Irma humiliée, plongeuse et prostituée, qui deviendra, dans la plage faste l'Irma pure, aimante et fidèle qu'elle est restée secrètement, mais à qui la fatalité sociale n'a pas permis de fleurir. Notons que la Bertha d'*Ondine* était déjà d'humble naissance ; mais elle avait renié ses parents et fondé sur ce reniement sa réussite sociale. Irma n'a réussi qu'à se vendre à bas prix. Giraudoux prétend que « plongeuse est un beau nom », et on ne peut douter qu'à cet instant il pense à Ondine, ou à Stéphy. Irma est donc une Ondine avilie extérieurement, mais ayant gardé assez de pureté au cœur pour se muer, comme la fille de vaisselle, en ange et devenir l'Irma du couple édénique final. Voici le texte où se manifeste cette dualité :

> IRMA. Je m'appelle Irma Lambert. Je déteste ce qui est laid, j'adore ce qui est beau. (...) Je déteste le diable, j'adore Dieu. Puis ici, où je suis plongeuse, à l'office, à la terrasse, sans compter que parfois je double le vestiaire, et moi je n'aime pas beaucoup les femmes, j'adore les hommes. Eux n'en savent rien. Jamais je n'ai dit à l'un d'eux que je l'aimais. Je ne le dirai qu'à celui que j'aimerai vraiment. (...) Car il viendra, il n'est plus loin. Il ressemble à ce jeune homme sauvé des eaux. A le voir en tout cas le mot gonfle déjà ma bouche, ce mot que je lui répéterai sans arrêt jusqu'à la vieillesse, sans arrêt, qu'il me caresse ou qu'il me batte, qu'il me soigne ou qu'il me tue. Il choisira. J'adore la vie. J'adore la mort.
>
> (fin de l'Acte I.)

En fait, Irma demeurerait à son tour prise « entre toute la nature et toute la destinée » sans l'intervention de la Folle bénéfique. Elle est passive et partage ce caractère avec Pierre. Nous avions souligné déjà la passivité de Siegfried et de Hans, obéissant à des gravitations et des fidélités successives. Forestier n'avait pas choisi de se muer en Siegfried et ne choisit pas davantage de redevenir Forestier. Hans obéit alternativement à Bertha et à Ondine. Dans *La Folle de Chaillot,* cette oscillation paraît réservée au fantôme d'Adolphe Bertaut qui a aimé Aurélie (la Folle), comme Hans, Ondine, puis l'a abandonnée, elle si « transparente », pour quelque Georgette « opaque », et qui voudrait ensuite, mais trop tard, revenir vers Aurélie. On se souvient que le mot « transparence » est le terme même que la reine Yseult emploie pour caractériser Ondine, ajoutant avec pitié que les hommes en ont peur. Cette coïncidence textuelle confirme, avec la superposition plus profonde d'Aurélie (derrière Irma) avec Ondine, celle d'Adolphe Bertaut (derrière Pierre) avec Hans. Giraudoux montre par une série de traits bien nets que Pierre recommence l'aventure de Bertaut, comme Irma celle de la Folle. Nous citerons à ce sujet l'épisode déjà religieux du sommeil de la Folle, qui se place à l'Acte II entre la condamnation des mecs et l'exécution du jugement. Aurélie, restée seule avec Irma, s'endort. Pierre entre, portant le boa que la Folle accusait les mecs de lui avoir volé.

> *Il regarde avec émotion la Folle, s'agenouille devant elle, lui prend les mains.*
>
> LA FOLLE, *toujours yeux fermés.* C'est toi, Adolphe Bertaut ?
>
> PIERRE. C'est Pierre, Madame.
>
> LA FOLLE. Ne mens pas. Ce sont tes mains. Pourquoi compliques-tu toujours ? Avoue que c'est toi.
>
> PIERRE. Oui, Madame.
>
> LA FOLLE. Cela te tordrait la bouche de m'appeler Aurélie ?
>
> PIERRE. C'est moi, Aurélie.
>
> LA FOLLE. Pourquoi m'as-tu quittée, Adolphe Bertaut ? Elle était si belle, cette Georgette ?
>
> PIERRE. Mille fois moins belle que vous...

Dans tout le dialogue qui s'établit ainsi et qui se termine par la restitution, à Pierre, de son identité de jeune homme :

La Folle. Et maintenant, adieu... Je sais ce que je voulais savoir. Passe mes mains au petit Pierre. Je l'ai tenu hier. A son tour aujourd'hui... Va-t'en !

se profile l'ombre, plus haute, du couple qui a échoué, celui de la Folle Aurélie et de Bertaut, mais surtout celui d'Ondine et de Hans. Par là, tous les couples édéniques rompus des œuvres précédentes viennent hanter l'œuvre nouvelle. Pierre est bien un avatar du héros de Giraudoux. On pouvait en douter étant donné le caractère réduit, presque épisodique de son rôle. Mais cette réduction provient de son extrême passivité. Il n'a même pas désiré ou obtenu la moindre part de réussite sociale. Dans la société où les mecs triomphent, il a vraiment été pris comme un rat : honnête au fond, comme Irma était pure, il a signé un chèque sans provision, comme Irma s'est prostituée. Du coup l'un et l'autre sont devenus les instruments et les jouets des mecs. Le suicide de Pierre correspond donc à l'extrême angoisse de Siegfried (« Que peut bien choisir un aveugle ! ») et à celle qui saisit Hans avant sa mort, quand il ne peut concilier son mariage avec Bertha et son amour pour Ondine. La même ambivalence produit dans les trois cas la même inhibition désespérée. L'extrême passivité de Pierre est illustrée par la scène où, après sa tentative de suicide, le prospecteur et la Folle de Chaillot se disputent son corps. Il est, comme Irma, à qui le prendra. Or si l'on songe que le héros et l'héroïne, dans les œuvres antérieures, ont invariablement figuré un moi central, on jugera sans peine de l'état où il est tombé lorsque Pierre et Irma le représentent.

Reste la promesse de salut, le généreux message de la Folle que Giraudoux a peut-être nommée Aurélie en souvenir de Nerval. Nous devons, pour l'instant, en remettre l'analyse. Mais une remarque doit être faite avant de clore l'étude du couple central. Giraudoux feint de croire que le couple édénique n'est menacé que par une hésitation devant le bonheur ; mais il nous a dit trop de fois que le seul contact avec la réalité risquait de le détruire et il semble, en effet, que pour Giraudoux lui-même, tout contact avec la réalité devenait négatif, ce qui l'obligeait à s'en éloigner, par courtoisie et pour éviter la souffrance : déjà Simon le Pathétique, à onze ans, éloignait son lit de toute muraille pour le transformer en île. Mais, d'autre part, la vie exige les contacts et l'analyse de Hans a bien montré (lui-même le dit expressément d'ailleurs) que le retour à la seule Ondine, le repliement dans la seule plage faste ne constitue pas une solution viable. Seule une intégration résoudrait le conflit et guérirait la dissociation. En obéissant à la fixation régressive, en se repliant vers la Folle, Irma et Pierre ne reconstituent qu'un couple magique, et refoulent tout aussi magiquement cette réalité où pullulent les mecs persécuteurs. Il n'est pas moins intéressant de constater que la hantise du couple persiste et donc que la personnalité se défend.

Après avoir accusé les grands traits structurels de *La Folle de Chaillot,* l'opposition des deux plages et la répartition des personnages entre elles, nous avons surtout accordé notre attention au couple central d'Irma et de Pierre. Cette plongeuse et ce désespéré n'avaient certes pas la vedette ; leur intérêt dans l'œuvre était mineur, en apparence ; mais trop d'œuvres précédentes nous avaient averti de leur signification probable et nous avons, en effet, découvert sans peine les correspondances reliant le couple Irma-Pierre à ceux d'Ondine et de Hans, de Geneviève et de Siegfried. De ce point de vue, l'appauvrissement du couple, plus passif que jamais, prenait lui-même un sens. Reste le champ des forces en conflit où le couple se trouve placé.

Son étude sera nécessairement mêlée à celle du comique, car *La Folle de Chaillot* est une satire, dénonçant un mal très réel aux yeux de l'auteur. Nous n'allons pas cesser de retrouver ses traits principaux : sérieux de la dénonciation — manichéisme quasi religieux du jugement — bouffonnerie magique du remède proposé. Le monde est envahi par un pullulement de mecs qui en chassent le bonheur ; or les méchants doivent être punis et les bons exaltés ; une folle et quelques humbles sauveront le monde en précipitant tous les méchants dans un égout infernal. Seul ce troisième terme triomphal est à la fois magique et comique.

Quand Giraudoux imagine les folles, leur accorde une sorte d'omnipotence et fait pivoter le mur de leur cave pour que s'y engouffre le cortège des méchants, il sait, bien entendu, qu'il compose un conte de fées, nous demande notre crédit et l'obtient sans peine. Nous acceptons, en effet, la convention d'une allégorie plaisante, expression d'une pensée grave. Le mal dénoncé est réel ; nous le connaissons par expérience ; Giraudoux peut le présenter sous une forme caricaturale, il n'a nul besoin, à son sujet, de faire appel à notre crédit ; avec les méfaits de l'argent, nous sommes sur un terrain objectif et connu. Nous quittons la réalité avec le manichéisme du jugement : la division des hommes en bons et mauvais, ainsi que l'extermination des méchants — cet admirable et éternel diptyque, nous l'accordons, sans y croire, à Giraudoux, qui n'y croit pas davantage ; mais nous accordons à l'artiste imaginatif cette facile et vigoureuse symétrie. Enfin, nous croyons moins encore au triomphe des folles, mais nous nous abandonnons au plaisir de le souhaiter, de le rêver — et cela d'autant mieux que Giraudoux a su rendre ce rêve fort drôle, et parce que nous pensons que cette fantaisie bouffonne recouvre un projet encore vague de solution réelle, apportant à un mal, hélas, objectif un remède qui ne le soit pas moins. On voit comme les trois traits principaux de cette satire : dénonciation violente, jugement manichéen, dénouement bouffon et magique, sont ouvertement de moins en moins fondés en réalité, de plus en plus imaginaires, aux yeux de l'auteur comme aux nôtres. Nous ignorons pourtant où se fait, pour lui comme pour nous, le partage du sens et du non sens. Il y a ambiguïté et nous y contribuons en compensant, çà et là, par du crédit littéraire notre manque de foi objective. Ainsi, nous jouissons d'une satire vengeresse et remplaçons la peur du mal par la joie de le vaincre. Le contraste du tragique et du comique se trouve, ici, lié à celui de la réalité et de l'illusion, feinte ou non, littéraire ou non. Liaison sûrement complexe, sur laquelle il fallait attirer l'attention avant de la préciser.

Les objets de la satire — ces affairistes qui emplissent la plage néfaste — ne sont que trop réels aux yeux de

Giraudoux. On en a la preuve en comparant le portrait qu'il en fait dans *La Folle de Chaillot* avec celui qu'il en a déjà tracé dans *Pleins Pouvoirs*. Voici quelques aspects de ce dernier :

> Toutes ces atteintes à la beauté, à la dignité de notre pays, à sa morale, ces défis à son imagination, à son bonheur ne sont punis que par des croix de commandeur et de grand-officier...
> Il ne faut pas se faire illusion. Cette menace de déchéance urbaine est plus actuelle et plus grave pour la France que tout péril d'ordre international.
> ....
> Il s'est formé une bande complice qui profite de toutes les inattentions, de toutes les faiblesses, de toutes les absences, perpétuellement en éveil, en travail...
> ....
> C'est une espèce de contrebande, c'est une entente entre tous ceux pour qui la fraude est plus rémunératrice que l'honnêteté, c'est une évasion, non des capitaux, — ceux-là reviendront, — mais de la conscience, qui fait perdre tout sens collectif, qui retire le citoyen à ses devoirs envers l'Etat. Les membres de cette maffia ne se recrutent pas dans des lieux particuliers, d'après des rites particuliers, mais au hasard des salons, dans les compartiments de chemins de fer, dans les couloirs des administrations, des journaux, des banques. Ils n'ont aucun signe pour se reconnaître, si ce n'est que leur apparence indique qu'ils ne sont pas des citoyens. Cela se voit, de très loin et à mille signes, à leur façon d'allumer leur cigare, à leur œil satisfait et pourtant inquiet [1].

Et le voici dans *La Folle de Chaillot :*

> Mes rapports avec la gloire me laissant affamé, humilié, haillonneux, je me retournai vers ces visages inexpressifs et sans nom que j'avais remarqués postés au milieu de la foule dans un guet insensible. Ma fortune était faite. Une première face glabre, rencontrée en plein métro, me fournit l'occasion de gagner

1. *De Pleins Pouvoirs à Sans Pouvoirs*, Gallimard, Paris, 1950, pp. 82, 128, 129.

> mes premiers vrais mille francs à passer de fausses pièces de cent sous. Une autre non moins glabre, mais avec tache de vin, trouvée place de l'Opéra, donna l'essor à mon talent en me confiant la direction d'une équipe de vendeurs de piles électriques truquées. J'avais compris. Et depuis, il m'a suffi de me livrer à chacun de ces masques sans vie, même secoué de tics, même agrémenté de variole, quand j'avais le bonheur de les apercevoir, pour devenir ce que vous me voyez...
>
> (le Président, Acte I.)

Le détail de l'œil :

> Entre les passants, je voyais un homme qui n'avait rien de commun avec les habituels, trapu, bedonnant, l'œil droit crâneur, l'œil gauche inquiet, une autre race.

Celui du cigare :

> Ils tapent leur cigarette contre leur porte-cigarette quand ils vont fumer. Un bruit de tonnerre.
>
> (le Chiffonnier, Acte I.)

Si nous avions le moindre doute sur l'identité des personnages auquels Giraudoux songe dans l'un et l'autre cas, les similitudes citées plus haut — asymétrie des regards, manière de fumer — attesteraient ce rapprochement. Le recrutement au hasard des rencontres fournit un autre signe. En revanche, la vigueur des deux portraits est bien différente : le moraliste de *Pleins Pouvoirs,* en dépit de sa sévérité, s'exprime avec une modération que le satiriste dramatique n'observe plus. Il n'y a pas là simplement l'effet d'un changement d'optique et de technique expressive. Inquiet devant le même mal dans les deux cas, Giraudoux ne se rassure pas de la même façon.

Le moraliste insiste sur le petit nombre des cellules pathogènes dans l'ensemble de l'organisme français ; il parle de « malaise » ou de « relâchement » et laisse ainsi entendre qu'une réaction des cellules saines, infiniment plus nombreuses, remettrait les choses en ordre. Il n'essaie pas de préciser, d'ailleurs, ce que devrait être cette réaction et nous étonne par cette réserve autant que par la modération de son diagnostic. Car enfin si le mal est, comme il le dit, l'amour du gain — peut-on le croire si récent et si rare ? Giraudoux, qui, en 1939, gardait le silence sur les menaces hitlériennes, ne se taisait pas moins sur les réalités de la nature humaine moyenne et du système social régnant. Ainsi, même quand il dénonçait dans *Pleins Pouvoirs* des maux réels, mais de second ordre, le moraliste se défendait contre l'angoisse en refusant de voir la réalité.

Mais son sentiment n'était pas d'accord avec cette sorte de refoulement et le dramaturge l'atteste, lui qui doit nécessairement se fonder sur le sentiment profond. Quand le Chiffonnier décrit à la comtesse le pouvoir envahissant des mecs, il avoue qu'il s'étend à tout le système de production et d'échange, des puits de pétrole à la boutique du boucher, qu'il s'est asservi des parlementaires et attaché des gouvernants. Mais Giraudoux va bien plus loin encore lorsqu'il déclare que le pouvoir des mecs s'arrête où commence « *la pauvreté joyeuse, la domesticité méprisante et frondeuse, la folie respectée et adulée* ». Nous voyons bien en effet ce qu'il entend par cette énumération puisqu'il en a illustré chacun des termes : la pauvreté joyeuse, c'est celle du chanteur, de la bouquetière, du marchand de lacets, du jongleur, du chiffonnier ; la domesticité frondeuse, c'est celle d'Irma ou de l'égoutier ; la folie respectée et adulée, c'est Aurélie. Cependant, tout le reste, toute la masse des moyennes gens, tout l'ensemble des cellules saines qui, selon le moraliste, doit réagir contre le malaise ? Le seul fait que le dramaturge n'en fait pas état prouve qu'il croit médiocrement à une réaction de cet ordre. Au mal qui affecte le corps du pays et qui n'est, de toute évidence, ni local, ni passager, le dramaturge n'oppose pas quelque Figaro débordant de vie, d'esprit, de jeunesse, mais une vieille femme qui se défend opiniâtrement par l'illusion volontaire. Qu'elle émeuve par son stoïcisme pathétique, qu'elle amuse par sa verve, peut-être. Théâtralement, cela suffirait si Giraudoux n'insistait pas au même instant pour faire sentir le sérieux, voire la gravité mortelle du combat. Faire, sur le cancer, une conférence comme médecin, pour lui opposer, comme dramaturge, une thérapeutique bouffonne et magique, n'est-ce pas frapper la plus cruelle des dissonances ? Ou plutôt n'est-ce pas être incapable de s'empêcher de la frapper — car elle seule exprime le frôlement d'une démence, l'ambiguïté du triomphe dans le désespoir ?

Il y a ainsi deux façons de se tromper sur le sens affectif de *La Folle de Chaillot*. La première consiste à prendre l'invasion des mecs pour une fantaisie : pour commettre cette erreur, il faut ignorer *Pleins Pouvoirs* et le regard lucide que Giraudoux a tout de même jeté sur l'argent comme sur la guerre. La seconde consiste à croire en la Folle, et à ne pas faire de différence, *mutatis mutandis,* entre elle et, par exemple, Figaro. Dans le premier cas, on tient le mal pour imaginaire ; dans le second, on tient le remède pour réel. Dans les deux cas, on étouffe la dissonance, on en atténue l'âpreté. Or elle seule donne à l'œuvre son sens et son goût.

En résumé, quand Giraudoux moraliste dénonçait, dans *Pleins Pouvoirs,* un mal qui l'angoissait, il se défendait contre cette angoisse en refusant de voir une part de la réalité ; quand il dénonce, comme dramaturge, le même mal, avec un regard plus aigu et une anxiété plus avouée, il se défend par la foi et, comme il ne croit qu'à demi, triomphe de façon grandiose et amère. La première défense le protège du monde extérieur ; la seconde le protège, mais moins bien, d'une blessure intérieure.

Précisons maintenant les deux notes de la dissonance : la qualité du mal et celle du remède. Le mal est une dégradation, un avilissement ; le mot de « mec » lui redonne sa valeur sexuelle, qui est première et non seconde, puisque, déjà chez l'enfant, le sentiment des nuances et des hiérarchies amoureuses précède celui des relations sociales. L'enfant distingue fort bien l'objet d'amour tendre, sacré, et dont la perte serait un désastre, de l'objet marchandise dont on use et abuse, sans crainte de le meurtrir ou de le souiller. Or le mec est celui qui transforme un objet d'amour tendre en objet-marchandise. Il dégrade ainsi ce qu'il touche et, d'objet en objet, de possession en possession, avilit le monde. Ce n'est donc nullement par hasard qu'en Irma nous retrouvons une Ondine prostituée, plongeant dans l'eau de vaisselle. Réduite à l'état de marchandise, elle a dû régresser, extérieurement du moins, en deçà de cette propreté et de cette dignité corporelle que les mères enseignent à leurs enfants vers deux ans. La dégradation que les mecs propagent est donc ressentie à la fois comme mort de toute tendresse et comme souillure. Nous avons repéré depuis longtemps, dans l'œuvre de Giraudoux, l'angoisse devant l'absence de tendresse, c'est-à-dire l'indifférence : Andromaque l'éprouvait devant Hélène, Electre devant Clytemnestre. Aux yeux, d'ailleurs, des femmes aimantes, fidèles, pathétiques, ces indifférentes apparaissaient déjà comme des prostituées. Mais leur richesse glacée restait physiquement propre. Souvenons-nous pourtant du Mendiant, qui parlait d'Electre comme d'une « ménagère de la vérité », expulsant l'ordure ; dans *Ondine,* l'accent était mis sans cesse sur l'eau pure, transparente, « eau qui n'a touché que l'eau ». Ce qui n'était que métaphore dans *Electre* et *Ondine* devient, dans *La Folle de Chaillot,* impression physique. Le mal est sordide, l'argent sale, le pétrole infect ; les prospecteurs fouillent les entrailles de la terre. Aussi qui trouvent-ils en face d'eux ? Un chiffonnier, un égoutier, des folles vivant dans des caves, dont la justice ménagère les précipite aux cloaques infernaux.

Voici donc, dans la dissonance de l'œuvre, la qualité du mal : indifférence devenue bestiale, impureté devenue immonde, envahissante, persécutrice. Pour éprouver la qualité du remède qui lui est opposé, il faut analyser les folles. Ce n'est pas chose simple et l'on risque la confusion si l'on ne procède pas avec ordre. En effet, le groupe comprend quatre folles, différentes, quoique subtilement unies ; mais avant d'étudier chacune d'elles, nous considérerons le groupe entier et le problème qu'il pose.

Il ne s'agit pas de démentes, mais plutôt, selon le langage familier, de « vieilles folles ». Leur extravagance commune est de vivre dans le passé. Aurélie ne lit plus, chaque matin, que le même *Gaulois,* « celui du 7 octobre 1896 », Constance promène le fantôme de son chien Dicky ; Joséphine attend sur un banc des Champs-Elysées la sortie du président Carnot. Cette fixation au passé leur permet de se détacher de la réalité présente. Ainsi, elles restent fidèles à une réalité morte pour autrui, non pour elles, comme Ondine restait fidèle à Hans dans ses automatismes au fond du Rhin, Electre à son père, Andromaque à Hector, Alcmène à Amphitryon, Geneviève à Forestier. Elles appartiennent à la race des « Chiens de mer », à l'univers des animaux et des plantes où, selon Giraudoux, on n'oublie rien, on demeure fidèle à autrui et à soi, dans une transparence totale au monde entier. Chacune est donc restée fidèle à ses objets particuliers, tandis que ces derniers, au fil des jours, les ont plus ou moins abandonnées et persistent à le faire. Le fiancé est parti avec une autre, les cheveux sont tombés, quelqu'un a volé le boa, la mercerie. Mais chaque objet perdu est remplacé par son image à laquelle se fixe l'attachement ancien. L'absence de l'objet est comblée par une présence, mais indécise et intermittente, ce qui rend la fidélité, en retour, opiniâtre, inquiète et douloureuse. Ces folles, en somme, ce sont des veuves — veuves d'autrui et d'elles-mêmes : Andromaques mirant leur deuil, comme dit Baudelaire, dans un Simoïs menteur, auprès d'un tombeau vide, « vil bétail sous le fouet du superbe Pyrrhus » — déjà un mec ! Seulement Giraudoux a voulu que ces Andromaques fussent de vieilles folles dérisoires. En les bafouant, même avec tendresse, il se protège contre l'angoisse de leur réalité trop pathétique ; mais il avoue, du même coup, l'inefficacité thérapeutique des illusions où elles s'obstinent. Il avoue la défaite infligée à la fidélité par l'abandon, à la transparence par l'impureté, à la tendresse par la bestialité. Cependant cet aveu lui-même suscite un sentiment de si amère farce que, pour en compenser l'effet déprimant, le dramaturge doue les vieilles folles dérisoires du pouvoir magique et quasi divin de prononcer, dès ici-bas, une sorte de jugement dernier et de précipiter aux enfers les maîtres tout-puissants de la réalité actuelle.

Au fond, rien de tout cela n'est nouveau pour nous : nous

retrouvons du même côté, dans la plage faste, le pathétique, la fidélité au passé, la sincérité transparente, l'abandon, la persécution, la révolte justicière, la vengeance magique démasquant et châtiant les méchants. Le fait nouveau surgit dans le vieillissement qui présente soudain la fidélité comme un mélange d'automatismes et d'illusions, le seul contact avec la réalité devenant d'ordre magique. Si le mythe de Giraudoux opposait la réussite sociale à une fidélité provinciale, la néfaste réalité de la première lui apparaît, maintenant, de plus en plus menaçante, cependant qu'il n'accorde plus, à la seconde, que des chances dérisoires de survie.

Il faut une certaine attention pour différencier avec quelque précision le groupe des folles. Car Giraudoux, une fois établis les grands contrastes affectifs qui ordonnent une de ses œuvres, s'accorde toujours le privilège de faire de l'esprit partout. Sur le plan de l'écriture, de la surface à animer, il modèlera de la même touche brillante le personnage pathétique et le personnage indifférent. Ici, faisant parler un coulissier, dans la plage néfaste, il jongle avec le jargon de la Bourse ; mais aussi bien, peignant, là, le groupe des folles, il accumule les mots et les effets, mêlant le sens et le non-sens. La couleur propre à chaque personnage doit être cherchée au-dessous. Ainsi, en rapprochant les répliques, on s'aperçoit vite qu'Aurélie et Constance forment un couple, où Constance joue le rôle de victime rudoyée. Vêtue d'un chapeau Marie-Antoinette, d'une robe à volants et de solides bottines élastiques, Constance et son chien-fantôme ont pour ancêtres Geneviève et Black du roman de *Siegfried et le Limousin*. Aurélie, dans sa robe à traîne que retient une pince à linge, avec huit rangs de fausses perles, face à main et timbre de salle à manger sur la poitrine, a gardé d'Electre le regard des Atrides, la haute intellectualité, la décision justicière. Aussi traite-t-elle sans ménagement les illusions de son amie d'enfance :

CONSTANCE. (...) Tu veux monter sur les genoux de tante Aurélie ? Monte, Dicky.

AURÉLIE. Ma chère Constance, nous t'aimons bien,

et nous aimons bien Dicky. Mais l'heure est trop sérieuse pour ces enfantillages.

CONSTANCE. Quels enfantillages ? Que vas-tu insinuer ?

AURÉLIE. Je parle de Dicky. Tu sais qu'il est le bienvenu ici. Nous nous arrangeons pour le recevoir et le traiter aussi bien que quand il vivait. C'est un souvenir qui a pris dans ton cerveau une forme particulière. Nous le respectons. Mais ne me le flanque pas sur les genoux, quand j'ai à vous parler de la fin du monde. Il a encore sa panière sous l'armoire. Qu'il y aille... Et maintenant, écoutez-moi.

CONSTANCE. Ainsi tu en es là, Aurélie ? Là où en sont mon concierge et mon notaire ?

AURÉLIE. Où en est-il, ton notaire ?

CONSTANCE. Exactement où tu en es. Il me traitait de folle avec Dicky. Il a fallu que je le lui apporte empaillé pour lui prouver qu'il existait et lui clouer le bec. Et tu parles de sauver le monde ! Le monde où chaque être mort ou vivant doit fournir de lui cette preuve ignoble qu'est son corps n'a pas besoin d'être sauvé !

AURÉLIE. Ne fais pas de phrases ! Tu sais aussi bien que moi que ce pauvre petit Dicky est entre nous une convention touchante, mais une convention.

(Acte II.)

Constance, d'ailleurs, a été mariée et Lacordaire a voulu l'embrasser. Gabrielle, au contraire, faussement simple en toque et tailleur, mais fardée avec outrance et minaudière, est une Arsinoé honorée d'hommages courtois ; un spectre la recherche, ce qui l'assimile à Isabelle. Mais Joséphine apporte soudain aux vastes desseins d'Aurélie un appui décisif en justifiant les exécutions en masse, pourvu que les droits de la défense aient été respectés :

AURÉLIE. (...) Voici la question en deux mots. Ta parenté avec maître Lachaud te donne avantage pour y répondre. Tu tiens réunis dans cette chambre tous les criminels du monde. Tu as les moyens de les faire disparaître pour toujours. En as-tu le droit ?

JOSÉPHINE. Bien sûr. Pourquoi pas ?

AURÉLIE. Bravo !

GABRIELLE. Oh, Joséphine, tant de monde !

JOSÉPHINE. Tant de monde ! C'est là justement l'intérêt de l'entreprise. Quand on détruit, il faut détruire par masse. Voyez les archanges. Voyez les militaires. Vous avez tous les précédents. Sans aller chercher le déluge, moi qui suis de Poitiers, c'est dans cette ville que Charles Martel a rassemblé tous les Arabes pour défoncer leurs crânes à coups de boules d'armes. Toutes les batailles ont ce principe. Tu rassembles dans le même lieu tous les ennemis, et tu les tues. S'il fallait les tuer individuellement en les cherchant dans leurs familles et leurs métiers, on se lasserait, on y renoncerait. Des gens se demandent pourquoi l'on a inventé la conscription et le service armé. C'est pour cela. Je n'y avais pas pensé, mais c'est une excellente idée. Je félicite Aurélie.

(Acte II.)

De cet ensemble nuancé, caricaturant inconsciemment, semble-t-il, les diverses héroïnes du même réseau affectif, la Folle de Chaillot se détache naturellement, puisque le sujet même de la pièce exige une justicière, donc une Electre. Aurélie fait d'ailleurs partie de ce qu'on pourrait appeler le « filon biblique » dans l'œuvre de Giraudoux : ce filon réunit les « élues » exerçant une sorte de vindicte divine : Judith, Electre, Aurélie, enfin l'ange du Jugement dans *Sodome et Gomorrhe*. Aurélie parle de « fin du monde », dit du prospecteur : « Il n'a pas supporté mon regard ». Cependant, son rôle décisif provient du fait que son couple édénique a été rompu, qu'elle est le produit vieilli de sa désintégration, mais qu'elle recrée un couple nouveau sous les espèces de Pierre et d'Irma, de sorte qu'elle peut non seulement punir les méchants, mais recommencer le monde. Par deux fois, elle assimile Pierre à son Adolphe, et la seconde en plein épisode religieux, dans une sorte de rêve. Le message de la Folle, en dépit de sa mélancolie, serait donc, finalement, optimiste s'il n'était que sentimental et satirique. Mais la dérision s'y ajoute, et puisqu'elle s'adresse à l'illusion volontaire, elle introduit dans l'œuvre le comique amer que nous avons déjà signalé et qui appelle quelque réflexion.

Dans *La Folle de Chaillot,* le comique de Giraudoux ressemble à celui d'Aristophane. Il y a d'abord, à ce fait, un motif structurel. Le comique implique toujours le triomphe du principe de plaisir sur celui de réalité. Dans la comédie domestique, qui s'est développée de Ménandre à Molière et au delà, *le principe de réalité règne dans la maison,* où quelque figure paternelle, puis maritale, le représente — et c'est au dehors, dans la rue, que règne le principe de plaisir ; quand il s'introduit dans la maison, c'est pour y voler et berner le père ou le mari. Il n'en était pas de même dans la comédie ancienne, celle d'Aristophane, essentiellement politique : le plaisir habitait alors la maison, et *la réalité désagréable* — par exemple la guerre ou les procès — *exerçait sa contrainte à l'extérieur.* L'assouplissement de l'autorité domestique, entre l'époque de Molière et la nôtre, l'aggravation, en revanche, des angoisses politiques, ont recréé, pour le théâtre de Giraudoux, les conditions qui commandèrent celui d'Aristophane. Dans *La Guerre de Troie n'aura pas lieu,* comme dans *La Folle de Chaillot,* c'est la menace de l'extérieur qui vient troubler une paix domestique. Il y a tragédie si la menace l'emporte, comme le prouve le dénouement de *La Guerre de Troie,* comédie tant que les bellicistes sont bernés. Le rire triomphe, en revanche, dans *Amphitryon 38,* parce qu'Alcmène y protège finalement son bonheur domestique d'une intrusion intolérable ; Jupiter y représente une réalité qu'il faut subir ; dans l'*Amphitryon* de Molière, Jupiter représentait au contraire le bon plaisir royal, et le comique exigeait par suite que, venu de l'extérieur, il bafouât Amphitryon dans sa maison même. De Molière à Giraudoux, pour le même sujet, la polarisation s'inverse. *La Folle de Chaillot* se veut une farce : Aurélie (Alcmène bouffonne), défendant à son tour le bonheur domestique, doit donc y triompher d'une puissance sociale néfaste : c'est exactement ce qui se produit. Ainsi, dans *Les Acharniens* d'Aristophane, Dicéopolis, las de la guerre, des généraux et des sycophantes, conclut avec l'ennemi (qui n'en est pas un pour lui) une petite trêve personnelle et festoie dans sa maison d'où il chasse toute autorité sociale néfaste. Une autre ressemblance, après la polarisation réalité (à l'extérieur) — plaisir (dans la maison), qui rapproche Giraudoux d'Aristophane, surgit aussitôt. La comédie d'Aristophane ne connaît pas d'intrigue : une invention unique, bouffonne, y libère magiquement le héros et annule l'angoisse. Pour échapper à la guerre, on signe la paix tout seul, on s'envole sur un escarbot, ou l'on prive les combattants de toute joie amoureuse ; pour échapper aux procès, on va fonder une cité des oiseaux. *La Folle de Chaillot* est construite sur le même principe : pour se délivrer des mecs, on les précipite tous dans un égout.

D'où vient que la farce d'Aristophane reste si gaie, celle de Giraudoux si amère ? C'est qu'Aristophane, ayant décidé de mettre en scène une fantaisie triomphale, ne la détruit pas lui-même par une dissonance. Désolé d'avoir perdu, avec la Paix, la déesse des fruits et des fleurs, il rêve qu'il la reconquiert. Mais il n'annonce pas, dans son rêve même, sa vieillesse, sa folie, son illusion volontaire (je rêve donc je suis un vieux fou ; celle que j'aime est depuis longtemps morte, et empaillé le chien que je feins de caresser). D'ailleurs, Aristophane rêve des Panathénées et d'oliveraies au soleil : il atteint à une vraie satisfaction hallucinatoire. Pour Giraudoux, il semble que la réalité ne nourrit plus l'hallucination de bons objets : la troupe des Adolphe Bertaut, Jussieu sortant par magie du mur d'une cave avec son cèdre dans un pot, restent, même touchants, bien médiocres. Giraudoux croit bien moins à la réalité du salut qu'à celle du mal. C'est pourquoi jusque dans le comique, la sincérité moderne de la dissonance est émouvante.

Chapitre X

SODOME ET GOMORRHE

Sodome et Gomorrhe fut représentée pour la première fois en octobre 1943. Giraudoux avait achevé, cette même année, le manuscrit de *La Folle de Chaillot.* Les deux œuvres sont donc pratiquement contemporaines. Si nous avons étudié d'abord *La Folle de Chaillot,* c'est parce que l'œuvre comique recouvre d'une fantaisie de triomphe le phantasme tragique, plus profond. Nous l'abordons ouvertement ici, les deux pièces ayant en commun la prescience d'une menace vitale. Dans *La Folle,* un mal moral mine gravement le pays ; les mecs ont envahi le corps social ; dans *Sodome,* la cellule élémentaire — le couple — se désintègre. Nous pouvons, naturellement, penser que Giraudoux traite consciemment deux sujets bien distincts : « *La Folle de Chaillot* n'est que l'illustration dramatique des préoccupations sociales et politiques de l'auteur de *Pleins Pouvoirs* » écrit R.M. Albérès (p. 472-473) après avoir noté (p. 443) que « le problème de l'amour et du couple sera définitivement traité en 1943 dans *Sodome et Gomorrhe* ». Mais notre tâche est justement de mettre en lumière l'unité de l'œuvre entière et nous avons déjà, de pièce en pièce, vu s'aggraver une dissociation de la personnalité dont l'expression dramatique fut toujours la menace de rupture du couple central. Accrue par des circonstances extérieures — par exemple la guerre, son souvenir, son approche, sa réalité — l'angoisse de cette dissociation avait certainement une origine antérieure à toute activité littéraire, puisque nous l'avons répérée, discernable sous la fantaisie, dès les premiers livres de Giraudoux, d'un caractère autobiographique certain. Dans l'ensemble, elle ne cesse de s'accuser. Dans le mythe d'*Ondine,* le héros est déchiré ; dans *La Folle de Chaillot,* un sentiment de déchéance tragique, de souillure, de vieillissement vient s'ajouter à la blessure, et une admirable verve bouffonne — car le pouvoir de créer semble intact — n'arrive pas à transformer sa mélancolie en triomphe. Au niveau de nos recherches, le passage se fait sans difficulté de la farce tragique à la tragédie de *Sodome et Gomorrhe.* Et nous dirons que, *naturellement,* la fable de *Sodome et Gomorrhe* est centrée sur la rupture d'un couple.

Ce problème du couple est traité comme une tragédie purement psychologique, faite de rien, à l'instar de la *Bérénice* de Racine. Que Giraudoux ait songé à ce chef-d'œuvre et tenté le même tour de force n'aurait rien d'étonnant. Dans les deux cas, nous assistons à l'agonie d'un couple dont la séparation a été rendue fatale dès l'abord. Quelques vains efforts pour le reformer constituent toute l'action. Une lumière palpite et meurt. Cela dit, nous verrons à quel point Giraudoux s'écarte de Racine. Titus et Bérénice s'aiment ; une raison d'état exige leur séparation, et Titus, averti le premier, doit en instruire Bérénice. Jean et Lia ne s'aiment plus ; la vie commune leur est devenue intolérable, et ils s'arrachent douloureusement l'un de l'autre ; enfin, la décision est surtout prise par Lia. Pur amour et fatalité extérieure d'une part ; divorce mêlé d'adultère et d'homosexualité d'autre part : on voit assez déjà la différence de qualité. Mais il y a plus. La mésentente conjugale banale de Lia et de Jean ne peut recevoir quelque ampleur tragique que de circonstances extérieures, symbolisant d'ailleurs plus ou moins le drame intérieur. Racine n'avait nul besoin de cette amplification théâtrale. Giraudoux ne peut s'en passer : le divorce ne reçoit une dimension tragique que parce qu'il s'agit d'un couple exceptionnel placé dans des circonstances exceptionnelles. Lia et

Jean sont ainsi présentés comme le dernier couple de Sodome et Gomorrhe, celui dont la rupture entraînera une catastrophe cosmique. Cependant, n'oublions pas que la pièce est représentée en 1943, et que Giraudoux a toujours associé la rupture du couple à la guerre. Il mêle donc, par obsession et habileté, l'actualité française à la légende biblique, et trouve par là l'effet de surprise, de résonance, d'amplification bien nécessaire pour donner à la séparation de Lia et de Jean cette dimension tragique. Nous sommes loin de la discrétion racinienne. Il faut ajouter toutefois que ce procédé théâtral est psychologiquement juste. La rupture du couple a, pour nous, le sens d'un déchirement de la personnalité ; or le symbole de ce dernier, comme tous les cliniciens le savent, est, en effet, une catastrophe cosmique ; les images de fin du monde annoncent la crise mentale. En 1943, la guerre et la crise personnelle de Giraudoux n'étaient pas sans rapport. C'est donc la même angoisse, au fond, qui se traduit par la rupture du couple dans l'œuvre, la colère de Dieu dans la Bible, la défaite française dans l'actualité. Songeons enfin que Giraudoux allait mourir quelques mois plus tard. La pluie de feu sur Sodome est liée à l'angoisse de la guerre actuelle : quelques paroles de l'Archange des Archanges, dans le *Prélude,* en convaincront sans peine :

> Au zénith de l'invention et du talent, dans l'ivresse de l'illustration de la vie et de l'exploitation du monde, alors que l'armée est belle et neuve, les caves pleines, les théâtres sonnants, et que dans les teintureries on découvre la pourpre ou le blanc pur, et dans les mines le diamant, et dans les cellules l'atome, et que de l'air on fait des symphonies, des mers de la santé, et que mille systèmes ont été trouvés pour protéger les piétons contre les voitures, et les remèdes au froid et à la nuit et à la laideur, alors que toutes les alliances protègent contre la guerre, toutes les assurances et poisons contre la maladie des vignes et les insectes, alors que le grêlon qui tombe est prévu par les lois et annulé, soudain en quelques heures un mal attaque ce corps sain entre les sains, heureux entre les bienheureux. C'est le mal des empires... [...] L'archange

mon collègue qui fait tourner les crèmes et les sauces dans la cuisine des empires est entré, et c'est fini. Il est là, et les fleuves tournent, les armées tournent, le sang et l'or tournent, et dans la tourmente, l'inondation et la guerre des guerres, il ne subsiste plus que la faillite, la honte, un visage d'enfant crispé de famine, une femme folle qui hurle, et la mort.

....

De là-haut la vue est insoutenable de cette femme au sud et de cet homme au nord, distraits de l'autre chaque jour davantage. Toute la dot du couple, défauts ou vertus, homme et femme se les partagent avidement. Cette nature indivise, ces admirations et ces dégoûts indivis, jusqu'à ces animaux indivis, ils se les répartissent. Plaisirs, souvenirs, objets prennent un sexe, et il n'y a plus de plaisirs communs, de mémoire commune, de fleurs communes. Le mal a un sexe. Cela vaut la fin du monde...

....

Rien n'avait trahi encore le mal jusqu'à ce matin. Ils se parlaient en souriant, ils se beurraient mutuellement leur tartine, ils ont dormi, enlacé leurs bras. Dans le bureau de Jean, un oiseau et des roses. Dans la chambre de Lia, un chien et des gardénias. La création est encore indivise entre eux... Mais déjà on dirait que chacun sécrète sa propre lumière, c'est mauvais, c'est que chacun sécrète sa propre vérité. Chacun s'irrite contre soi-même, c'est mauvais, c'est qu'il va s'irriter contre l'autre. Si c'est chez elle, qu'elle porte un enfant, si c'est chez lui, qu'il est pris par son métier et imagine, tous les péchés du monde peuvent encore attendre. Mais si c'est que chacun est pris par la peste de Sodome, par la conscience de son sexe, Dieu lui-même n'y pourra rien... Espérons encore !

Par là, nous rejoignons non seulement le sentiment d'un mal moral dont l'évolution morbide s'aggrave, mais toute la suite des œuvres antérieures, *Ondine, La Guerre de Troie, Siegfried,* où la rupture du couple était partout menaçante ; en donnant à cette dernière un sens personnel, nous rejoignons à la fois le mythe et la vie.

*
* *

Dès la première scène, Lia apprend à Ruth qu'elle n'aime plus Jean, son époux. Symétriquement, Ruth n'aime plus Jacques. Le couple Ruth-Jacques n'a pas, ici, l'importance que lui accorderait une comédie d'intrigue. Quand l'adultère devra confirmer la séparation de Jean et de Lia, ils choisiront la première femme et le premier homme venus : ce seront Ruth et Jacques, eux-mêmes désunis, sans passion ni profondeur, mais amicaux et séduisants. Aux confidences de Lia et de Ruth, succède ainsi la scène où, devant l'Ange, Jean expose enfin ses griefs, qu'il taisait devant les hommes. En conclusion, il sort avec Ruth. La décision de Jean a cependant moins d'importance que celle de Lia. Elle est la véritable héroïne, symbolisant l'âme profonde. En une scène qui trouvera sa symétrie à l'Acte II, l'Ange presse donc Lia de rester fidèle. Nous reviendrons évidemment sur ce dialogue : nous marquons ici sa place et sa valeur. En conclusion, Lia déclare à l'Ange qu'elle l'aime et lui met le marché en main : lui ou Jacques, en tout cas plus Jean. L'Ange la repousse, elle sort avec Jacques.

Le double adultère a été consommé quand commence l'Acte II. Le dernier couple a été détruit et la fin du monde paraît imminente. Dans la panique générale, des efforts sont tentés pour abuser Dieu. Le premier, dérisoire, consiste à présenter Samson et Dalila comme couple modèle. Giraudoux trouve là l'occasion de montrer, une fois de plus, sa verve satirique ; nous repérons l'amère farce, aux lisières de la tragédie et de l'épisode religieux. Un Samson aussi puissant que stupide, mis en coupe réglée par une Dalila sordide, dispensatrice d'illusions — ce couple-là n'abuse personne. Ruth, affolée, ramène donc Jean à une Lia que sa propre infidélité écœure. On pousse les deux époux l'un vers l'autre, on les supplie de sauver la ville, on lie leurs mains, on rapproche leurs têtes. En vain : demeurés seuls, ils se disjoignent, jaloux, au surplus, maintenant. Lia suit Jean des yeux ; un regret l'effleure et aussitôt l'Ange surgit, car il veut sauver le monde et Lia : ce regret lui offre une dernière chance. Ici se place la scène qui, dans cet Acte II, s'oppose symétriquement à celle de l'Acte I. L'Ange émeut Lia, utilise et ploie son orgueil, et obtient d'elle qu'elle mime au moins son devoir, comme Ondine mimait son bonheur au fond des eaux, comme Edmée, dans *Choix des Elues,* mimait auprès de Pierre une nouvelle vie conjugale. Mais le premier contact avec Jean échoue et toute la fin se développe, dans une sorte d'attente horrible où hommes et femmes se groupent de part et d'autre pour mourir comme dans une chambre à gaz, tandis qu'en un dialogue pétrifié et faux l'antagonisme des deux époux se perpétue au delà de toute agonie.

Ayant ainsi résumé la fable de la pièce, j'aborderai aussitôt sa structure, bien que certains éléments du schéma ci-dessous ne soient pas encore justifiés.

Prostitution	LIA		Jacques
	Ruth		JEAN
Couple dissocié	LIA	JEAN	
....	....	....	....
Couple édénique	LIA-JEAN		
Episode religieux	LIA		
	ANGE		
	DIEU		

Quelques remarques s'imposent. C'est par analogie avec *La Folle de Chaillot* et *Ondine,* les deux œuvres les plus proches, que se placent, de part et d'autre de la ligne de dissociation (horizontale pointillée) *le couple* Lia-Jean *uni,* et le même *couple désuni.* Mais la superposition n'est pas forcée arbitrairement : en effet, la ligne de dissociation sépare bien toujours la plage de réalité néfaste et la plage de rêve magique. Quand le rideau se lève, la désunion du couple est déjà consommée ; les deux époux en tombent d'accord ; leur situation au départ est donc celle du couple dissocié (au-dessus de l'horizontale, dans la plage de réalité néfaste). Tout le mouvement de l'Acte I consistera à déplacer Jean, puis Lia, de ce niveau à celui de la prostitution, puisque l'amour physique ne s'y accompagne d'aucune tendresse. Le couple édénique Lia-Jean, tel qu'il est inscrit dans la plage faste (au-dessous de la ligne de dissociation) constitue donc un souvenir et peut-être un rêve. Il ressemble en cela au couple Aurélie-Adolphe de *La Folle de Chaillot*. (Le nom juif de Lia a peut-être été choisi parce qu'il est la fin d'Aurélia.) Le couple édénique n'est plus qu'un fantôme.

La figure féminine, Lia, tend classiquement à se diviser en une image idéale, qui fuit vers l'ange, et une image avilie, qui fuit vers la bête. L'expression est de Giraudoux lui-même, qui la place dans la bouche de l'Ange lorsque la jeune femme lui met le marché en main : ou toi, ou Jacques. Lia elle-même sent qu'elle abandonne Jean, soit pour s'élever droit vers le ciel, soit pour s'enfoncer droit dans la terre. Il faut donc lire le schéma ainsi : des deux Lia au centre, l'une n'est plus qu'un souvenir ou n'a jamais été qu'un phantasme ; l'autre, l'actuelle, détachée de Jean dès la première scène, va osciller entre la prostitution et l'angélisme.

La figure de Jean ne se déplace que dans un sens, vers la prostitution, et y renonce parce que l'image de Ruth, trop semblable à celle de Lia pour cet homme réaliste, détruit en lui le souvenir auquel il tient et où l'amour physique lui paraissait mêlé de tendresse. Il représente ainsi, dans la personnalité totale, un moi plus extérieur et social, faiblement affectif par protection contre l'angoisse que Lia assume.

Dans la plage faste, nous retrouvons le couple fidèle ; l'hétérosexualité parfaite est naturelle pour Giraudoux. Il la place à l'origine, comme un archétype (selon le reproche de Sartre, il suit la logique d'Aristote) et non comme un but. Pour le psychologue : adultère, prostitution et homosexualité ne sont pas, psychiquement, des produits de la désintégration de l'hétérosexualité ; au contraire, il s'agit de fixations antérieures et qui, lors d'un développement adulte, sont dépassées. Or il semble bien que toute l'élaboration secondaire dont Giraudoux, systématiquement, revêt le contenu de la plage faste, consiste à confondre communion orale et hétérosexualité, créant ainsi un concept d'Eden magique où tout est résolu d'avance, où l'on goûte la paix dans le confort, la sincérité, la fidélité, bref une harmonie menacée par de diaboliques tentations anales : ambition, désirs d'égaler Dieu ou les dieux, goût de l'argent, infidélité, entêtement et révolte. Le psychologue constate donc plutôt une régression dans la zone prégénitale, avec projection des tendances coupables sur la réalité extérieure, qui en porte tout le poids. Mais le surmoi admet de moins en moins cette projection et implique le moi dans la culpabilité.

Revenant à l'examen de la plage faste dans *Sodome et Gomorrhe,* on constate aussitôt la présence du personnage surnaturel. L'Ange occupe ici de nouveau la place du Mendiant d'*Electre,* du Roi des Ondins, de la Folle toute-puissante, mais aussi de l'archange de *Judith,* de l'ange de *Combat avec l'Ange,* enfin de l'Abastitiel, c'est-à-dire de Dieu conçu comme séducteur dans *Choix des Elues.* L'interprétation psychologique de l'Ange permet de voir en lui un des objets sacrés qui peuplent l'univers intérieur, sans doute une figure parentale très ancienne, maternelle plutôt que paternelle. Il est intéressant de reconnaître que, pour Lia comme pour Edmée, c'est-à-dire pour des représentations authentiques du moi de l'auteur, le lien avec cette instance parentale garde un caractère nettement amoureux. Edmée parle de Dieu comme d'un Don Juan qui l'a abandonnée ; Lia déclare à l'Ange qu'elle n'a jamais aimé que lui. L'hétérosexualité paraît bien alors essentiellement confondue avec une communion orale, naturelle et divine dans sa perfection. Le lien entre moi et surmoi a été sexualisé : Dieu apparaît en séducteur, ou capable d'être séduit. Telle est, sans doute, l'expression la plus dramatique de cette fixation infantile, maternelle et provinciale dont nous avons longuement parlé. La personnalité pathétique de Giraudoux, c'est-à-dire Lia, n'a jamais aimé que l'Ange de son enfance. L'autre part de lui-même, celle qui s'est accrochée à la réalité par obéissance à sa destinée d'homme, y a souffert de déception et de solitude. Nous retrouvons les images de Hans et de Pierre, pris entre la nature (magique) et la destinée (réelle) comme des rats.

Il faut maintenant vérifier, sur quelques points significatifs, la concordance de notre schéma avec le détail des textes. Profondément, les plaidoyers devant l'Ange comptent le plus, mais les traits chargés de sens abondent partout. Commençons par Lia avant l'adultère.

Dans ses confidences à Ruth, le principal grief qu'elle adresse à Jean est exactement ce que les psychologues nomment la « fausse présence » : l'absence de contact affectif. Jean fuit sur son « tapis volant » ou se réfugie dans quelque alibi : le monde extérieur, le sommeil, la faim. Il n'a soudain que sa caille rôtie en tête, comme Hans ne songeait qu'à sa truite au bleu. Elle le juge enfantin. Elle, l'élue de Dieu, la première femme, place sa propre intuition plus haut que la réflexion de son époux. Mais le point commun de ses griefs reste l'absence de contact affectif, la glace isolante. Nous retrouvons là les reproches faits à Hélène par Andromaque, à Clytemnestre par Electre. Par rapport à Jean, Lia s'inscrit donc parmi ce groupe de personnages qui reprochent à l'autre son attitude de mauvaise mère. Aussi ne serons-nous pas trop surpris de l'entendre soudain assimiler son divorce à une naissance, Jean y tenant le rôle de mauvaise mère :

> Tant que je t'ai aimé, tant que j'ai été fondue en toi, perdue en toi, emportée en toi, j'ai tout accepté, tout goûté. Du jour, du terrible jour où j'ai vu un matin, en me faisant les ongles, ma main sortir de toi, d'abord toute seule, et le jour suivant, plus terrible, dans la glace, comme un spectre, mon corps tout entier, dans une naissance affreuse, j'ai compris que c'était fini.
>
> (Acte I, sc. III.)

Lia demandait donc à son mari la communion totale, l'identification que l'enfant demande à sa mère. Les rôles pouvaient être interchangeables, le type seul de relation importait. Or la relation d'identification est la plus archaïque. A ce niveau, la dissemblance est ressentie comme un abandon, la distinction comme une solitude.

Cependant il faut prendre garde aux conséquences d'un pareil état. Le malheur glace à son tour l'abandonné :

> LIA. (...) Le malheur trempe les êtres dignes de ce nom, mais il les trempe surtout contre eux-mêmes, et il tue en eux ce qui est la vie même. Le malheur est le meilleur moyen que Dieu ait trouvé pour reprendre la générosité aux âmes bonnes, l'éclat aux belles, la pitié aux sensibles.
>
> (Acte II, sc. VII.)

Ainsi l'expérience douloureuse mue le pathétique en indifférent : nous retrouvons donc chez Lia quelques-uns des traits d'Hélène ou de Clytemnestre — le mépris pour l'apitoiement, les mains moites. Elle est orgueilleuse comme Judith, stoïque comme Hélène, prête à tuer ou à se tuer. Or tous ces traits, qui sont, répétons-le, la conséquence de la dissociation du couple, justifient pleinement la façon dont nous avons conçu le centre de notre schéma. La Lia réelle y occupe la place d'Hélène ou de Clytemnestre. Le couple édénique n'est plus, pour elle, qu'un souvenir ou qu'un rêve. Elle reproche à Jean de l'avoir détruit par sa froideur affective. Mais aujourd'hui, coupée de lui, abandonnée par lui et jugeant, comme Clytemnestre et tant d'autres héros de Giraudoux, intolérable la vie conjugale, elle a mué sa puissance d'amour en puissance de haine contre autrui ou soi, ou les deux, elle s'est glacée à son tour, indifférente à la catastrophe qu'elle sent venir mieux que quiconque et qu'elle est prête à déclancher.

Désormais, acceptant le pire, Lia affronte l'Ange. Elle est devenue, comme elle le dit, à Ruth, « un front, comme tu es un ventre ». Le Mendiant avait déjà présenté Clytemnestre comme un « ventre » avant que l'amour de la reine se muât en haine. Nous connaissons depuis longtemps ce front obstiné et rebelle : il est celui que Simon le Pathétique, si proche de Jean Giraudoux, opposait à son père. Lia défie, méprise, insulte Dieu ; elle lasse même l'Ange par son chantage : aime-moi, ou je me donne à Jacques et la mort couvre le pays. Autrement dit, seule la communion avec l'Ange peut lui rendre la communion perdue avec

Jean. Que signifie cette équivalence ? Que Jean était aimé, dans le couple édénique, comme substitut de l'Ange ; que l'amour primitif portant sur l'Ange (cette figure parentale et plutôt maternelle) avait été transféré sur Jean. Séparée maintenant de Jean, distincte de lui, née horriblement de lui comme nous venons de le voir, Lia régresse vers le premier objet d'amour, lui redemande la communion en son amour, ce qu'elle appelle « un vrai mariage ». Mais la réalisation de ce désir est impossible : on n'épouse pas plus un ange que l'image d'une mère intérieure. Il ne reste donc plus à Lia qu'à appeler le malheur, Jacques et la fin du monde à grands cris. Voilà, du point de vue psychocritique, dans quel éclairage se passe, à la fin de l'Acte I, la scène où Lia et l'Ange s'affrontent.

L'ANGE. Ainsi, tu renonces ! (...) Ton occupation, c'est toi-même. La vie, c'est ta vie. Tous ces noms d'innocence et de diamant dont on a couvert vos noms de chair et de sang, et Lia, et Noémi, et Ruth, et Jean, et Jacques, tu y renonces ! Tu t'appelles matière et pourriture ?

LIA. Je m'appelle femme. Je m'appelle amour.

....

Depuis que je suis enfant, je n'ai jamais aimé et touché que les objets de la terre qui m'ont été présentés par des anges. Jean et Jacques, hélas, se sont présentés eux-mêmes...

L'ANGE. Pour la dernière fois, entre les deux as-tu choisi ?

LIA. J'ai choisi, pas entre les deux.

L'ANGE. Qui as-tu choisi ?

LIA. Vous !

....

Voulez-vous m'accepter ? Voulez-vous de moi comme compagne ? Voulez-vous qu'il y ait enfin ici-bas un vrai mariage ?

L'ANGE. Plus un mot. Voici ce que tu vas faire (...)

....

Tu vas partir à l'instant pour Ségor.

LIA. Avec vous ?

L'ANGE. Tu me vois pour la dernière fois. Seule !

LIA. Alors je reste, je reste avec Jacques.

(...) Le ciel ne connaît pas encore les femmes, s'il croit qu'il y a place dans leur choix pour la demi-mesure. Ce sera toi ou lui.

L'Ange. L'ange ou la bête.

Lia. C'est le ciel qui m'y force. Moi, j'avais choisi l'ange.

L'Ange. Ton nom est fausseté, Lia.

Lia. Celui du ciel est encore pire, il est obstination. Il nous y perdra. Mais mon malheur est que je vous y perds. (...) Exaucez-moi, Ange ! Ange !

L'Ange. Va-t'en !

Jacques s'approche.

Jacques. Tu m'appelais, Lia ?

Lia. A grands cris... Viens...

(Acte I, sc. iv.)

Nous n'avons rien dit encore des griefs de Jean à l'égard de Lia. Il ne demandait pas mieux, affirme-t-il, que de rester la lampe dont elle était la flamme. Mais elle s'est mise à brûler seule, à nourrir d'elle-même son ardeur. Cette observation concorde avec nos propres conclusions sur l'amour de Lia. Elle chérissait en Jean l'image intérieure, angélique, qu'elle avait projetée sur lui : « *Je n'ai jamais parlé, et dans mon silence et dans mon bavardage* (...) *que de mon désir d'avoir pour compagnon un autre être qu'un homme* ». Que le vrai Jean se distinguât de cette image, c'est sur l'image qu'elle se reployait, et brûlait seule. Elle va même bientôt avouer à l'Ange : « *Depuis que je suis enfant, je n'ai jamais aimé et touché que les objets de la terre qui m'ont été présentés par des anges. Jean et Jacques, hélas, se sont présentés eux-mêmes...* (...) *A part une lueur de votre taille qui depuis mon enfance m'escortait. A part vous.* » Si une nuit lui suffit pour abandonner Jacques, c'est qu'il ressemble à l'Ange moins encore que Jean. La tendresse de ce dernier ne fait pas de doute, mais elle est renfermée et restreinte : Jean a trop vite accepté d'être un homme et de se donner faiblement à de petites réalités. Il a perdu ainsi l'élasticité nécessaire pour suivre Lia quand elle régressait vers l'Ange intérieur.

Il faut pourtant comprendre que, dans cette constellation psychique, Dieu, qui se cache derrière l'Ange, est plutôt du parti de Jean. Il oriente Lia vers la réalité ; il lui refuse la rêverie amoureuse où se complaît son angélisme ; il lui ordonne de partir pour Ségor où sont des justes. Ainsi les prêtres commandaient à Judith, vaincue par l'archange, de rentrer dans sa ville et d'y faire justice en condamnant les femmes adultères. Electre aussi, et la Folle, deviennent justicières en renonçant personnellement à l'amour. Si Lia écoutait ce Dieu intérieur, elle retournerait auprès de Jean, retrouverait la réalité et y deviendrait une héroïne de la justice. Mais Lia ne veut qu'être aimée, fût-ce cruellement, pourvu qu'elle se sente élue. Elle préfère la colère à l'abandon, le foudroiement à la solitude. Judith, Electre, Aurélie supportaient encore la solitude parce qu'elles s'y sentaient encore élues de Dieu, aimées de cet objet intérieur, même distant. Lia a perdu cette assurance ; elle doute d'être élue, puisque l'Ange, après Jean, l'abandonne à l'amour avilissant de Jacques. Dans les bras de Jacques, elle n'est plus Lia, mais Irma la plongeuse prostituée. Comment accepter une réalité humiliante, alors que tout le problème est, pour elle, de garder l'estime de soi ? Le salut ne peut donc venir que d'un signe d'élection et d'amour fait par un Jean transformé, ou par l'Ange. Sinon elle appellera sur elle et sur le monde cette colère divine, qui est encore une sorte d'élection, celle qu'espère un amour masochiste. C'est à l'extrême bord de ce suicide qu'elle reçoit de l'Ange, précisément, le signe d'élection parce qu'elle l'a, une seconde, souhaité de Jean :

> LIA, *le suivant du regard.* Mon Dieu, regardez-le. Les hommes n'éprouvent pas leurs sentiments : ils les miment, et cela leur suffit. Regardez Jean. Il ne part pas. Il mime son départ. (...) S'il me quittait comme moi je le quitte, en m'élevant droit vers le ciel, en m'enfonçant droit dans la terre, en restant, on pourrait croire qu'il est sincère. S'il me quittait vraiment, je volerais, je courrais vers lui, je le rejoindrais dans la vie ou dans la mort. Mais voyez : pour me fuir, il ne lui vient même pas à l'idée de marcher à travers la pelouse, il suit les méandres de l'allée. Trois S et un

huit complet, voilà sa ligne droite, voilà sa ligne de déflagration dans le courroux ou le désespoir. (...) O Jean, je t'en supplie, pour une fois prends le chemin de la lumière, de la colère, de la foudre ; reviens par mon corps, par mon cœur, apparais dans mon dos, ruisselle, flambe, marche sur le gazon ! Je n'attends que cela pour me sentir vaincue !

(Acte II, sc. VI.)

Un bref instant, Lia, seule, souhaite que Jean redevienne l'Ange ; elle a reprojeté sur lui l'image intérieure ; aussitôt l'Ange surgit :

Une voix. Lia !
LIA. Qui est là ? Qui est là ?
L'ANGE. C'est moi. L'Ange.

Toute la scène VII est consacrée au compromis : Lia accepte de mimer son devoir et de paraître s'humilier en obéissant aux ordres de Dieu, parce que l'Ange, en compensation, a pris son parti contre Dieu et a souhaité que le monde fût sauvé par elle, Lia l'orgueilleuse, non par le couple vulgairement fidèle et pathétique d'Abraham et de « sa brave Sarah ».

L'ANGE. Obéis-moi. Sois notre complice, c'est notre complot contre Dieu. Nous voudrions qu'il sauvât le monde par Lia et non par Abraham.

LIA. Si vous voulez. Mais je ne donne plus rien pour rien. Je veux ma récompense.

Lia obtient ce qu'elle réclamait lors du premier affrontement avec l'Ange : « *... donnez-moi un monde sans baptême, un cœur sans souvenir, une aurore sans initiale. Vous qui êtes sans désir, donnez-moi ce plaisir suprême, qui est de ne pas en avoir.* » Le Dieu qui prépare cette récompense prend alors le visage d'une mère (« Dieu le père est-il une mère ? ») accordant la preuve d'amour et le baume de préférence à l'enfant qui doit se subordonner. Lia fait donc un effort sincère pour revenir, dans la scène suivante, auprès de Jean, comme Edmée, dans *Choix des Elues,* est revenue auprès de Pierre.

Mais le malheur — c'est-à-dire, pour nous, la mélancolie (au sens fort du terme) de Giraudoux — veut que ce retour soit inutile, il exige la rupture quand même. Jean s'est définitivement durci et il a renié tout pathétique. Les femmes se valent toutes pour lui, et son dernier reste de tendresse demeure attaché à un souvenir qui ne supporte plus d'être manié. Il est désormais incapable de collaborer au sentiment d'élection, donc au salut. Les cruautés d'un dénouement qui traîne ne sont plus guère que les symptômes d'une angoisse triomphante.

CHAPITRE XI

POUR LUCRECE

La fable de *Pour Lucrèce* est étrange. Le rideau se lève sur une terrasse de café, mais à Aix-en-Provence et non plus à Chaillot, en 1868 et non plus vers 1940. Une maffia va de nouveau y manifester sa présence (Giraudoux reprend, en effet, le mot), non plus celle des affairistes, mais celle du Vice, la Luxure ayant remplacé l'Avarice. Le comte Marcellus, un roué, symbolise ce nouveau péché capital, comme le Président de l'Union bancaire, l'ancien. Les premières superpositions se présentent donc d'elles-mêmes. Nous voyons ainsi sans surprise le combat s'engager entre le Vice et la Vertu, représentée par la jeune femme du Procureur impérial, Lucile, comme il s'était engagé entre la maffia des pétroliers et Aurélie, la Folle de Chaillot.

> MARCELLUS. Pardonnez-moi et gardez-vous de partir, honnêtes habitants d'Aix. Le vice a aujourd'hui une mission qu'il ne cédera à personne. Celle de vous annoncer la vertu. Elle est en marche. Vous allez la voir en chair et en os s'asseoir dans quelques minutes sur cette chaise, de ses fesses de vertu... Contemplez-la. La vue de la vertu est autrement puissante que celle du vice pour redorer vos sens un peu blasés.
>
> ....
>
> Mais surtout, vertueuses épouses et superbes maris d'Aix, son approche seule vous donnera toute clarté

sur vos propres couples. Partout où passe cette procureuse charmante, la vie prend les formes et l'agrément du Jugement Dernier. A l'on ne sait quel signe, car elle n'écoute aucun ragot, elle devine sur vous toute défaillance, et, entre elle et vous, c'est fini. Observez-la. Elle est impitoyable. Si elle ne salue plus une de ses voisines, c'est que cette voisine a pris un amant...

ARMAND. Je crois qu'elle arrive, Marcellus. Tais-toi !

MARCELLUS. Si elle refuse de parler à un mari, avec lequel la veille elle discourait de la dictée de Compiègne, c'est qu'il est un mari trompé ; car chaque mari trompé lui fait l'effet d'être complaisant ou responsable...

PAOLA. Cela va, Marcellus. Tu nous embêtes.

MARCELLUS. N'hésitez pas. Usez de cette pierre de touche, qui vous révélera à vous-mêmes. Demandez-lui le sucre, si vous venez de lire le *Décaméron,* elle ne vous le passera pas. Ramassez sa mantille ; si vous collectionnez les gravures légères, elle ne la reprendra pas. La voilà. Va au-devant d'elle, mon brave Joseph. A son accueil, tu sauras si tu es satyre ou cocu.

(Acte I, sc. I.)

Le Procureur impérial, Lionel Blanchard, n'apparaîtra qu'au troisième Acte, le dernier. Lucile et lui forment un couple que tous deux croient parfait. Venus, comme par hasard, du Limousin « *qui fournit au monde le plus de papes et le moins d'amoureux* », ils ont trouvé à Aix un libertinage scandaleux. Comme le constatent Paola et Marcellus, nous voilà dans Sodome ou Gomorrhe, à la veille du Jugement Dernier.

Au couple parfait s'oppose bientôt le couple dissocié, celui de Paola et d'Armand. Ce dernier croit à la fidélité de sa femme, alors qu'elle a connu bien des amants, Marcellus entre autres. Les principaux personnage se groupent donc immédiatement selon le schéma suivant :

MARCELLUS (le Vice)
Paola — Armand

....

Lucile — Lionel
LE PROCUREUR (la Vertu)

Cet état initial étant posé, on prévoit que les couples vont se rompre, comme dans *Sodome et Gomorrhe*. Voici comment : par une intuition qui a la sûreté d'un instinct, Lucile lit la fausseté et l'adultère sur le visage de Paola. Elle refuse de lui adresser la parole et, par ce silence obstiné dont tout Aix connaît la signification, elle révèle la vérité à Armand. Comme Electre, Lucile met à jour le crime et force l'aveu du coupable ; comme Electre, Aurélie, l'Ange de *Sodome*, elle est la vérité, la pureté et la justice ; comme Judith aussi, elle a l'orgueil impitoyable des jeunes êtres passionnément purs. Mais en brisant l'union, la mauvaise union, elle a gagné en Armand un ami, en Paola une ennemie qui ne lui pardonnera pas d'avoir trahi cette complicité féminine que Clytemnestre invoquait déjà, à peu près dans les mêmes termes pour tenter de séduire Electre. Les deux figures féminines dont nous avons longuement analysé les relations, Clytemnestre adultère et Electre « ménagère de la vérité », coïncident sur bien des points avec celles de Paola et de Lucile. Mais Paola n'est plus passive ; elle va contre-attaquer et finalement vaincre Lucile. Par quels moyens ? Ici se marque l'étrangeté de la fable, subtile dans ses intentions, invraisemblable dans son action, mélodramatique dans ses effets. Paola, à la fin du premier Acte, fait absorber un narcotique à Lucile, la livre à une maquerelle, Barbette, qui, dans sa maison de rendez-vous, lui fait croire qu'elle a été violée par Marcellus pendant son sommeil, à peu de frais, d'ailleurs, dans sa mise en scène.

L'Acte II se passe chez Marcellus. Paola l'avise qu'il peut maintenant entreprendre la conquête de Lucile. Celle-ci survient : elle a décidé de légaliser, pour ainsi dire, le viol, de l'assumer. Elle se tient, dès lors, pour l'épouse de Marcellus et lui demande de se tuer ; ainsi, elle deviendra sa veuve. L'épisode sera clos, placé hors du temps. Une Lucile pure reprendra sa vie auprès de Lionel. La bizarrerie d'une telle pensée saute aux yeux : le mal est isolé, assumé, puis annulé par la mort — tout ce groupe de faits ne laissant plus ensuite ni souvenir, ni conséquence. Nous reviendrons sur cette guérison magique d'un attentat illusoire. Poursuivons la fable. Armand survient. Croyant rencontrer Paola chez Marcellus et y trouvant Lucile, il a une double raison pour provoquer le roué en duel. En fait, il ne s'agit plus que de Lucile. Elle accepte Armand pour champion ; bouleversée, elle est prête à l'aimer. Marcellus, qui sait que le viol n'a pas eu lieu, donc que le bouleversement de Lucile n'a pas de cause objective, se tait pourtant et accepte la mort probable.

Le troisième et dernier Acte se passe chez Lucile, quelques instants plus tard. Le Procureur impérial, de retour un jour trop tôt, trouve sa femme désemparée. Elle lui dit ce qu'elle croit la vérité et propose sa solution. Il réagit comme un mari outragé, tient sa femme pour souillée irrémédiablement et court se venger. Armand survient : il a tué Marcellus. Mais Paola le suit, qui va savourer sa vengeance : non seulement elle a brisé le couple de Lucile, mais, en révélant la vérité — la mise en scène du viol — elle prouve à la femme soi-disant « pure » que l'obsession de l'amour physique, qui la hante depuis la veille, n'a sa source que dans son âme. Lucile, qui se flattait de deviner le mal en autrui, n'a pas même deviné son absence en elle ; au contraire, elle a accepté avidement la fable du viol, elle en a été troublée, modifiée, au point d'aimer maintenant Armand et de percevoir, en revanche, la vulgarité de son mari. Une illusion a mis Lucile au bord de l'adultère, qu'elle a, en fait, commis dans son cœur, selon la parole de l'Evangile qui sert de thème à la *Sonate à Kreutzer*. Surmoi social et moi conscient de Lucile la tiennent désormais pour coupable. Désormais femme comme les autres, elle doit se placer au côté de Paola, dans la plage impure de notre schéma — comme Armand, à la fin du premier Acte, franchissant la ligne frontière en sens inverse, était venu se placer, dans la plage pure, à côté de Lucile, en fait à la place du procureur absent. Lucile admet cette vérité, avoue le caractère irrémédiable du mal humain et se tue pour lui échapper, en communion avec un surmoi religieux. Mort et plage faste se confondent. Ce suicide a pour elle, et pour Giraudoux, le sens d'une affirmation suprême de pureté, d'une grâce de martyre. Ce dénouement, qui fait de l'héroïne une sainte, révèle soudain un Giraudoux janséniste, au moins dans l'ordre des sentiments.

LUCILE. A genoux, Paola !
PAOLA. A genoux ?
LUCILE. A genoux ! Demandez pardon !
PAOLA. Elle est folle ?
LUCILE. Vous vous agenouillerez tôt ou tard, allez.
PAOLA. Pardon à qui ?
LUCILE. A Marcellus... A nos maris... A Barbette... A tous les vivants et les morts... A moi... A vous...
PAOLA. Pardon pour quoi ?
LUCILE. Pour avoir dit que la vie était l'indignité, l'impureté !
PAOLA. Elle ne l'est pas ? Vous le trouverez digne le jour d'aujourd'hui ?
LUCILE. Il est hideux ! Il a tout avili, tout bafoué ! Je vois sur la terre une pauvre vermine qui s'accole et se ronge. Ce sont les humains !...
PAOLA. Et il est pur ? Cet homme, qui est là, le mari d'une autre, vous ne l'aimez pas ?
LUCILE. Oui, je l'aime. Je hais mon mari. Mais cet homme qui est là, qui hier encore était dans vos bras, je l'aime...
PAOLA. Alors, nous sommes bien d'accord, Lucile... C'est une défaite, pauvre amie, et sans recours.
LUCILE. Sans recours ? Quelle erreur ! Il est là, dans ma main, mon recours. Je riais de vous tout à l'heure, quand vous m'appeliez vaincue, car il y était déjà. Je le tiens d'une petite fille, qui avait mon nom, mon âge, et qui a juré, quand elle avait dix ans, de ne pas admettre le mal, qui s'est juré de prouver par la mort s'il le fallait, que le monde était noble, les humains purs. Cette terre est devenue pour elle vide et vile, cette vie n'est plus pour elle que déchéance, cela n'importe pas, cela n'est pas vrai, puisqu'elle tient son serment !

BARBETTE. Qu'est-ce que tu fais là ! Qu'est-ce que cette histoire ! Seigneur, elle a pris du poison.

PAOLA. Qu'a-t-elle fait, l'idiote !

ARMAND. Lucile ! Barbette, au secours !

LUCILE. N'appelez pas, Armand. Il n'y a pas de remède. J'ai de la chance avec l'affaire Thomasse. Je savais que son poison tue, et ne fait pas souffrir... Et il va vite...

ARMAND, *au greffier qui apparaît.* Un médecin ! Le Procureur !

BARBETTE. Qu'est-ce qui t'a prise, ma petite fille ? Tu ne risquais rien des hommes, je t'ai vue ! Il n'y a rien à faire pour les hommes de ta peau, c'est de l'ange. Il n'y a rien à faire de tes jambes, c'est le ciseau de sainte Agnès.

LUCILE. Armand !

ARMAND. Lucile...

LUCILE. Mon dernier vœu, Armand ! Que mon mari ne sache jamais la vérité. Qu'il croie Barbette. Si Marcellus a préféré mourir sans trahir son innocence, je ne vais pas mourir en trahissant mon crime, mon crime sans rémission, mon mépris de la vie. Un éclair du jugement m'a éclairé cet homme jusqu'aux os. Désormais il vivrait avec une femme innocente, chacun méprisant l'autre. Il vivra avec une femme coupable qu'il admire... Il vivra dans la légende fausse, mais où sont les légendes vraies ! Le pauvre agneau Vérité est égorgé au pied de tous les vitraux. D'ailleurs puis-je faire autre chose, Armand ! Autre chose que l'héroïne ? Les héros sont ceux qui magnifient une vie qu'ils ne peuvent plus supporter. J'en suis là, ils m'engagent... Paola est-elle à genoux ?

PAOLA. Oui.

LUCILE. Elle est debout, mais elle dit oui. J'ai gagné. Le monde est pur, Paola, le monde est en beauté et lumière ! Dites-le moi vous-même. Je veux l'entendre de votre bouche... Dites-le moi vite.

ARMAND. Mais dis-le donc !

PAOLA. Il l'est... Pour une seconde.

LUCILE. Cela suffit... C'est plus qu'il ne faut... Merci... Que Paola ne m'approche pas. Barbette fera ma toilette... Qu'elle la fasse bien... Qu'elle ne fasse pas une toilette de vivante... Là-haut ils sont moins naïfs...

Elle glisse doucement.

LUCILE. Elle s'appelait Lucrèce n'est-ce pas ?

Elle meurt.

(Acte III, sc. VI.)

Lucile est bien une sorte de Phèdre. Arnauld, qui approuva la tragédie de Racine, n'eût pas admis, sans doute, le suicide comme une mort sanctifiante. Mais le sentiment de lutter contre un péché universel, l'exaltation de ce combat, l'orgueil qu'il y a cependant à se croire exempt de souillure, l'humiliation de s'en deviner atteint, l'irrémédiable faiblesse de la nature humaine, le mépris de la vie du monde, l'espoir désespéré en une grâce surnaturelle — tous ces thèmes lui eussent été familiers. Giraudoux y a-t-il songé ? Le problème mérite d'être posé, soit que l'on s'interroge sur les ambitions, justifiées ou non, de Giraudoux, soit que l'on s'intéresse à son état d'âme vers la fin de sa vie. Nous ne pouvons que l'aborder, et cela du seul point de vue psychocritique.

Lucile dérive, pour nous, d'une chaîne de figures féminines. Judith et Electre sont, à première vue, celles qui lui ressemblent le plus. Lucile commence même plutôt par être une sorte d'Electre. Justicière, dénonçant partout l'absence de tendresse et l'adultère qui en résulte, pour devenir enfin une sainte comme Judith. Elle est figée, au début, comme Electre, cette figure obstinée, fidèle et à peu près immobile. Mais dès l'instant où elle est soumise à l'action de l'adversaire, elle suit la même route et connaît les mêmes étapes que Judith. Elle sort de sa vie heureuse et retranchée pour engager, au-dehors, la bataille. Ici, Marcellus remplace Holopherne. En pleine exaltation orgueilleuse, Judith tombait dans le piège que lui avait tendu, pour l'humilier, Sarah la maquerelle ; elle était symboliquement souillée par le faux Holopherne. Cette « amère farce » coïncide avec celle du viol maquillé. Pour effacer cette honte d'une passivité surprise, Judith se donnait alors volontairement Holopherne pour époux, puis le tuait et se disait sa veuve. Ainsi fait à peu près Lucile. La bizarre solution choisie par la jeune femme comme remède à son angoisse était donc déjà celle de Judith. Elle a la forme et la structure typique d'un symptôme obsessionnel, où une satisfaction symbolique est donnée successivement à la tendance coupable et à sa répression. Judith se livre à l'ennemi de Dieu, puis le tue ; Lucile épouse le Vice, puis le tue. Ce résumé symptomatique du conflit est alors isolé du contexte, en même temps que la honte de la passivité est effacée par l'activité. Ce que nous trouvions assez naturel dans *Judith,* où la légende coïncidait avec le symptôme, révèle dans *Pour Lucrèce* son caractère obsédant, puisque le vraisemblable et le symptomatique « décollent » l'un de l'autre. Nous relevons par ailleurs d'autres éléments obsessionnels : le mécanisme d'isolation de l'épisode amoureux (qui résume l'histoire des « contacts » violemment positifs puis négatifs) ; le manichéisme général du tableau, accusant de plus en plus, depuis *La Folle de Chaillot,* l'impression de « jugement dernier », la rigide opposition du bien et du mal, du démon et de l'ange. L'héroïne rencontre donc sur son chemin l'angoisse et en propose une expression symptomatique ; mais le conflit intérieur n'est pas liquidé et nous en trouvons une nouvelle expression dans l'épisode religieux. Le garde que Judith trouve à la porte de la tente nuptiale la traite de putain dans son sommeil, puis, mué en archange, de sainte et lui ordonne la clôture. Situation analogue dans le dialogue de Lia et de l'Ange dans *Sodome et Gomorrhe* ; l'Ange traite la jeune femme de pourriture mais veut sauver le monde par elle ; cependant le surmoi social (Jean) refuse déjà son accord et doute de l'élection : la catastrophe cosmique ne tarde pas à tout emporter dans la mort. Ici, le surmoi social (l'époux de Lucile) refuse aussi de croire plus longtemps à la pureté d'une telle élue ; le moi conscient lui-même admet la culpabilité : Lucile a été convaincue, en effet, de sa souillure intérieure par Paola. Elle s'empoisonne donc pour confesser que la mort, du moins, est pure. Ici, nous rejoignons Phèdre, son suicide et le tremblement janséniste.

C'est ainsi la superposition de Lucile et de Judith qui permet de donner un sens à la fable de *Pour Lucrèce.* Car il faut bien avouer que la simple lecture de la pièce laisse une impression de malaise, dont nous avons tout intérêt à rechercher les aspects.

D'abord tout s'y passe par signes muets. Lucile discerne le vice de la vertu à des signes mystérieux ; ses sentences sont des silences ; le mari dont les yeux se dessillent, est doté, à son tour, de seconde vue ; le vice silencieusement révélé se venge par un simulacre de viol ; lequel est compensé par un simulacre de mariage ; le faux coupable meurt en taisant son innocence ; l'innocente se connaît impure parce qu'elle n'a pas été souillée ; enfin, ayant éprouvé que la vie est mauvaise, elle l'affirme bonne et la rend telle en la quittant. Symbolisme, allusion, procédés magiques, ironie et contradictions significatives — toutes ces formes de la pensée onirique et magique, dont Giraudoux n'a jamais cessé d'user dans son style, ont, pour ainsi dire, envahi la réalité des actes et des événements en même temps qu'ils prenaient une teinte tragique. Car cette lutte silencieuse, ce combat de sourds-muets, poursuivi d'ailleurs sous des flots de paroles souvent belles, oppose de plus en plus durement le héros à une invasion du Mal anonyme qui le persécute et le submerge. Ce Mal, sous la forme d'une maffia, s'intériorise toujours davantage ; social dans *La Folle de Chaillot,* il est devenu corporel dans *Sodome et Gomorrhe,* personnel dans *Pour Lucrèce*. Nous nous trouvons donc en face d'une persécution magique, d'où le sentiment de malaise de la personnalité consciente en contact avec ce processus. La sexualisation de la pensée provoque le même effet : la prostitution devient un thème obsédant. Certes, nous l'avons toujours vue mêlée à la mort, à la guerre ; parfois aussi sa hantise était clairement discernable sous des préoccupations d'un autre ordre : par exemple les prospecteurs étaient traités de mecs et voulaient, symboliquement, violer le sous-sol de Paris. Mais *Sodome et Gomorrhe* et *Pour Lucrèce* font apparaître, sans conteste, le surinvestissement des images sexuelles, qui rend compte de bizarreries antérieures. Prétendre que Giraudoux étudie le problème du couple après en avoir étudié d'autres, n'est-ce pas oublier la valeur cosmique et métaphysique qui lui est soudain attribuée, la masse d'affectivité qu'il mobilise, comme si, soudain, l'existence du monde et le salut de notre âme ne dépendaient plus que d'une pureté sexuelle absolue, le rêve et la pensée étant d'ailleurs aussi graves que l'acte ? Cette démesure affective crée une impression de mélodrame plutôt que de tragédie. Longtemps, l'humour, la fantaisie, le recours à la légende, à l'actualité ou à la farce l'ont corrigée ou masquée à notre regard. Nous pouvons indiquer maintenant qu'il paraissait irréel de ramener le problème de la guerre à l'amour d'Hélène pour Pâris, le problème du matricide à l'agacement de Clytemnestre devant la fatuité d'Agamemnon, le problème franco-allemand à notre absence d'imagination romantique, ou encore le capitalisme à une maffia de mecs. Ces élaborations, qui permettaient des jugements où le couple était abusivement pris comme système de référence, crèvent maintenant sous l'outrance. Dans les œuvres antérieures, nous pouvions faire crédit à Giraudoux. Mais *Pour Lucrèce* révèle à quel point l'auteur prenait au sérieux son univers de signes magiques, la fidélité de ses couples, l'aventure de ses héros fugueurs. Il interprète la réalité et assigne des valeurs par rapport à des schèmes trop visiblement mythiques et personnels.

Quelle est notre attitude devant ces faits ? D'une part, notre intérêt pour l'homme prend un caractère beaucoup plus sérieux : le mythe personnel nous révèle une véritable angoisse, une vraie recherche de salut, mise en échec, d'ailleurs, par un assombrissement tragique. Mais d'autre part, nous sommes contraint de sentir l'inadéquation de ce mythe avec l'écran de réalité historique et humaine sur lequel Giraudoux a voulu le projeter ; le penseur, en Giraudoux, nous retient moins que l'homme. Ainsi, comparant tout à l'heure Lucile à Phèdre, nous avons reconnu que dans la mesure où Giraudoux fouillait sa propre vérité intérieure, il venait de découvrir sa fixation infantile et la culpabilité intérieure, sans justification objective qui lui restât attachée. Il ne semblait pas moins clair qu'en projetant cette culpabilité sur la ville d'Aix-en-Provence en 1868, il donnait de cette réalité extérieure une interprétation d'autant plus mélodramatique qu'il la prenait plus au sérieux.

Du point de vue esthétique, nous voyons là une réussite de l'auto-analyse, mais un échec de l'œuvre d'art. La critique classique tenterait en vain d'expliquer par une doctrine ou un art allégorique le détail de ces rêves insuffisamment élaborés. Une psychologie fondée sur l'observation et l'esprit de finesse n'expliquerait pas davantage les éléments que nous avons analysés : en fait, ils ont été suggérés par un mythe personnel qui avait peu à faire avec la réalité d'Aix-en-Provence sous le second Empire, mais qui n'avait pas non plus la simplicité essentielle du mythe de Phèdre. De là, à notre avis, cette impression de mélodrame plus émouvant à l'analyse qu'au spectacle ou à la lecture.

Sans nous attarder davantage aux généralités, revenons au schéma. Ses analogies avec celui de *Sodome et Gomorrhe* (p. 216) sont assez nettes. Marcellus, auquel il faut joindre la maquerelle, marque le niveau de la prostitution et de l'adultère. Apparemment unis, Paola et Armand ne le sont plus depuis longtemps : ils marquent donc le niveau du couple dissocié. Lucile et Lionel sont présentés tout d'abord comme couple édénique. Cependant, dès la fin de l'Acte I, nous avons noté les déplacements d'Armand puis de Lucile : les deux couples sont donc rompus. Enfin, quand Lucile voit soudain la vérité toute conventionnelle de Lionel, dont elle avait fait un Dieu, il est clair que le nom du procureur doit s'effacer pour faire place à quelque nom divin, qu'il faut mourir pour connaître. Nous ne serions pas étonné que ce fût celui d'un Marcellus aussi faste que l'autre est néfaste. Marcellus meurt héroïquement alors qu'il aurait pu sauver sa vie en disant la vérité et en se déchargeant de toute culpabilité — mais en donnant, du même coup, à Lucile la conscience de son impureté intérieure. Il meurt, d'ailleurs, en criant le nom de Lucile, comme Egisthe racheté criait celui d'Electre ; et l'on a vu que Lucile, avant de mourir elle-même, souhaite ne pas être moins généreuse que lui. En tout cas, le résultat final est qu'au dénouement une ligne de dissociation verticale coupe le schéma en deux, séparant tous les personnages féminins et masculins : nous retrouvons la disposition finale de *Sodome et Gomorrhe*. Toutes les femmes (car Barbette comprend la sainteté comme Lucile partage la souillure) participent à la grande oscillation pathétique, tandis que les hommes demeurent relativement stables et solitaires.

Au lieu d'esquisser ici une analyse déjà élaborée de tel personnage ou de telle scène, nous donnerons, à l'état brut, quelques-unes des coïncidences qui sautent aux yeux à première lecture, en indiquant seulement à quel réseau d'associations plus ou moins conscient elles appartiennent. Cette énumération n'a rien d'exhaustif, mais révèle quelques-uns des liens qui font l'unité de l'œuvre entière de Giraudoux.

Acte I, sc. I.

— « ... il a promu notre brave ville d'Aix au rang de Sodome ou de Gomorrhe.
... Partout où passe cette procureuse charmante, la vie prend les formes et l'agrément du Jugement Dernier. » (mise en jugement, héroïnes justicières).

Acte I, sc. II.

— « Ils arrivaient du Limousin » (couple édénique, plage faste, enfance).
— « Chaque homme d'Aix, les premiers mois de ton séjour, n'a vraiment aimé que toi. » (Lucile adulée comme Isabelle et Judith).
— « ... tu redonnes à la ville le péché originel. » (Tu lui redonnes un sentiment de culpabilité ; l'Eden est de lui échapper, dans la plage faste du schéma.)
— « Tu es l'ange du mal. (...) Toutes les secondes de plaisir qui t'ont semblé sur le moment t'être offertes par l'innocence même du monde, sont celles qui plus tard te condamneront et feront de toi une coupable vis-à-vis de Dieu et des hommes. » (La culpabilité envahit l'Eden).
— Lucile « sur chaque être débauché » voit « une bête visqueuse ou grouillante » — crapaud, têtard, ver — (Toutes les bêtes ne sont plus pures).
— Chez les êtres qu'elle estime : « Des prunelles dans de l'eau pure. Des os d'ivoire. » (*Ondine*, et

Sodome : « ... l'eau du couple, et de là-haut, fontaines et cascades à côté de cette lie paraissent troubles (...) les ossements du couple, les côtes en sont d'ivoire. »)
— « L'orgueil ressemble à la pureté. » (Judith, Electre).
— Lucile, devant un mari trompé, est « muette et sourde et aveugle ». (Ici, isolation et négation. Hélène ne voyait pas ce qu'elle refusait, Andromaque devenait statue à l'approche de la guerre, Lucile jouit de ce même « privilège » à la scène 3, devant un couple rompu. Ce trait relie l'indifférence à la solitude, mais indique aussi la retraite dans le monde des signes, la magie préverbale, le « langage des fleurs et des choses muettes », Sourde-muette de *Judith,* muet de la *Folle,* etc.

Acte I, sc. III.

— « Paola (..) en robe rouge » (Les prostituées : la femme en robe et en chapeau rouge qui accompagnait le père Voie (*De ma fenêtre*), Bas-Rouges, la bergère violée de *Bella,* les couleurs d'Hélène (groseille), Indiana rougie par le soleil (*Les Aventures de Jérôme Bardini*), les robes rouges d'Eva (*Siegfried et le Limousin*), le visage de la guerre dans *La Guerre de Troie,* les robes rouge vif de Claudie *Choix des Elues,* etc.).
— L'attachement d'Armand pour Paola : « c'est en elle que je circule, que je respire. » (relation mère-enfant du couple encore uni).

Acte I, sc. V.

— « Sous son genou plié, le soleil mettait sa tache, et non la lèpre » (la tache de soleil édénique : « Je lui appris à être heureuse par le beau temps, et à laisser chaque tache de soleil marquer sur elle pour la journée », *Simon le Pathétique* ; Alcmène est « toujours rehaussée au visage par le soleil. »)
— Armand : « C'est moi qui ai fait Paola. J'ai façonné son humeur, son esprit, ses habitudes. » (Relation mère-enfant.)

Acte I, sc. VI.

— Les beaux noms avec lesquels Lucile a « partie

liée » : « le mot jet d'eau, le mot source, le mot printemps. » (Stéphy, Ondine).

— Lucile est mise en garde contre la puissance de Paola par le « gros homme » à la terrasse du café, comme la Folle à la terrasse du café Francis par le Chiffonnier, le Sergent, Pierre et Irma.

Acte I, sc. VII.

— « Nous allons voir ce que donne en ce bas monde l'entêtement » (...) « en obstination la femme l'emporte sur l'homme ». (« Nous allons voir de nous deux quel est le plus entêté » *Simon le Pathétique,* « Hélène, tu es comble d'une obstination qui me nargue ! », Lia : « Quelle grimace suis-je en ce moment ? — La suprême. L'entêtement. »)

— Armand découvre les vices de Paola : « Jamais je n'aurais pensé que ma femme n'avait pas de bouche, mais ce derrière de poule (...) son regard ne vient pas d'une source où l'algue et le rayon se mêlent (...) sans doute trouverais-je maintenant squameuse cette peau conjugale (...) elle transpire un peu... » (La guerre ressemble « A un cul de singe. Quand la guenon est montée à l'arbre et nous montre un fondement rouge, tout squameux, ceint d'une perruque immonde » *La Guerre de Troie ;* la main humide du Chambellan d'*Ondine*).

— Armand voit double : « Je vois derrière Mme Blanchard une espèce d'ange qui lui ressemble (...) qui me murmure un mot bien inattendu, le mot amitié. » (Lia à Jean : « ... tu es le sosie de celui que j'ai aimé. En te regardant je le vois. » Dans *Amphitryon,* Alcmène demande d'oublier la présence de Jupiter derrière son mari : « Donnez à mon mari et à moi le pouvoir d'oublier cette journée, à part votre amitié. »)

Acte I, sc. VIII.

— Paola : « Moi, je ne vois, je n'aime qu'un seul homme. Il change parfois (...) il efface du monde tous les autres. » (Hélène voit certains êtres distinctement, mal les autres : « Je choisis ceux que je vois. » Paola ajoutait : « Quand j'aime, les bateaux vont sans marins » et Hélène répète à Hector qu'elle ne peut « arriver à rien distinguer du navire » qui l'emportera, ni l'anneau du nez du capitaine, ni l'œil du mousse.)

— « Votre tuteur, votre oncle, voilà ce qu'est votre mari » dit Paola à Lucile, lui reprochant la relation mère-enfant inversée (Indiana, à la fin de *Bella*, exprime sa tendresse pour Fontranges dans ce langage incestueux : « Eh bien, papa (...) Ça ne se passe pas, mon oncle ? (..) Ah ! frère, sûrement, l'amour n'est pas drôle ! » et Bellita).

— « Que votre vertu soit le domino de la sainteté ou de la concupiscence, peu m'importe » (oscillation pathétique des femmes).

— « L'homme est simple. (...) Il nous demande la liberté de ne pas vivre, mais de mimer des sentiments. » (Il confie à son corps le soin de vivre, rituellement, les sentiments qu'il est trop las ou trop occupé pour vivre. C'est la fidélité de Fontranges, d'Ondine dans le Rhin ; l'Ange en explique le sens à Lia, qui fait le même reproche que Paola.)

— « C'est un monologue » (Giraudoux pressent que le drame met en jeu des moi partiels de l'auteur).

— « Adam croit dur comme fer qu'il a été chassé du paradis terrestre. Eve n'en est pas sûre du tout, et agit en tout cas comme si elle y restait. » (Eden — tentative pour se croire innocente dans le péché, par annulation magique, Judith.)

Acte I, sc. IX.

— Lucile, de Paola : « Il n'est pas une minute, il n'est pas un être vivant avec lequel elle ne vous trompe sans relâche. Vous n'êtes pas pour elle un homme, vous n'êtes qu'un mannequin d'homme, qu'elle entretient pour avoir tout de suite autour d'elle, quand celui qu'elle aime fait défaut, la forme et l'amour des hommes. Vous n'êtes que l'appât... » (Jupiter : « En somme, elles sont infidèles à leurs époux avec le monde entier, excepté avec les hommes. » Agathe, Edmée trompant Pierre avec un square anonyme.)

— « Quittez-la, vous avez une chance de retrouver (..) l'estime des insensibles, des animaux, des arbres, plus précieuse encore... » (Les animaux, les plantes sont du côté de Lucile, mais cette fois, ils sont doués de jugement moral : ils estiment ou blâment comme Lucile.)

— Armand, au moment où le couple se sépare : « Comme tout ce qui est indivis entre les deux époux sait se distribuer de soi-même (...) Je vois nos demeures se séparer, je vois quels objets vont vers toi, quels animaux tiennent à te suivre... » (Même répartition dans *Sodome :* fin du monde.)

Acte I, sc. x.

— Paola à Lucile : « Je vous lâcherai quand je voudrai. Aucune mâchoire de bouledogue n'est plus tenace que les doigts d'une femme qui hait. » (Trois réseaux : — « obstination » (« Regardez ces petites mâchoires, ce petit front. Nous allons voir de nous deux quel est le plus entêté ! » *Simon le Pathétique.*) liée au niveau obsessionnel ; — « contact néfaste » ; — « oralité agressive » : morsure d'Ismène au bras d'Egisthe, dans une variante, morsure de Barbette, narcotique bu, poison, ongles et mâchoires de Claudie contre sa mère, *Choix des Elues.*)

Acte II, sc. I.

— Marcellus intériorisé s'oppose au caniche : « En cette minute, Mme Blanchard n'a devant les yeux qu'un visage qui est le tien. Ses lèvres sont fermées sur un seul mot, qui est ton nom. Une ombre qui a ton poids et tes os s'est glissée entre elle et tout ce qui l'entoure. Entre elle et son mari, et son déjeûner en vieux Marseille, et ses Harmonies Poétiques, et son caniche et Dieu... » (*Siegfried, Ondine, Folle de Chaillot.*)

— « Elle n'a touché ni le mur de la chapelle, ni un chien qui la flattait. » (rupture de contact).

— « Elle s'est penchée au-dessus du pont » (Idée de suicide : *Judith* (III, 4), Maléna au balcon, le soir de la probable rupture du couple et de la déclaration de guerre dans *Combat avec l'Ange ;* diverses obsessions de noyades : enfants dans la mare, le père Voie, le noyé et l'enfant sauvé par Maléna, la fille de Lamanon « qui s'est noyée » et dont parle Barbette, Pierre de *La Folle de Chaillot,* le spectre d'*Intermezzo.*)

— « A vous toucher, je crierais ! » (Ondine dans les

bras de Bertram : Si je crie (...) ce sont mes nerfs, c'est cette journée.)

— « ... c'est la visite de la mort que je reçois » (Siegfried : « Juste le temps de recevoir l'autre visite... (...) Ouvre vraiment. Pour celle-là il faut ouvrir vraiment (..) L'instrument qu'elle porte est de travers. » *Fin de Siegfried.* La fille de vaisselle qui apparaît à la fin d'*Ondine :* Hans : « C'est une faux qu'elle tient au côté (...) Merci, fille de vaisselle. Je serai au rendez-vous ! » sc. IV et sc. VI : « Voici la fille de vaisselle... ». Mort justicière, mort pure.)

— Lucile « se cramponne à la mort comme un enfant à sa mère ».

Acte II, sc. IV.

— « Nous avons une Mme Blanchard indignée, mais palpitante, mais comblée en sa chair, remuée dans son esprit, visitée par un Dieu. » (Alcmène, Léda, Judith, Edmée. L'oscillation affective entraîne des confusions entre possession et communion, le séducteur et Dieu. C'est qu'il n'y a, à ce niveau, qu'une façon d'aimer : la relation mère-enfant sexualisée.)

— « Dans nos cerveaux de femme, l'encre de Dieu souligne tout ce qui est désir, mais la gomme de Dieu efface tout ce qui est satiété. » (La loi naturelle de satisfaction du désir est tenue pour divine ; on échappe à la culpabilité par la confusion indiquée ci-dessus.)

— « ... une main dont vous reconnaissez surtout la bague. » (Hélène prévoyant la mort de Pâris.)

— « Trouver à la place de votre petite procureuse d'hier, niaise et crédule, une femme crucifiée... » (*Choix des Elues :* lettre d'Edmée à Pierre.)

— « Ne perdez pas votre peine à m'attirer à l'étage où vous vivez, j'y succomberais. » (Lucile résiste mais n'en change pas moins de place dans le schéma.)

— « Vous ne trouvez pas présomptueux d'appeler au secours les martyres pour un accident aussi véniel ? » (Paola vient encore d'opposer le mélo à la vie ; Giraudoux sent confusément le caractère mélodramatique de sa pièce.)

Acte II, sc. v.

— « Ses favoris, sa bouche, en quoi tout ce poil va-t-il bien se changer ? » (Le visage du couple qui se rompt est le même que celui de la guerre décrit par Hécube dans *La Guerre de Troie,* « ceint d'une perruque immonde », Clytemnestre avait horreur de « cette bouche au milieu de cette toison », de « cette barbe que rien ne rendait lisse » que lui présentait Agamemnon ; horreur de « l'amour poilu ».)

Acte III, sc. II.

— « Ma petite Lucile ne s'était pas glissée dans la robe de la Justice poursuivant le crime... » » (Electre, et toutes les indignations justicières de Judith à la Folle de Chaillot.)

Acte III, sc. III.

— « C'est par orgueil que j'ai voulu passer une robe blanche au-dessus de l'ignominie. » (contexte : quand j'étais une Madeleine prostituée — Judith.)
— Lucile, de son mari : « Je viens de voir un homme que je n'ai jamais vu, jamais aimé ! (...) Pas un objet de cette maison qui ce matin n'ait pris un cœur, ne soit sorti de son néant d'objet pour m'accueillir, n'ait gagné à ce désastre une tendresse et un désir. De lui est sorti la cruauté, et la haine. » (Apparition du contact négatif et éclatement du couple ; la relation mère-enfant a pris une nuance de culpabilité et d'humiliation, d'abandon.)
— « Il a des yeux, mais il ne me voit pas. Il voyait à ma place une femme de peau et de chair dont il détaillait le visage et la gorge. » (La perte de communion, la séparation, naissance ou deuil, entraîne la non-vision et l'abaissement de l'autre au niveau de la prostitution, de la « matière et de la pourriture », comme dit l'Ange à Lia. La naissance est ainsi identifiée à la mort et il faut mourir pour retrouver la vie. Lucile dit cela à Marcellus ; mais à ce stade, Lucile comme Judith croit échapper à l'angoisse en tuant l'autre ; elle n'y échappe plus qu'en se tuant au dénouement. Le mécanisme mélancolique doit remplacer le déplacement obsessionnel et paranoïde.)

— « J'errais nue dans un complot qui unissait contre moi jusqu'à leurs apprentis. » (Comparer avec les amours matinales de Bella et Philippe où, au contraire, les amants adultères sont heureux de rencontrer les travailleurs.)

— Marcellus est le chef du complot des hommes qui travaillent (La folle de Chaillot triomphait du complot des hommes qui ne travaillent pas.)

— Armand dit à Lucile : « Cela vous a vue. Cela est heureux. » (Contact mère-enfant retrouvé.)

Acte III, sc. IV.

— Paola : « Vous êtes des assassins. (...) Tous deux en chaussant le cothurne alors que vous plongez jusqu'au cou dans la farce. » (Mise en accusation de toutes les justicières, d'Electre à la Folle. La valeur de la défense de Giraudoux est mise en doute.)

— « Je n'étais pas comme elle (...) qui fait un mélange sordide de ses sentiments et de son corps, qui brasse en cette minute son mari, Marcellus et toi dans un pot-au-feu de pensionnaire et de sorcière. » (L'ange à Lia : « Ne continue pas à mélanger sordidement le ciel et la terre ! » Paola, symétriquement, refuse l'oscillation, voudrait, comme les hommes, ne plus s'occuper que du corps, en finir avec la tendresse de la relation mère-enfant. Les deux pôles tendent à la rupture.)

— Paola appelle le faux viol : « Une histoire d'enfant, un motif de mélo... » (A la scène suivante, Lucile invoquera le serment de la petite fille de dix ans « qui avait mon nom, mon âge ». Judith attendait « enfantinement » la mort après avoir tué Holopherne. Confirmation de l'origine infantile du mythe et de ses affects.)

— « Il vous laisse étendue, niaisement et ridiculement étendue à terre, maintenue sur le dos par un démon, que vous n'avez pas reconnu dans la nuit, et qui vous répète sans relâche, depuis ce matin, tous les gestes et les mots de l'amour, toutes ses voluptés et ses hontes, et qui n'est que vous-même. » (Judith (Acte III, sc. VII) apprend du garde que rien, d'Holopherne, ne l'a touchée, que des anges intérieurs l'ont violée et poussée à tuer. « Cet écrasement, c'était vous ? » Dans *Combat avec l'Ange,* Maléna décrit ce même corps à corps : « Comment ce géant des géants pouvait arriver à lutter avec moi, cela m'était incompréhensible ! D'autant plus que je rapetissais encore, que j'étais à peine haute comme une enfant, une poupée. (...) Sur ce qu'il y avait de plus minuscule en fait d'amour, d'obstination, cette masse énorme se ruait, s'abattait. (...) Je ne savais si c'était un brassage ou un combat, s'il était doux ou s'il était furieux. (...) Etait-il l'ange de l'orgueil ou l'ennemi de l'orgueil ? (...) ... quelqu'un qui avait l'ordre de me vaincre vivante, et s'était déguisé en conséquence. » (fin du chap. IX..) Dans *Choix des Elues,* Edmée attend « celui qui l'avait préparée comme la femme du pêcheur prépare la pieuvre, en la brisant contre les pavés du quai » (...) « C'était cela, sa destinée : une intrigue sans parole et sans geste, mais durable, mais intime, avec une présence qui manifestement n'était pas celle des hommes (...) une puissance (..) qui se laissait maintenant centrer sur elle, en tiédeur et en attachement, comme par une énorme loupe. » « Aucune femme au monde n'avait été si avant dans l'amour pour une simple présence. Aucune n'avait mieux senti ce déguisement en air, en lumière, en tiédeur, et ne s'y était à ce point abandonnée. »

Acte III, sc. v.

— Le Procureur : ... J'appelle fidélité (...) pour les jambes quand elles se soudent. » (*Ondine :* « Ne pourrait-elle au moins marcher devant nous, enlever ce filet, écarter les jambes ? » demande le Second Juge ; Hans répond : — Ne bouge pas, Ondine ! (Acte III, sc. IV) ; Stéphy remontait du fond de la mer « les jambes si étroitement jointes qu'entre elles la plus petite limande n'eût pu passer (...) *Av. de Jérôme Bardini ;* Electre parle des « étrivières » que son mari lui passe aux chevilles (I, VII).

Acte III, sc. VI.

— Lucile, peu avant sa mort : « Je vois sur la terre une pauvre vermine qui s'accole et se ronge. Ce sont les humains ! » (Hélène avait la même opinion : « Et malgré ces ailes que je prêtais au genre humain, je le voyais ce qu'il est, rampant, malpropre, et misérable. » Lucile est devenue comme Hélène et Paola, adultère ; mais elle n'a plus de défense narcissique ; elle n'est pas exempte de culpabilité ; en fait, elle a perdu leur défense maniaque aussi bien que sa défense paranoïde ; elle est mélancolique et se tue.)

Chapitre XII

CANTIQUE DES CANTIQUES
L'APOLLON DE BELLAC

Avant de formuler des conclusions, je voudrais faire précéder leur expression théorique d'une brève épreuve qui démontre empiriquement que nous avons acquis une nouvelle lecture des œuvres de Giraudoux. Dans notre dessein de tracer la ligne générale de cette création, nous ne pouvions tout dire, ni tout examiner. Aussi avons-nous laissé en arrière quelques textes : des variantes, trois courtes comédies, l'adaptation au cinéma de *la Duchesse de Langeais*. Choisissons deux d'entre eux, par exemple le *Cantique des Cantiques* et *L'Apollon de Bellac*. Examinons-les à la lumière de nos résultats. Ce sont deux comédies en un acte ; chronologiquement, l'une se situe entre *Electre* et *Ondine* (1938), l'autre fut représentée en 1942 à Rio de Janeiro, et précède *La Folle de Chaillot* ainsi que *Sodome et Gomorrhe*.

Elles ont en commun de grands traits structurels qui permettent de les superposer aisément. La première montre une jeune femme abandonnant un Président, riche, puissant, intelligent, pour un jeune homme pauvre et simplet qu'elle aime. La second développe une fable à peu près inverse : une jeune femme pauvre, en quête d'une place à l'Office des petites et grandes inventions, y rencontre un Monsieur de Bellac, dont elle s'éprend mais dont l'invention du légume unique n'est pas encore au point ; leur union reste donc, au dénouement, une promesse d'avenir ; en revanche, l'héroïne accomplit, au cours de l'acte, une ascension sociale brillante et devient l'épouse du Président. Dans le *Cantique des Cantiques,* Florence rend ses bijoux au protecteur puissant qu'elle quitte ; dans *L'Apollon,* Agnès reçoit son premier diamant du protecteur puissant qu'elle a conquis. Pareille oscillation nous est bien connue ; c'était déjà celle d'Eglantine entre Moïse, qui a tous les traits du Président, et Fontranges, enfantin, provincial et pur ; mais au delà de tel ou tel exemple, c'est celle que nous avons rencontrée dans tous nos schémas, et qui relie la plage faste à la plage néfaste, et réciproquement. Nous pouvons dire, puisque ces deux comédies sont postérieures à *La Guerre de Troie n'aura pas lieu,* que Florence est une Hélène devenant Andromaque, tandis qu'Agnès suit la voie inverse et, d'Andromaque, devient Hélène.

Reprenons chacune des deux comédies. Le mouvement du *Cantique des Cantiques* suit celui d'*Electre* et d'*Ondine,* qui l'encadrent dans le temps. La plage de la puissance sociale, celle du Président, mais aussi celle d'Egisthe ou de la noblesse allemande, est tenue pour néfaste et, à à ce titre, désinvestie au profit d'un amour de type maternel (celui d'Electre pour Oreste, ou d'Ondine pour Hans). Jérôme a la simplicité d'un enfant. De réplique en réplique, on voit se préciser cet infantilisme : Jérôme ne vit que dans le présent ; il est le plus naïf, le plus exposé, le plus condamné des êtres ; il se heurte, il se fait pincer et Florence ne cesse de soigner ses bobos ; il ne pense pas, il est seulement présent, d'une présence associée à de petits objets, des matériaux, des jouets ; il s'attarde avec un canard dans la baignoire. Il se soucie peu du passé de Florence : aucune jalousie ne l'effleure ; à chaque minute, il la croit née telle qu'elle est, pour lui. Elle l'adore ainsi et l'enveloppe de sa tendresse adulte. Aussi Florence dit-elle justement qu'il s'est « encastré » en elle et y demeure. Jérôme est, d'autre part, associé avec la nature : « *Un mot, et les chiens se calment. Un geste et les oiseaux viennent.* » « *Il effleure l'arrosoir tournant et toutes les eaux jaillissent.* » Enfin, le caractère religieux de cet amour est bien marqué par le titre même : *Cantique des Cantiques* ; la caissière voit en Jérôme « une espèce d'archange ». Abandonnant, sous les espèces du Président, un monde où son statut était celui d'une prostituée belle et riche, Florence entre en maternité comme on entre en religion.

Cantique des Cantiques ne peut pourtant pas être confondu avec un heureux épithalame. Certes, il s'agit bien d'une comédie. Mais à la lumière d'*Electre* et d'*Ondine,* nous comprenons le sens des hésitations de Florence. Car elle hésite, rend d'abord les bijoux au Président, puis les reprend, et ne les rejette qu'au dernier instant. C'est elle qui rompt ainsi avec un monde qu'elle a aimé, en fait avec la réalité elle-même. Hans n'hésite pas moins à choisir entre Bertha et Ondine, entre la destinée et la nature. En effet, nous l'avons dit, le choix dans l'un ou l'autre sens consacre une rupture et un échec de la personnalité totale. L'unique solution serait une synthèse. Electre et Ondine, privées de puissance, coupées de la réalité, deviennent des folles de Chaillot. Celles-ci ont conservé l'estime de soi, mais perdu toute chance de bonheur en dehors du rêve et de l'illusion. Condamnée à une réalité hideuse, la Folle pratique l'art de l'illusion volontaire, l'enseigne à Pierre le désespéré, ou à Irma la plongeuse.

Or *L'Apollon de Bellac,* cette comédie écrite en pleine guerre, sans doute peu avant *La Folle de Chaillot,* dispense une leçon toute voisine. Agnès, la jeune fille pauvre, en quête d'une place, doit subir le contact d'hommes hideux : « *Dites-leur qu'ils sont beaux* » conseille aussitôt le Monsieur de Bellac. Ondine avait déjà accompagné son premier et son dernier regard sur Hans de la même exclamation : « *Comme il est beau !* », mais son sentiment était sincère. Agnès n'est prête à trouver beau que le Monsieur de Bellac ; mais c'est aux autres, à l'huissier, aux administrateurs, puis au Président qu'elle doit faire sa déclaration. Elle gagne ainsi leurs faveurs puis le rang d'épouse du Président. Celui-ci n'en est pas moins laid. Somme toute, le Monsieur de Bellac a doucement enseigné à Agnès le chemin de la prostitution. Nous sommes très près de la Folle qui se répétait chaque jour que la vie était belle et pure, sans parvenir à en masquer totalement l'amère farce ; mais Agnès se superpose plutôt à Irma. Irma s'est prostituée en se gardant pour Pierre ; Agnès va se prostituer en se gardant pour le Monsieur de Bellac. L'Apollon, d'ailleurs, n'existe pas : Agnès peut seulement le voir en regardant le Monsieur les yeux fermés. Il ne s'agit donc que de degrés d'illusion, que de victoires plus ou moins complètes de la magie sur la réalité. On voit combien, sous son aspect comique, cette pièce est parfaitement datée. L'analyse du texte révèle cependant des coïncidences très anciennes : Agnès, misérable, pathétique, mais associée à l'idée de sculptures et de statues masculines, se rattache certainement à Geneviève de *Siegfried et le Limousin*. Elle se rapproche aussi des héroïnes de la première période par sa passivité sans révolte justicière. Son « espoir quand même », dépourvu d'agressivité, correspond à une première réaction contre l'amère farce, — un amour mimé sinon vécu — guérissant la blessure humiliante. Elle appartient encore à l'épisode religieux amoureux, à la prostitution de Marie-Madeleine.

Tout ceci confirme l'impression que dans *L'Apollon de Bellac,* nous voyons une figure pathétique franchir la ligne de dissociation, passer du niveau d'Andromaque à celui d'Hélène, dans l'atmosphère d'irréalité (ou plutôt de réalité niée), d'illusion volontaire et de magie qui caractérise les dernières productions. Voici quelques coïncidences. *L'absence de « parti pris » :*

> Pour les animaux et les hommes, au contraire, je n'ai plus de parti pris, plus aucun. Dieu sait si j'ai pu détester les singes, les animaux à langue visqueuse comme le fourmilier, les rats ; je les verrais sans ennui entrer maintenant par centaines dans ma chambre...
>
> (Geneviève, *Siegfried et le Limousin,* chap. huitième et aussi *Fin de Siegfried.*)

Et malgré ces ailes que je prêtais au genre humain, je le voyais ce qu'il est, rampant, malpropre, et misérable. (...) tous ces malheureux, je les sens mes égaux (...) Cela peut être de la fraternité.

(Hélène, *La Guerre de Troie...*, Acte II, sc. VIII.)

Leurs yeux de chien me plaisent, leur poil, leurs grands pieds. Et ils ont des organes bien à eux qui m'attendrissent, leur pomme d'Adam au repas par exemple.

(Agnès, *L'Apollon de Bellac*, sc. II.)

Mille jours j'ai supporté de vivre avec quelqu'un qui me déteste, me méprise, et me trouve laid. Car vous me trouvez laid, n'est-ce pas ? — Oui. Un singe.

(Le Président reproche à Chèvredent de ne pas l'admirer comme Agnès, *L'Apollon...*, sc. VII.)

Voici la coïncidence de la *fourrure* (qui pourrait inciter un metteur en scène à faire porter à Thérèse une robe de couleur braise) :

1) THÉRÈSE. On m'attend là-haut pour ma *fourrure* de fiançailles !

(sc. VIII.)

2) BERTHA. Hans, quand j'étais petite fille, j'ai été amoureuse d'un *lynx*. Il était imaginaire. Il n'était pas. Mais nous dormions ensemble. Nous avions des enfants (...) Lui aussi a oublié que je le capuchonnais de pourpre...

(*Ondine*, Acte III, sc. II.)

3) Eva, dans *Siegfried et le Limousin*, est présentée « les bras chargés de roses rouges, le menton penché effleurant presque sa gorge » et vêtue « d'une veste en *chat sauvage* » (chap. III). « Sur tous ces portraits, elle portait une robe du même rouge ; on devinait à je ne sais quoi que c'était par sa volonté et non par celle du peintre, et, entre son manteau de *lynx* et son

corps de lait, je devinais, aujourd'hui encore, entretenue par la guerre et la révolution, la tunique de braise. » (Chap. IV.)

Voici la *faute* que reconnaît la jeune femme :

1) LE MONSIEUR DE BELLAC. Elle vient d'avouer !
THÉRÈSE. Mais qu'est-ce qu'ils ont tous contre moi ! Qu'est-ce que je viens d'avouer ?
LE MONSIEUR DE BELLAC. Votre faute ! Votre crime ! Comment voulez-vous que le Président soit beau avec un entourage, dans un décor qui lui ressasse qu'il est laid !

....

THÉRÈSE. Mais enfin, quels sont ces bourreaux ! Je t'ai donné sans réserve ma vie et mes talents. (...) Quel est ce procès que vous faites à l'honneur des femmes et des ménages ! (...) Et voici que survient cette femme.

(sc. VIII.)

2) BERTHA. ... Mon secret et ma faute ? Je pensais que vous l'aviez compris. C'est que j'ai cru à la gloire. Pas à la mienne. A celle de l'homme que j'aimais, que j'avais choisi, depuis l'enfance (...) Je voulais qu'il fût le chevalier noir... Pouvais-je penser qu'un soir tous les sapins du monde allaient écarter leurs branches devant une tête blonde ?

....

Voilà ma faute... Elle est avouée...

(*Ondine*, Acte II, sc. IV.)

3) EVA. Siegfried ! C'est moi, Siegfried. Si c'est un crime d'avoir partagé avec toi ma patrie, pardon, Siegfried. Si c'est un crime d'avoir recueilli un enfant abandonné, qui frissonnait à la porte de l'Allemagne, de l'avoir vêtu de sa douceur, nourri de sa force, pardon.

(*Siegfried*, Acte III, sc. V.)

Coïncidences *Agnès-Geneviève* :

1. AGNÈS. (...) J'ai peur des hommes.
LE MONSIEUR DE BELLAC. De quels hommes ?
AGNÈS. A les voir, je défaille...

(sc. II.)

GENEVIÈVE. Je vais vous sembler bien peu gaie, mais cette angoisse que l'on éprouve devant le soldat inconnu, je l'éprouve, et accrue encore, devant chaque humain, quel qu'il soit.

(*Siegfried,* Acte II, sc. II.)

2. THÉRÈSE, *à laquelle le Président présente Agnès.* Présentation inutile et sans le moindre avenir... Sortez, Mademoiselle !

....

(Sc. VIII.)

EVA, *face à Geneviève.* (...) De quel droit êtes-vous ici ? Qui vous a appelée à ce pays où vous n'avez que faire ?

(*Siegfried,* Acte III, sc. V.)

Coïncidences *Agnès-Hélène* :

1. LE PRÉSIDENT *à Agnès.* ... J'apportais (...) une bague de fiançailles... C'est ce diamant... Est-ce qu'il vous plaît ?

AGNÈS. Comme il est beau !

(Sc. VII.)

HÉLÈNE. (...) Un diamant à sa main étincelle... Mais oui !... Je reconnais souvent mal les visages, mais toujours les bijoux. C'est bien sa bague.

(*La Guerre de Troie...* Acte I, sc. IX.)

2. AGNÈS. Comme c'est beau la vie dans un homme, quand on vient de voir la beauté dans un chromo...

(Sc. IX.)

HECTOR *à Hélène.* Vous doutez-vous que votre album de chromos est la dérision du monde ?

(*La Guerre de Troie...* Acte I, sc. IX.)

Coïncidences *Le Monsieur de Bellac-Hélène* :

1. LE MONSIEUR DE BELLAC. L'idée de l'équerre est venue aux géomètres de mes épaules, et l'idée de l'arc à Diane de mes sourcils.

....

Les yeux de la beauté sont implacables.

....

les pieds de la beauté sont ravissants (...) les doigts en sont annelés... (Sc. IX.)

LE GÉOMÈTRE. (...) Depuis qu'Hélène est ici, le paysage a pris son sens et sa fermeté. Et, chose particulièrement sensible aux vrais géomètres, il n'y a plus à l'espace et au volume qu'une commune mesure qui est Hélène.

....

HÉLÈNE. Les autres ont le geste, la tenue, le regard.

....

Je choisis les événements comme je choisis les objets et les hommes. Je choisis ceux qui ne sont pas pour moi des ombres. Je choisis ceux que je vois.
(Hector parle de ses « yeux aveugles ».)

....

HÉLÈNE *évoquant l'amour-aimantation où elle gravite.* On voit très bien les fils qu'il peut produire, cet amour, de grands êtres clairs, bien distincts, avec des doigts annelés...

(*La Guerre de Troie,*
Acte I, sc. VI ; Acte II, sc. VIII ;
Acte I, sc. IX ; Acte II, sc. VIII.)

Enfin, il faut noter que ce départ de la figure féminine vers le pôle de prostitution laisse le Monsieur de Bellac seul dans la plage faste. Il y demeure associé à l'idée non seulement de province, mais d'amour maternel, comme le prouve le symbole bouffon de légume unique, remplaçant l'amour unique :

Cinq continents se dessèchent dans l'espérance du légume unique, qui rendra ridicule cette spécialisation du poireau, du raisin, ou du cerfeuil, qui sera la viande et le pain universels, le vin et le chocolat, qui donnera à volonté la potasse, le coton, l'ivoire et la laine. Mlle Agnès vous l'apporte elle-même. Ce que Paracelse et Turpin n'ont même pas imaginé, elle l'a découvert. Les pépins du légume unique sont là, dans ce sachet au tiède sur sa gorge, prêts à se déchaîner, le brevet une fois paraphé par votre Président, vers la germination et la prolifération.

(Sc. I.)

Ce légume, en fin de pièce, devient un arbre qu'Agnès et le Monsieur de Bellac planteront peut-être un jour dans un jardin que la jeune femme lui réserve : ainsi reparaît, avec l'espoir d'un âge plus adulte, l'idée de couple édénique et de square, où Stéphy et Edmée considéraient déjà l'arbre symbolique.

CHAPITRE XIII

CONCLUSIONS

Le premier résultat de nos recherches a sans doute été de relier les figures dramatiques par des réseaux qui, jusque-là, étaient restés largement inaperçus. Bien entendu, tous les auteurs qui ont étudié Giraudoux ont reconnu des analogies significatives, qui leur servent à caractériser soit la sensibilité de l'écrivain, la qualité de son univers, soit ses tendances littéraires et philosophiques. Mais nous voilà maintenant face à des structures plus constantes et plus dramatiques. Par exemple, tout en restant sensible au charme des principales figures féminines — Juliette, Bella, Isabelle, Ondine et tant d'autres — nous avons discerné tout un réseau cohérent de figures féminines moins pures, ordinairement situées dans ce que nous avons nommé la « plage néfaste » du mythe : Eva, Léda, Suzanne, Sarah, Indiana, Hélène, Clytemnestre, Bertha, Ruth, Paola — toutes associées à l'idée de duplicité, de mensonge, d'adultère, de prostitution ; nous avons suivi les oscillations de certaines héroïnes d'une plage à l'autre : Anne, Edmée, Lia, Lucile. Sous l'élaboration esthétique, allégorique ou intellectuelle de l'œuvre, nous avons donc saisi quelque chose de beaucoup moins homogène, de beaucoup plus irrationnel et affectif. Des cohérences, contrastées, serrées de part et d'autre de certaines lignes de conflit et de déchirure, sont maintenant perceptibles. Bref, au lieu de cet univers relativement harmonieux et stable, voire de son évolution selon des orientations philosophiques ou politiques, nous avons discerné dans les textes, l'image d'un drame intérieur constant bien que multiforme. Cette image dramatique est le mythe personnel de l'écrivain.

Il n'est aucun des schémas que nous avons tracés, mais il est, au-dessous d'eux, leur dénominateur commun, la structure psychique qui fit tels et non autres ces systèmes affectifs, avec leurs figures et leurs relations dramatiques.

Au niveau ainsi défini, nous pouvons suivre le développement de l'œuvre. Dès les premiers contes, plus ou moins autobiographiques (les *Provinciales*), on constate la présence d'un fonds dramatique très net. *L'Ecole des Indifférents* révèle déjà les traits essentiels : difficultés de contact, intolérance aux tensions, défenses par l'isolement, la dissociation des affects, les jeux verbaux ; recours à l'animisme et à la projection. Avant 1914, le clivage entre un moi pathétique, grave, anxieux et un moi indifférent, spirituel, un peu cynique, jouant à la réalité et se protégeant contre elle, paraît déjà perceptible. Le moi indifférent est tourné vers le réel, l'autre vers une fixation enfantine. C'est ce dernier qui détient la clé du bonheur, la communion avec l'objet aimé, l'identification du type mère-enfant, l'entente avec le monde naturel ou surnaturel, l'omnipotence magique, et surtout l'absence de culpabilité. Retrouver cet état, habiter cette plage représente l'Eden avant le péché. C'est ce moi pathétique que le couple édénique s'efforcera de reconstituer pour revivre le bonheur de la communion originelle. Au contraire, le moi indifférent entre en contact avec la réalité sociale. Or le contact avec la réalité demeure certainement le point faible de Giraudoux ; il devient aisément douloureux, puis négatif. L'indifférence courtoise et souriante constitue, à cet égard, une première défense. Elle ne suffit que rarement et les impulsions de fuite lui succèdent. Giraudoux, nous l'avons dit, est, pour une bonne part, un fugueur et sa biographie en donne maintes preuves. Mais la biographie nous intéresse ici moins que l'œuvre.

Toutes les fois que nous voyons un couple s'y rompre, parce qu'un contact positif se détériore, par ennui, frustration ou culpabilité, le héros fait une fugue. Il s'engage alors dans ce qui est pour Giraudoux la voie héroïque, c'est-à-dire la suite héroïque des défenses contre l'angoisse.

Le premier équilibre entre indifférence et pathétique est mis en péril par la guerre de 1914. Le héros réel, indifférent, c'est-à-dire coupé de son enfance (amnésie), triomphe par une fantaisie de gloire et de pouvoir dans la paix (Siegfried), mais la solution est instable et il doit revenir en arrière. La défense s'organise autour du couple qu'il faut protéger de toute intrusion. Or ce couple est né de la différenciation du moi pathétique en deux mois partiels : l'un masculin obéissant à un moi idéal héroïque (les grands hommes), l'autre féminin, imaginatif, fixé à la mère, à la province, à la magie. Dès *Simon le Pathétique,* le couple édénique est l'expression imaginative de leur communion. Toute la seconde période de production littéraire, jusqu'à *Intermezzo,* paraît dominée par le souci de maintenir ce nouvel équilibre autour d'un noyau de bonheur (Anne et Simon, Alcmène et Amphitryon, Isabelle et le Contrôleur, Maléna et Jacques). Cet équilibre et les menaces de rupture peuvent être représentés par le schéma suivant :

Souillure et agressivité	(Id)
Couple édénique	(Moi)
Impératifs moraux et religieux	(Surmoi)

Le moi recherche le bonheur dans la sécurité et l'innocence : il s'isole également des pulsions et des impératifs dont l'intrusion provoquerait de l'angoisse. Les deux menaces sont d'ailleurs liées : l'apparition du surmoi crée le sentiment de la faute. Le moi se protège donc de part et d'autre par des défenses dont certaines sont collectives, certaines personnelles. Par exemple, du côté de l'Id, pour éviter la souillure et l'agressivité, le moi recourt à la propreté et à la politesse, mais en les accusant de façon obsessionnelle. Du côté du surmoi religieux, il affecte tantôt le doute voltairien, tantôt le sentiment d'être élu, exempt de péché originel, méritant (comme « grand homme » ou comme « sainte ») une estime particulière. Des deux parties du moi qui forment le couple, l'une est relativement stable (grand homme et enfantin à la fois, Simon, Siegfried, Amphitryon, etc.) tournée vers la réalité. L'autre est oscillante et subit la double attraction de l'Id et du surmoi : elle est tournée vers l'intérieur. Le maintien du contact entre l'homme et la femme, la fameuse « fidélité », correspond au contact avec la réalité et, finalement, à la santé psychique. Cependant le couple reste toujours menacé de rupture, soit par l'effet d'excitations extérieures (guerre) ou intérieures (oscillations dangereuses du moi partiel instable : par exemple Isabelle s'approchant trop du Spectre, ou Maléna des pauvres et des malades), soit encore, secondairement, par l'apparition d'un contact négatif entre les deux parties du couple ; on assiste alors à une lutte sourde pour le partage des énergies entre moi social et moi créateur, fonctionnaire et provincial, etc. *Bella* montre comment une culpabilité secrète, projetée sur un conflit de politique intérieure, peut détruire l'Eden, tuer l'héroïne. Mais romans et pièces de théâtre attestent sans arrêt, jusqu'à *Intermezzo*, l'effort de restauration. Que, toutefois, la rupture d'équilibre survienne et que la fuite héroïque s'ensuive (*Judith* ou *Aventures de Jérôme Bardini*), nous verrons, au cours même de la fugue, le couple édénique se reformer (sous la tente d'Holopherne, avec Stéphy dans le square).

Or après *Combat avec l'Ange,* à partir de *La Guerre de Troie n'aura pas lieu,* se produit, dans le mythe de Giraudoux un fait qui rappelle, à certains égards, le schéma de Racine : l'agressivité change de sens — mais la signification du phénomène est tout autre. La rupture du couple édénique apparaît de plus en plus fatale et deux images de couples surgissent. L'une est l'image du couple idéal qui reste édénique, fixé au bonheur infantile, coupé du réel, donc de plus en plus magique, mais sauvegardant l'estime de soi, par identification avec un surmoi moral et religieux. L'autre couple apparaît divisé, en contact avec le réel, mais impur et criminel. La dissociation de ces deux images du couple édénique entraîne la dissociation des deux plages, la faste et la néfaste. Leur différence essentielle réside dans la présence ou l'absence d'amour maternel unissant, comme un cordon ombilical, l'homme et la femme.

Une relation de persécution s'établit entre les deux plages. Le héros et surtout l'héroïne du couple idéal se chargent d'agressivité justicière et dénoncent la plage néfaste, c'est-à-dire l'univers réel du moi social. L'élaboration prend la forme d'une satire des bellicistes, des puissants, des conventions, de l'argent, des mœurs dissolues. La partie du moi qui se rabat sur le surmoi protège ainsi l'estime de soi. Parallèlement, la partie du moi néfaste, identifiée à l'Id, est projetée sur une réalité qui devient persécutrice à son tour, où mûrissent complots et conspirations visant à détruire le bonheur édénique, ses façons propres de sentir, d'aimer et de penser. Que l'on se rappelle Andromaque horrifiée par Hélène, Electre pourchassant Clytemnestre, la Folle de Chaillot dénonçant les mecs ; Hector discernait l'intention belliqueuse derrière les propos d'Ulysse, le Mendiant révélait le complot meurtrier de la reine et de son amant, les prospecteurs et les financiers étaient prêts à ruiner le sous-sol de Paris. Sans relâche, une partie de la personnalité dénonce le remplacement de la tendresse maternelle par des pulsions immorales, amoureuses ou agressives dans l'autre partie de la personnalité. Ce conflit intérieur est psychique, nullement social. Nous pouvons même dire qu'il s'agit d'une régression de caractère obsessionnel, due sans doute aux circonstances extérieures. Les notions de pureté, impureté, prostitution, péché acquièrent une importance de plus en plus grande et sont prises comme système de références pour interpréter la réalité actuelle. Cette évolution nourrit une impression d'étrangeté croissante. Au même instant, d'ailleurs, Giraudoux donne à tous ses commentateurs le sentiment de n'être plus en accord avec la réalité historique. En vérité, cette défense justicière, puis désespérée, du couple pur correspond à une lutte intérieure contre une angoisse qui croît et menace le centre de la personnalité.

Car la révolte justicière — ce nouveau mécanisme de

défense appelé en renfort à partir d'*Electre* — se révèle insuffisante contre un sentiment toujours plus pesant de culpabilité personnelle. Dans *Sodome et Gomorrhe*, Lia commet la faute que les héroïnes précédentes ne cessaient de dénoncer, et précipite la fin du monde ; Lucile (*Pour Lucrèce*) avoue que même si elle ne commet pas la faute, elle est coupable en intention, en rêve : Lucile est une Electre qui se sent aussi coupable que Clytemnestre ; vaincue, elle ne peut plus rien espérer que de la grâce de Dieu. La plage édénique, dont la défense fut la préoccupation majeure de Giraudoux tout au long de sa création, apparaît détruite ; l'héroïne, ayant perdu, à l'instar du couple néfaste, l'estime de soi, s'empoisonne ; un état de mélancolie anxieuse — le terme prend ici son sens le plus tragique — s'instaure. L'écrivain, nous le savons maintenant expérimentalement par toutes les analyses psychocritiques antérieures, raconte moins sa vie que son mythe ; cependant vie vécue et œuvre rêvée s'organisent autour des mêmes nœuds affectifs profonds, du même phantasme dominant, qui se modifie lentement au cours de l'existence. Le dernier tableau, révélé par l'œuvre théâtrale, de la personnalité inconsciente de Giraudoux, à la fin d'une évolution chronologique, est particulièrement catastrophique. Des écrits, projets ou inédits postérieurs à *Pour Lucrèce*, aucun n'esquisse l'ébauche valable, originale, d'une guérison psychique. Du côté du moi social, la « destinée », en cette fin d'année 1943, portait l'uniforme des officiers hitlériens au cœur de Paris ; la « nature », elle, perdait à jamais son sourire maternel, au cœur de la province : la mort de Jean Giraudoux, le 31 janvier 1944, suivit de quelques semaines à peine celle de Mme Giraudoux, sa mère.

*
* *

A la lumière de la courbe générale que nous venons de tracer, il semble plus facile de reprendre certains problèmes qui se sont posés en cours d'analyse. Celui du mensonge, d'abord. Il apparaît essentiel puisqu'il est lié à l'opposition simplicité-duplicité, ou mieux plage faste — plage néfaste, qui structure le mythe personnel de Giraudoux. Or nous savons que la psychologie moderne distingue *deux* mensonges, et leur discernement a déjà aidé la psychocritique dans l'étude du comique, et du comique cornélien en particulier [1].

Le premier genre de mensonge vise à tromper autrui, en toute connaissance de cause ; dans la farce, il prend l'allure de la fourberie. Cette tromperie volontaire sévit exclusivement dans la plage néfaste du mythe personnel de Giraudoux ; il est sans cesse dénoncé, par le héros de la plage faste, comme une hypocrisie malfaisante : le mensonge conventionnel et la haine qu'il dissimule prennent la place de l'amour conjugal du type communion mère-enfant. Il se confond alors avec le péché, car la duplicité se révèle agressive et destructrice. Les mauvais couples font horreur aux héros de la plage faste parce que, derrière la façade d'union qu'ils offrent à tous, se cache un désir de meurtre. Andromaque reproche à Hélène de ne pas former un vrai couple avec Pâris, mais, dans *Electre,* on apprend que tout le mal est venu du fait que Clytemnestre, comme Agathe, n'aimait pas son mari — et l'a tué. En dépit d'un certain attachement, le Président et Florence, Hans et Bertha forment des couples où le mensonge s'est glissé entre les conjoints. Dans *Sodome et Gomorrhe,* Dieu n'a qu'une exigence absolue : il veut un couple uni, comme il voulait, dans la Bible, un juste. La catastrophe cosmique s'abat sur les villes quand ce couple se présente entaché de fourberie : Lia refuse une adhésion totale, et le sait. De la réalité extérieure, le danger mortel auquel le mensonge ouvre la voie effleure et envahit peu à peu les points protégés : l'amour narcissique exhibitionniste (Hélène), puis la fraternité homosexuelle (la guerre de Troie a bien lieu), puis l'amour du couple dans le mariage (Hector devient Agamemnon) ; car l'homme est trop préoccupé de ses affaires sociales : il ne sait plus aimer. Agamemnon est retenu longtemps par la guerre, le Président par ses affaires, l'Etat par d'autres soucis que le

1. *Psychocritique du genre comique,* et *Des Métaphores obsédantes au mythe personnel,* chap. XVI.

théâtre (*Impromptu de Paris*), Hans est repris peu à peu par la cour. La colère divine frappe alors un organisme incapable d'amour et de création.

Le second type de mensonge, le mensonge cornélien, ne vise pas autrui, mais soi-même. Il est un phantasme auquel on veut croire, une fantaisie imaginaire, une pseudologie nécessaire pour renforcer la négation d'une réalité pénible. Cette réalité néfaste est d'autant mieux oubliée qu'un partenaire ou un témoin accorde créance au mensonge, « joue le jeu ». On rencontre ce mensonge-là partout dans la plage faste, mais l'auteur n'en est pas toujours conscient. En effet, si l'on examine sous cet angle l'attitude de Giraudoux face à un danger d'agression, force est bien de reconnaître le recours si caractéristique à la négation (la Guerre de Troie n'aura pas lieu). Pendant des années, la quasi certitude que la guerre européenne, mondiale, aurait lieu, du moins la probabilité fondée sur tout ce que le Quai d'Orsay devait savoir, est refoulée ou niée par Giraudoux, recouverte par le baume d'un mensonge rassurant. Une suite de textes cités par les critiques indiquent comment notre auteur excluait du problème politique qui se posait à l'Europe entre 1933 et 1940, l'Allemagne et l'Italie. Mais lorsque l'écran d'illusion fut crevé par l'évidence du nazisme, la peur des Hitlériens inhiba l'homme. Nous ne voyons pas là des erreurs inexplicables chez un diplomate français, intelligent et informé, mais la manifestation d'un mécanisme de défense contre une angoisse d'autant plus redoutée qu'elle revêtait tous les caractères d'une agression sexualisée. La fuite vers l'irréalité, comportant la négation de l'assaillant, nourrissait aussi bien les œuvres littéraires que les essais politiques. *Pleins Pouvoirs* et *Sans Pouvoirs* témoignent de l'oscillation maniaco-dépressive : la dépression est justifiée par le heurt avec la réalité qui dissipe l'illusion ; le mensonge cornélien de *Pleins Pouvoirs* tente de résister à ces coups de boutoir.

Giraudoux semble à la fois obsédé par la duplicité du monde réel (intériorisé dans la plage néfaste du mythe), et glorieux par identification à un surmoi maternel, qui veut que le fils soit un moi idéal, dans l'obéissance au père. Il forge ainsi de lui-même une image idéale faussement simple, qu'il présente comme un parangon de vérité (plage faste). Son Cid, c'est Juliette ; son Polyeucte, c'est Electre. Ces héroïnes, satisfaites d'elles-mêmes, sûres d'avoir raison, d'être aimées, d'être éternelles, tentent d'arracher à la réalité néfaste de la plage adverse un être souvent masculin qui formera, avec elles, un couple du type mère-enfant. Elles y parviennent mal, parce que le réel et sa duplicité sont beaucoup mieux armés que leur innocence, qui doit user de magie (par identification maternelle) : par exemple, dire à l'homme qu'il est beau (*L'Apollon de Bellac*), ce qui est toujours vrai pour une mère regardant son enfant. Parfois une héroïne de la plage faste essaie maladroitement d'user, dans son entreprise, du mensonge du premier genre, de la fourberie : c'est Ondine affirmant qu'elle a trompé Hans, avec le succès que l'on connaît.

Le mensonge cornélien de l'héroïne paraît être une défense contre l'indifférence, ce que les psychanalystes appellent le manque de contact authentique. Or Giraudoux, pour aimer quoi que ce soit ou même qui que ce soit, est contraint d'imaginer qu'il l'a créé, qu'il en est la mère. Il projette alors sur ces objets sa propre qualité d'enfant, comme la petite fille qui joue à la poupée devient la mère tandis que la poupée devient la petite fille. Cette façon d'aimer exclut toute agressivité et toute trace de fourberie ; mais elle reste entachée du mensonge glorieux, le créateur d'illusion, qui n'autorise pas le contact authentique. Car il s'agit d'un mécanisme d'écrivain qui s'oppose évidemment à ceux que doit mettre en jeu le moi social dans le monde réel, où il faut se battre, tâcher au moins de devenir vice-président. Le mythe total de Giraudoux pourrait se résumer en un conflit de deux mensonges. Pour notre part, nous n'avons pas à porter de jugement moral : notre profit sera de voir l'œuvre refléter le conflit, et le créateur capter son dynamisme.

*
* *

Cette « façon d'aimer » dont nous venons de parler se révèle essentielle pour comprendre le dernier problème que nous voulons aborder : Giraudoux et l'image qu'il se faisait, ou justement refusait, de Dieu. Dans le chapitre qu'il consacre à la religion (XXIII), R.M. Albérès écrit, avant de citer Judith : « *Il est curieux de voir reparaître sur ce thème essentiel la* pudeur *de Giraudoux. Il ne veut aucune image grandiloquente ni précise de Dieu, avec qui il ne voit la possibilité d'aucun lien affectif : " Ma sympathie, comme je me connais, irait plutôt à un Dieu faible, à un Dieu auquel l'amour des hommes est nécesaire pour sa divinité. "* » Et une page plus loin : « *Il semble placer Dieu dans un « silence » qui est au-dessus et au delà de l'harmonie universelle...* [2] »

Cette attitude me paraît significative et prend une valeur différentielle. En effet, en dépit de ses fuites vers les Mères, Nerval, que nous évoquions au début de ce livre, ne peut pas refuser entièrement le contact avec Jéhovah, figure paternelle, double sombre : il doit faire face au cauchemar d'Antéros. Giraudoux, comme Frédéric Mistral, comme Paul Valéry, peut refouler ou esquiver le contact avec un surmoi. Ici encore, il supprime les liens affectifs, choisit l'indifférence et la parole de Judith fait bien comprendre pourquoi : le lien affectif serait possible si Dieu était un être faible qui a besoin de vous (l'enfant, le Kid peuvent être ainsi divinisés). Mais la relation normale envers une instance divinisée est d'infériorité et de passivité. Pour Giraudoux, celle relation est intolérable, il ne supporte pas d'être le second. Complexe d'infériorité, si l'on veut (c'est ce qu'il nommera « orgueil »), mais complexe nettement sexualisé comme le prouvent :

— l'ambivalence des héroïnes à l'égard des hommes puissants et leur préférence pour des hommes-enfants (maladroits, lourds, moins blessants que blessés, guidés par elles, etc.) ;

— l'identification à la femme révoltée par l'humiliation et le viol que les dieux ou les hommes cherchent à lui imposer ;

---

2. R.M. Albérès, *Esthétique et Morale chez Jean Giraudoux*, pp. 371 et 373.

— la honte suprême que provoquent le désir secret de passivité, le plaisir dans la passivité, toujours conçus comme du masochisme que la santé refuse. Tentation et refus de cette passivité forment le sujet de *Combat avec l'Ange*. (On pourrait approfondir ce point à l'aide des travaux d'Edmund Bergler.)

On retrouve naturellement cette horreur de la passivité chez Valéry. Mais celui-ci fut sans doute largement soutenu dans sa lutte par la mort du père, par sa foi en une puissance intellectuelle exceptionnelle, par sa libération d'abord du fonctionnariat puis du travail chez Havas. En somme, il semble avoir réussi largement à expulser ses « mauvais objets » internes, tandis que Giraudoux semble de plus en plus empoisonné, la surcompensation maniaque se révélant toujours précaire. Certes, il évite longtemps la dépression de Nerval, mais n'enkyste pas ses hantises comme Valéry. C'est finalement la fuite devant la passivité qui isole Giraudoux de la réalité, de façon toute relative (c'est-à-dire selon son désagrément), le contraint à la rupture des couples, mais l'incline aussi à chercher refuge dans l'idée du couple fidèle, contrôlé par le héros essentiel (Alcmène dans *Amphitryon,* Hector dans *La Guerre de Troie*). L'accoutumance, la routine sont ressenties comme des soumissions à la réalité, donc comme des passivités.

L'affectivité n'est admise d'abord qu'à sens unique : de supérieur à inférieur ; elle est alors positive, mais assez faible. Quand la réalité s'impose, l'affectivité passe de l'inférieur au supérieur, mais sous forme de satire et de haine. La supériorité sur Dieu étant absurde, l'affectivité est coupée. L'harmonie avec le Cosmos, l'accord avec Dieu sont alors définis négativement, par l'absence d'angoisse ; l'intrusion du complexe est aussitôt ressentie comme un viol.

Dans *Combat avec l'Ange,* à propos de Nancy, qui a connu les pires fléaux dès son enfance, Giraudoux écrit : « Tout ce qui est fort et fatal est sourd-muet, et les grands hommes diffèrent seulement des autres en ce qu'ils parlent aux sourds-muets avec plus d'éloquence. » Nancy, ayant constaté que les grands hommes ne peuvent rien contre les fléaux, a décidé de prendre en main sa sauvegarde personnelle. Elle s'oppose à Maléna, qui, pour sa part, croit encore aux grands hommes (Jacques, Brossard) et veut devenir digne d'eux. Leur éloquence consiste à parler par signes aux puissances sourdes-muettes, c'est-à-dire à leur adresser des signes et à en recevoir, sans qu'il y ait vraiment intelligence de leur part. Jacques pratique cet art ; Nancy semble plus occupée à se protéger. Nous reconnaissons là une relation très archaïque, préverbale ou paraverbale, dans laquelle l'objet parental, redouté, ne comprenant pas les signes qu'on lui adresse et ne tournant pas ses regards vers l'être sans force, est anxieusement interprété dans ses attitudes — la vie ou la mort dépendant de cette lecture. L'incompréhension paraît si profonde qu'il semble plutôt s'agir de « part-objects » ou d'impulsions internes échappant au contrôle du jeu verbal (par exemple, l'aimantation irrésistible d'Indiana vers les hommes ou Judith se déshabillant devant Daria, la sourde-muette femme de chambre, qui révèle, à la fin, la fatalité de son but ; Daria représente Jéhovah autant que le soldat endormi et ivre). Dans le mythe de Giraudoux, l'instinct sexuel pousse irrésistiblement vers un contact où l'on sera possédé, parce qu'il pousse au contact avec une réalité possessive. L'instinct de conservation, lui, exige que l'on s'en protège : l'amour dans une chambre d'hôtel, la prostitution, la maladie, la pauvreté sont assimilés à toute atteinte à l'intégrité. Gladys refuse l'héroïsme et Electre, en fait, surmontera la même tentation de masochisme, de passivité héroïque. L'agnelle devient louve en imagination parce qu'elle tient les bergers pour des bouchers. Les nuances de la réalité — rectifications de Clytemnestre, raisonnements ou repentir d'Egisthe — restent sans effet sur une Electre rendue sourde-muette et fatale par la force hallucinatoire du phantasme. La réalité est un lieu où des fourbes complotent votre mort. Cette panique du paranoïaque, qui seule explique la surdité d'Electre, Giraudoux la tait. Mais nous pouvons reconnaître l'enchaînement des diverses étapes : relation préverbale dangereuse avec un objet tout-puissant — panique devant le sacrifice — fuite dans la surdité et le mutisme (probablement par identification à l'agresseur muet et sourd) — enfin recours à l'agressivité paranoïde.

Sur un tel fond de phantasmes inconscients, nous ne sommes nullement étonné de voir surgir l'image dérisoire d'un Dieu faible, la seule à laquelle Giraudoux eût pu attacher quelque amour, mais la personnalité la plus consciente ne pouvait que l'écarter.

* * *

Nous arrivons au terme de ce premier examen psychocritique du théâtre de Giraudoux. Notre nouvelle lecture vient compléter les autres, celles de la critique classique, parfois les modifier. Nous avons gagné un sentiment d'unité et nous suivons maintenant un développement que les données biographiques, lorsqu'elles seront mieux connues, ne pourront guère infirmer. Notre jugement esthétique reçoit aussi une contribution non négligeable : nous nous expliquons mieux nos réserves. Elles proviennent du fait que le mythe personnel, projeté sur l'écran du monde réel afin de créer l'œuvre, s'y adapte d'autant moins que l'angoisse est plus forte. Giraudoux n'était pas assez grand poète pour forcer cette adaptation ; réalité et mythe ne se fondent pas toujours et les jeux verbaux couvrent mal les fissures. Nous sommes en face de synthèses partielles. D'avoir pu étudier leur défaut est un résultat fructueux pour notre recherche psychocritique ; de connaître leur réussite justifie une admiration méritée. Enfin, notre sympathie personnelle pour l'homme et son combat intérieur a certainement trouvé, au long de notre travail, des raisons que le cœur n'ignore plus.

1964.

Texte établi sur le manuscrit par ALICE MAURON.

INDEX DES TEXTES DE GIRAUDOUX CITES

TABLE

ACHEVÉ D'IMPRIMER
LE 13 JANVIER 1971
SUR LES PRESSES DES
IMPRIMERIES RÉUNIES
22, RUE DE NEMOURS
A RENNES, FRANCE

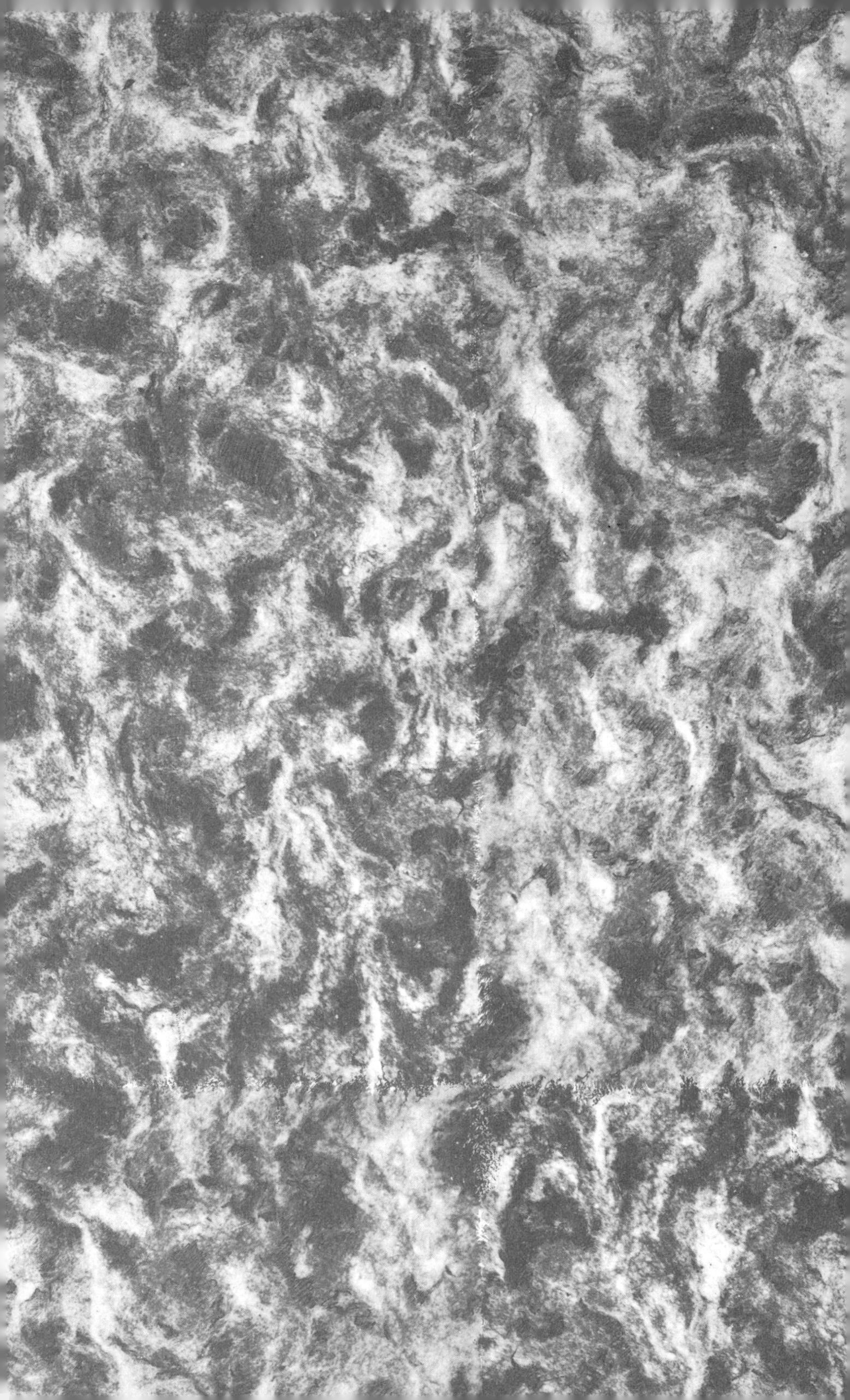